СДЕЛАНО
В СССР

Вера
Панова

СЕНТИМЕНТАЛЬНЫЙ
РОМАН

Москва
«Вече»

УДК 821.161.1-3
ББК 84(2Рос=Рус)6
П16

П16   Панова, В.Ф.
        Сентиментальный роман : роман, повесть, рассказы / Вера
    Панова. — М. : Вече, 2015. — 320 с. — (Сделано в СССР. Лю-
    бимая проза).
        ISBN 978-5-4444-2330-1

Знак информационной продукции **12+**

В книгу известной советской писательницы Веры Федоровны Пано-
вой (1905—1973) вошли роман, повесть и два рассказа, созданные в различные периоды ее жизни и раскрывающие разные грани ее творчества.
«Сентиментальный роман», рассказывающий о творческой молодежи
начала 20-х годов прошлого века, в принципе автобиографичен и вобрал
в себя многое из журналистского прошлого автора. Повесть «Сережа» —
история из жизни пятилетнего мальчика, о его взаимоотношениях с миром
взрослых и отчимом, за которого мама недавно вышла замуж. Рассказы
«Валя» и «Володя» посвящены нелегким судьбам ленинградских подростков, переживших военные годы. Все эти произведения были экранизиро-
ваны. По мотивам рассказов «Валя» и «Володя» был создан фильм «Вступ-
ление» (режиссер Игорь Таланкин), вышедший в кинопрокат в 1963 году.
Фильм «Сережа» — дебютный фильм Георгия Данелии и Игоря Таланки-
на (1966 г.) — получил награды международных кинофестивалей. Фильм
«Сентиментальный роман» был снят режиссером Игорем Масленниковым
в 1976 году, в главных ролях: Елена Коренева, Николай Денисов, Михаил
Боярский.

УДК 821.161.1-3
ББК 84(2Рос=Рус)6

СЕНТИМЕНТАЛЬНЫЙ РОМАН

Роман

О юность легкая моя!

Пушкин

1

После долгой разлуки Севастьянов ехал в город своей юности.

Когда-то Илья Городницкий рассказывал:

«Я гимназистом ушел из дому. Черт знает, где только не был. В Тифлисе при меньшевиках работал в подполье, накрыли, сидел в камере смертников, уцелел чудом. Был комиссаром дивизии, членом ревтрибунала, воевал, учился, жил в Москве, в Гамбурге, в Париже, написал книгу. И вот приезжаю домой. На Старопочтовой цветут акации. В тротуаре выбоины на тех же местах. Старые евреи сидят под акациями на стульях, дышат воздухом. Не помню, кто такие. Ну, думаю, меня тем более не узнать. У меня, между прочим, борода и заграничный реглан. Прошел и слышу:

— Володьки Городницкого сын. (Равнодушно.)

— Возмужал.

— Возмужал…»

Узнают ли Севастьянова старожилы родимых мест? Много лет прошло, он совсем от этих мест отбился, считал себя прирожденным москвичом. И кто там остался из старожилов? Пятилетки, переселения, война перетасовали людей. В городе новые улицы, новые парки — город в войну был сильно разрушен, теперь отстроен. Говорят, хорошо отстроен.

Севастьянов ехал туда на день, от поезда до поезда, просто взглянуть… Ехал из санатория, в вагоне были сплошь курортники, возвращающиеся домой: женщины с шоколадными руками, обнаженными до плеч, и с яркими губами на шоколадных лицах; мужчины в светлых рубашках. Их голоса были еще по-курортному оживленными, празднично беззаботными. Мужчины острили; женщины кокетливо вскрикивали… Детишки с выгоревшими на солнце головами томились и капризничали в вагонном бездействии. Багажные полки были забиты новенькими белыми корзинами с фруктами. Пахло яблоками и виноградом. Резвый ветер дул в окна.

Горы кончились. Поезд шел через степь. Севастьянов до вечера простоял в тамбуре, положив локти на опущенную раму окна. Два месяца назад, с самолета, он ничего не увидел: был болен и, взглянув вниз с высоты облаков, закрывал глаза от слабости... Сейчас были убраны хлеба, и обнаженно и величаво лежала земля, отдыхая от праведных трудов, желто-серое жнивье, окропленное яично-желтой сурепкой, — серый цвет и желтый цвет до горизонта. На откосе за окном, казалось — на расстоянии вытянутой руки, бесплотно трепыхались сухие бледно-лиловые бессмертники.

Кое-где пахали, черная полоса опоясывала край земли — черное море, маленький трактор бороздил черное море. Потом заполняла все видимое пространство бурая отава, по отаве паслись пестрые коровы. Седой чабан в соломенной шляпе сидел на насыпи, свесив босые старые ноги, и пил молоко из бутылки. В другом месте пасла стадо девушка городского вида, она медленно шла с хворостиной в руке и читала книгу, на ее склоненной шее, в вырезе платья, обрисовывались позвонки, оборка широкой юбки вилась вокруг колен.

Круглыми комочками дыма попыхивала даль, мимоходом в вагонное окно влетело тарахтенье молотилки, три такта: та-та-та.

Станица, беленые хаты, колодец на улице. Женщина, скалясь от солнца из-под белого платка, крутила колодезный ворот и глядела на поезд. И так же знойно скалился, глядя из-под ладони, маленький мальчик, стоящий возле женщины. Тяжелое ведро медленно и прямо подымалось из колодца, над дверями хат прибиты гирлянды лука и связки перца, красного как огонь.

Станции — огнедышащие острова: жгучая земля в мазуте и штыбе, сверкание рельсов и скрежет железа, элеваторы, паровозы, пакгаузы, грузы... И снова поезд бежал через простор, обдуваемый ветром, степная дорога, добела испепеленная зноем, бежала рядом с полотном, серая тучка пыли катилась по дороге, а перед тучкой грузовик, нагруженный мешками. И то курган замыкал распахнутую в окне картину, то высокая скирда. И скирды были задумчивы и вечны, как курганы.

На остановках Севастьянов выходил, смотрел на новые вокзальчики легкой павильонной конструкции, они были современней и чище прежних станционных зданий. Покупал помидоры, арбузы, вареные кукурузные початки — в детстве все это было вкусней. В общем, он отнесся к родной своей степи с родственным вниманием, но без умиления — ведь какие пространства исколесил за эти годы, в каких краях не побывал. Так же кружили и плыли навстречу иные просторы. Там тоже насыпи и бессмертники на насыпях. И мягкая южная речь с придыханиями и неправильностями, от которых в свое время отучался в Москве, — эта речь звучит и под другими широтами...

Поезд приходил в *** утром. Севастьянов встал раньше всех не из чувствительных побуждений, просто он не любил суеты и сутолоки, которые бывают перед приездом в большой город.

Вагон спал, розовое небо светило в окна справа. На некоторых подушках лежало по две головы, женская и детская, голова ребенка льнула к материнскому плечу. Темные руки выделялись на белых простынях. На верхней полке парень с голой бронзовой спиной безмятежно храпел, лежа на животе и повернув вбок счастливое лицо. Севастьянов не торопясь, без помехи умылся, надел свежую рубашку, убрал в чемодан дорожные вещи.

— Не желаете чаю? — тихим голосом спросил, заглянув к нему, проводник... Со стаканом в руке Севастьянов вышел в тамбур к своему окну, и в этот момент поезд приостановился у разъезда. Разъезд как разъезд, желтый домишко, капуста и тыквы на грядках, белье на веревке. Безыменный разъезд в степи, остановка на полминуты, но Севастьянова будто окликнул кто: «Эй, посмотри, не узнаешь разве?», он вздрогнул и увидел за окном себя, молодого, шагающего, улыбаясь, к поезду, с волосами, раскиданными ветерком...

Солнце только что встало и лежало, блистая, на краю степи. И вся степь блистала — каждая спаленная былинка, доживающая лето, держала свой сияющий дрожащий алмаз, а капустные листья в маленьком огороде были усыпаны частыми сизыми каплями. И Севастьянов вспомнил точно такое алмазное утро, солнце так же играло, лежа низко, и степь переливалась — но она была зеленая! Далеко-далеко то утро, там теснятся юные лица сверстников, звучат голоса, — там он всходит по ступенькам железной лестницы, ступеньки громыхают как гром небесный, — там он пишет свои первые строчки и изображает на карнавале какого-то лорда...

Было утро, степь переливалась, он шел по степи, вот этот самый Севастьянов, что стоит сейчас тут в вагонном тамбуре со стаканом чая в руках. Тогда эти руки были розовые и юношеские, с гибкими пальцами и запястьями как из железа, и ими беспечно размахивал на ходу. Он шел по степи, трава была густая, холодная, — а при чем тут разъезд, стой! Разве был разъезд? Значит, был, если запомнился навеки. Был разъезд, было утро, Севастьянов шел по алмазам и любил, так любил, что даже воспоминание об этой любви обожгло ему глаза. Он любил неимоверно и небывало, а штаны у него до колен были мокрые от росы.

2

Это какого ж лорда он представлял, Керзона, что ли? Или Чемберлена, с Чемберленом у нас тоже были счеты, даже на спичечных коробках, помнится, было напечатано: «Наш ответ Чемберлену».

Во всяком случае, Севастьянов был на карнавале в цилиндре. Стоял на грузовике, рядом кулак с бородой, поп с бородой, раввин с бородой и кто-то еще в цилиндре — Ллойд Джордж?.. На другом грузовике ребята были загримированы под китайцев, индусов, негров: Интернационал.

Они продвигались над теснотой людских голов, среди знамен алых, малиновых и густо-вишневых. (Тяжелый бархат цвета черной вишни. Ведь как бедны были в те годы, а самый слабенький заводик выносил знамя из шелка или бархата, кумач шел только на лозунги да на косынки женщинам…) Знамена, оркестры и хоры обгоняли едущих. Каждый оркестр играл свое, каждый хор пел свое, песня наплывала на песню и марш на марш. Иногда это все останавливалось: когда впереди где-то образовывался затор; и грузовики стояли затертые; а потом опять все медленно текло — красное, золотое, медное, скопление людей и музыки — вдоль Коммунистической. Во время остановок девчата в украинских костюмах, размахивая лентами, плясали на мостовой казачка и шамиля.

А какая-то дивчина стояла на крыше университетского здания — пять этажей — на самом краю. Крыша была покатая, держаться не за что. Но каждую демонстрацию стояла там дивчина, Первого мая и Седьмого ноября, то в светлом платье, то в пальто, по сезону. Она демонстрировала свое бесстрашие. Показывая на нее, говорили: «Вон она опять». Жутковато было, как она стоит на самом краешке покатой крыши, ничем не защищенная от смертельной высоты. Ее стриженые волосы трепал ветер.

Севастьянов раскланивался, поднимая цилиндр, и кричал: «гау ду ю ду» и «ол райт» — больше он по-английски не знал ничего. Поп крестил народ. Кулак гримасничал. Каждый с усердием нес свою агитационную службу.

Знакомые ребята, узнавая их, кричали: «Ванька Яковенко, здорово! Ленька Эгерштром, Шурка Севастьянов, здорово!» «Здорово!» — отвечал Севастьянов, забывая, что он лорд. Выкрикивались революционные лозунги, он кричал «ура» со всеми.

3

В одну весну были три Пасхи: еврейская, русская и комсомольская.

На еврейскую целой оравой нагрянули к Семке Городницкому. Семка рад был подкормить товарищей; и в то же время страдал, что у него, безбожника, в доме пасхальная еда на столе. Все в этом доме вызывало его протест и возмущение, и прежде всего отец. Старик Городницкий в крахмальной манишке сидел на диване и хвастал. Семке хотелось, чтобы ребята побыстрей наелись и ушли, и он, Семка, с ними. Щурясь от стыда, он предлагал басом: «Пошли пройтись». Но старик Городницкий вцепился в них, мальчишек, не хотел их отпускать, пока они не выслушают его рассказов об успехах Ильи, о талантах Ильи, о блестящем будущем Ильи.

— Вы читали его статью в «Известиях»? Чтобы написать такую большую статью, надо разбираться в вопросе, ха-ха? Говорят, такому-то и такому-то понравилась статья. Теперь он пишет книгу. Ему дали отпуск, чтобы он написал книгу. Неограниченный отпуск, вам понятно? На полгода, на год, пожалуйста. А со здоровьем неважно, катар желудка еще с тюрьмы и головные боли, и он же не бережется, ему предлагают Кисловодск и что хотите, а он сидит в Москве и пишет книгу!

Выцветшие, навыкате, глаза старика Городницкого наливались слезами и кровью, когда он хвастал Ильей, своим старшим сыном. При белых он кричал, что знать не знает этого выродка, пусть издохнет в кутузке. Сейчас говорил:

— У нас в роду были коммерсанты, музыканты, сапожники, теперь, бог даст, будет большой политический деятель. Выпьем за него! Мы еще о нем услышим!

Он жаждал услышать скорей, его белые руки в коричневых крапинках вздрагивали от нетерпения… Дама с черными усами и громадным бюстом, на котором среди волнующихся оборок вздымался и опадал брильянтовый якорь, хлопотала у стола и подкладывала ребятам то фаршированной рыбы, то мяса в сладкой подливке. Перед каждым стояла салфетка, как маленький снежный сугроб. Никто из ребят не притронулся к этим голубоватым блестящим холмикам. Ножи и вилки были громоздкие, тяжелые, с вензелями… Семка яростно щурился, ничего не ел, и его горбоносое длинное лицо, искаженное отвращением, говорило: «Я не выбирал себе отца. Я не фаршировал рыбу. Эта тетка с усами и брильянтами не имеет ко мне отношения. И вообще я повешусь». Но ребятам интересно было послушать об Илье, их увлекала эта биография, такая молодая и такая бурная, полная дерзости и перемен, они примеряли эту судьбу на себя. Севастьянов думал: Илье повезло в том смысле, что он раньше родился. Родись я пораньше года на три-четыре, я тоже участвовал бы в гражданской войне, во всех этих событиях. Но ведь это начало, думал он. А угнетенный Китай, а немецкий пролетариат… Понадобимся и мы.

Пока же они мастерили богов для публичного сожжения. Наперерез наступающей православной Пасхе они подводили, как мину, свою комсомольскую Пасху. Семка Городницкий делал в клубе коммунальников доклад: «Существовал ли Христос? Евангельская легенда с точки зрения астральной теории шлиссельбуржца Морозова». Он гордился, что взял такой оригинальный, эффектный материал и что кто-то сорвал афишу и пришлось делать новую. Севастьянов на доклад не пошел, для него вопрос был ясен, а забежал за Зойкой маленькой и Зоей большой, чтобы вместе идти на сожжение.

Он шел за руку с Зойкой маленькой. Ее пальцы угрелись в его руке, лежали, свернувшись уютно. Был расцвет их дружбы, еще ничем не омраченной, доверчивой. Их соединенные руки были спокойны. Так могли бы идти брат и сестра, полные взаимного понимания и доброжелательства. Зоя большая шла впереди, окруженная ребятами. Ребята напропалую острили, толкались, Ленька Эгерштром даже прошелся перед Зоей на руках, благо подморозило. Зоин смех взлетал высоко и нервно. Севастьянов нарочно сдерживал шаг, чтобы с Зойкой маленькой отстать от них немножко: он не одобрял, когда ребята поднимали на улице возню и гам; пускай они влюблены по уши — он находил их поведение дурацким.

В темных улицах, невысоко над землей, плыли пятна разноцветного света; обгоняя друг друга, двигались по направлению к «границе». Это люди шли в церковь и несли фонарики — розовые, желтые, полосатые. Маленьким мальчонкой Севастьянов тоже ходил с покойной матерью к заутрене, неся за проволочную дужку бумажный фонарик. Фонарик складывался и растягивался, как гармонь. На дне у него была вставлена свечка, лепесток ее огня сквозь отверстие картонной крышки дышал на руку слабым теплом. Воспоминание слабенькое, как это зыбкое дыхание! Севастьянов вырос и шел в компании ребят сжигать богов.

— Даешь с дороги, а ну!.. — закричали сзади, выругавшись. Севастьяновская компания посторонилась. Ее обогнали парни с дубинами. В центре группы несли на носилках огромный, хитроумно склеенный фонарь — в виде замка с башнями, в нем горело много свечей, — должно быть, сообща сооружали… Стуча сапогами и ругаясь, парни с дубинами прошли. Зойка маленькая сказала:

— Вот это фонарь, я понимаю.

Сказала для того, чтобы Севастьянов не подумал, будто ей отвратительно и горько от мерзких слов, которые прокричали, проходя, парни с дубинами. «Ничуть не горько, подумаешь, — хотела она сказать своим замечанием, — я даже внимания не обратила — рассматривала фонарь». Она шла всюду, где можно видеть людей и события; но все грубое ее ранило, и она стыдилась своих ран, она хотела быть неуязвимой.

Открылся черный простор «границы» — весь в цветных созвездьях, тепло и туманно толпящихся у самой земли, кружащих над нею, перемещающихся и сталкивающихся.

— Красиво все-таки, — сказала Зоя большая, оглянувшись на маленькую.

— Спрашиваешь! — воскликнул Ленька Эгерштром, выслуживаясь. — Конечно, красиво!

Но Зойка маленькая сказала своим холодноватым, ясным голосом:

— Смотря что считать красивым. Если видеть красоту в религиозном дурмане…

И даже самые влюбленные, даже Спирька Савчук, который, по Ленькиному уверению, от любви к большой Зое заболел малярией, — они все присоединились к Зойке маленькой: на черта красота, если от нее вред трудящимся. Каленым железом выжигать такую красоту, которая опиум для народа! Тем более, тут и красоты никакой нет: идут, несут паршивенькие фонарики, нашли чем восхищаться. То ли дело была иллюминация в пятилетие Октября, говорили ребята, когда вдоль чуть ли не всей Коммунистической горели гирляндами лампочки, а на учреждениях горели красные звезды…

Потом они жгли Христа, и Иегову, и еще всяких больших соломенных богов с ярко размалеванными лицами. Костер был разведен на широком перекрестке Коммунистической и Мариупольского, на скрещении трамвайных путей. Движение прекратилось. Длинные цепочки трамвайных вагонов выстроились с четырех сторон. Подходил еще вагон и послушно замирал в конце цепочки. Народ усыпал все четыре угла и ближние кварталы, а вокруг костра были комсомольцы, сотни комсомольцев с Югаем во главе.

Боги пылали под звон пасхальных колоколов. Столбы искр летели в городское небо. Свет костра растекался по проводам вверху и по рельсам на земле, пахло дымом. Югай стоял близко к костру, по его лицу проносились тени и сияние от пляшущего огня. Он стоял в своей кожаной куртке, с кобурой у пояса, и смотрел, как сгорают боги.

Боги сгорели, толпы хлынули прочь от перекрестка, трамваи двинулись, осторожно звеня... Колокола все били. Севастьянов и Зойка маленькая заглянули еще в молодежный клуб и послушали диспут: «Может ли комсомолец есть куличи». Установили, что не может, а на другой день Севастьянов ел кулич и дома у тети Мани, и у Ваньки Яковенко, и у Зойки маленькой, — во всех домах справляли Пасху если не родители, так бабушки и дедушки... Севастьянов не был двурушником, просто ему всегда хотелось есть, а вкусная еда была редкостью в его жизни.

4

Дама с черными усами бросила свой якорь под кровом старика Городницкого. Сразу после Пасхи она туда въехала, и старик сходил с ней в загс. У них на доме вокруг парадной двери были навешаны эмалевые дощечки: «Зубной врач», «Член коллегии защитников», «Сифилис, венерические здесь, 2-й этаж». К этому дама прибавила большую поперечную вывеску: «Мережка и зигзаг». В квартиру стали ходить заказчицы. Это было последней каплей в чаше идейных разногласий, существовавших между Семкой и его отцом. Семка взбунтовался и ушел из дому.

Старик Городницкий был видный, откормленный, благодушный, с холеными руками. Он носил гетры и золотые запонки на манжетах. До революции он был коммивояжером, ездил по России с образчиками парфюмерных товаров. Потом спекулировал иностранной валютой. В двадцатом году у него сделали обыск, забрали доллары и его самого забрали в Чека, но скоро выпустили. Теперь он ходил по магазинам и конторам и предлагал свои услуги, но биржа труда не допускала его на работу, потому что он был чуждый элемент.

А Семка был черный, как галчонок, горбоносый, лохматый, сутулый и такой узкоплечий, что когда он держал руки в карманах, то казалось, что плеч у него нет вовсе. Было известно, что он шляпа, хотя и может сделать доклад со ссылками на Маркса и Энгельса и читает наизусть гибель стихов. Читал он по преимуществу Маяковского и — чтобы исполнение наилучшим образом соответствовало исполняемому — путем особых упражнений выработал себе глубокий гулкий бас.

Держа руки в карманах, он вышел на парадное, увешанное эмалевыми дощечками. В спину ему гремел негодующий монолог старика. Верещала дама. Семка сошел с крыльца и рассеянно пошел по Старопочтовой.

Идти ему было некуда. Со всеми родственниками, кроме Ильи, у него были те же разногласия, что и с отцом. Илья не интересовался младшим братом, жил вдалеке своей завидной жизнью, гордость не позволила бы Семке обратиться к нему.

Семка пошел к Югаю, тот сказал:

— Ну правильно, давно бы так. — И обещал помочь в смысле работы и в смысле жилья.

К тому времени и у Севастьянова в семействе стало твориться черт знает что. Дядька Пимен всем испакостил жизнь, тетя Маня, ища на него управы, обила пороги фабкома и женотдела. Севастьянов маленько оттузил дядьку за то, что тот с пьяных глаз вздумал приставать к Нельке. Севастьянов тузил его в уверенности, что делает святое дело, наказывает свинство и охраняет благообразие в семье. Но тетя Маня вдруг обиделась и накричала на него, чтоб не лез не в свои дела, что он обязан дяде ноги мыть, и неужели не видят нахальные его глаза, что он тут сбоку припеку… Севастьянову окончательно противно стало приходить домой, он сказал Семке:

— Я тоже от своих буду драпать, возьмешь меня вместе жить?

— Только условие, — ответил Семка торжественным басом, — жить по-комсомольски. Никакого мелкобуржуазного обрастания.

Севастьянов пообещал, что обрастания не будет… И вот они вдвоем в комитете у Югая. Севастьянов сидит на углу стола и жует булку — он с работы. Семка курит, отвернувшись с суровым видом. Севастьянов соображает, что Семка тоже голодный, и делит булку на двоих.

— Вы там каким-то совбарышням выдаете ордера… — говорит Югай в телефонную трубку.

Он сидит, откинувшись на спинку стула и вытянув ноги, на нем кепка, сдернутая назад, и добела вытертая кожаная куртка с оборванными пуговицами. В этой куртке он приехал из Москвы, носил ее зимой и летом, невозможно было представить себе Югая в чем-нибудь другом.

Он легко сердился. Глаза становились недобрыми — узкие глаза, словно подпертые широкими скулами. Но держал себя в руках — не сорвется, не закричит. Только челюсти сожмутся и губы начинают двигаться медленно, одеревенело, как с сильного мороза.

— Совбарышням выдаете, — медленно говорит он, плечом прижав трубку к уху, глаза недобрые. — А наш активист живет в обстановке частной мастерской, хороший комсомолец вынужден жить в нэпманской кодле…

Который раз Югай произносит по телефону эти речи, а Семка Городницкий ночует тем временем у ребят, знакомых и незнакомых, — то на полу, то с кем-то на кровати, то в общежитии для ответственных работников, то на стульях в передней коммунальной квартиры, куда он попал впервые в жизни, а как-то Севастьянов крадучись привел его к себе в Балобановку. Все спали в жаркой комнатке, на кровати дядька Пимен с тетей Маней, Нелька на коротком сундучке с приставленным в изножье стулом, в полумраке на Нелькиной голове белели бумажные рожки. Дядька Пимен и тетя Маня храпели, словно состязались, кто громче. Густо, тяжело пахло керосином от стоявшей на столе лампочки с жестяным рефлектором. Огонек лампочки слабо бродил, припадая, по накалившемуся докрасна фитилю — в лампе кончился керосин, но казалось, что огонь томится и шарахается от храпа, гремящего с кровати. Севастьянов постелил на своем месте, между дверью и комодом, задул лампочку, — осторожно шепчась, они с Семкой легли. Утром был скандал, Севастьянов выдержал его стойко...

Но вот в один прекрасный день они шли из жилотдела с ордером, Югай добился своего через губком партии, где Семку знали как антирелигиозного пропагандиста. Ордер был на Семкино имя; Севастьянов положил его в свой карман, боясь, что Семка потеряет.

Шли веселые, и день был веселый — теплынь, голубизна, сияние, наметившиеся бутоны на акации как огуречные семечки. Звеня, прошкандыбал маленький красный трамвай, Севастьянов и Семка на ходу вскочили в прицепку. Это была платформа, открытая с боков; скамьи для пассажиров стояли поперек, а вдоль платформы по обе стороны тянулась подножка, и по ней, придерживаясь за поручни, ловко двигался бочком кондуктор и продавал билеты. За Севастьяновым и Семкой вскочил беспризорный в лохмотьях, спел модную чувствительную песню, где были слова «моя мама шансонетка», прошелся по подножке, небрежно собирая гонорар, под конец небрежно, не глядя, вынул папиросу изо рта у кондуктора, сунул себе в рот и соскочил...

А Севастьянов и Семка приехали к дому, где им предстояло жить. Дом был трехэтажный, серый, с выступающим облупленным фонарем; большая витрина в нижнем этаже замазана мелом, там шел ремонт, через сколько-то времени там открыли кафе.

Севастьянов и Семка заняли на третьем этаже комнату при кухне. Комната имела такой вид, будто ее обстреляли из пулемета; даже на потолке зияли дыры от гвоздей, вырванных вместе с штукатуркой. Окно выходило во двор, на кирпичную стену, к кирпичной стене черной ломаной линией лепилась железная лестница. Такая же лестница вела к их жилью.

Первую ночь они ночевали на газетах, которые Севастьянов взял в экспедиции. Затем перевезли на новую квартиру свое барахлишко.

5

Нелька помогла Севастьянову собрать вещи и увязать узел. Тетя Маня была довольна и немного обижена.

— Вот теперь будешь говорить, — сказала она, — что мы тебя выжили. А мы разве выживали, да живи, пожалуйста, мешаешь, что ли? Ты не чужой, от родной сестры племянник. Живи и живи.

Дядьки дома не было.

— Хоть покажись нет-нет, — продолжала тетя Маня, обижаясь. — Хоть посмотреть на нас зайди, какие мы. А если надумаю судиться — уж как хочешь, тебя в свидетели позову. Поскольку ты нашу всю антимонию знаешь. Женотдел велит в суд подавать. Обвинять, говорят, делегатку пришлем, поголосистей. Но я еще не решила, — тетя Маня в задумчивости взялась за подбородок, на темной узловатой ее руке было надето серебряное обручальное кольцо. — Не решила, нет. Жалко мне его…

Нелька вышла с Севастьяновым за ворота. Еще не стемнело; в высоком светлом небе стоял месяц-молодик.

— И я уйду тоже, — сказала Нелька, глядя на месяц. — Как позовет кто замуж, так и уйду.

Севастьянов сочувственно встряхнул ее руку. Хотя у них были различные понятия и надежды, сиротство их роднило. Нелька была тети-Маниной крестницей. И так же, как Севастьянова, — сердясь и обижаясь, что все ей садятся на голову, — приютила Нельку тетя Маня. А благодарность к тете Мане, вместе с раскаянием в том, что это чувство пришло так поздно, Севастьянов ощутил через много лет, когда она умерла. Дядька Пимен умер раньше нее, Севастьянов и Нелька были далеко, хоронила тетю Маню табачная фабрика, на которой она проработала всю свою жизнь, с девчоночьих лет.

В тот вечер, прощаясь с Нелькой у ворот, Севастьянов чувствовал только облегчение. Его душа тянулась к другим людям, в другие места. Он не любил Балобановку.

Это был поселок за городом, на голом, без деревца, без кустика, низком месте. Стоило пройти дождю, как вся местность надолго погружалась в грязь: казалось, влаги в почве было достаточно, но почему-то не росло там ничто долговечное, только мальвы, да ноготки, да крученый паныч цвели кое-где по дворам.

В ничем не прикрытых дворах орали петухи, крик их разносился над степью, издали с дороги видны были их развевавшиеся хвосты.

Домишки мазаные, побеленные мелом… Дожди смывали мел, на стенах проступали бурые подтеки глины. Крыши в разноцветных заплатах… Улиц не было: как стали домишки, так и стояли — кто куда лицом, все врозь. Вытяжные трубы нужников торчали, как скворешни.

Вокруг поселка расходились во все стороны широкие дороги, разлинованные колеями. По этим дорогам полгубернии съезжалось в город на базар. Оплетенная дорогами, как петлями, лежала Балобановка. Ничего из нее не было видно, кроме дорог и возов на дорогах.

Впрочем, если оглядеться, то еще кое-что. С одной стороны рыжели карьеры, где брали глину для кирпичного завода. С другой — зеленела на горизонте небольшая роща, пристанище бездомной любви. С третьей — в балочке курился дым из труб, там подобный же существовал поселок, по названию Дикий хутор.

А с четвертой стороны — какая-то вышка, не понять к чему: будто шагал к поселку урод-великан и все не мог дошагать.

Здесь жили заводские рабочие, сапожники, извозчики, люди без занятий. Гнали самогон и, напившись, резались ножами. На свадьбах гуляли по три дня, а то и по неделе. Родившихся детей годами не регистрировали. В праздник Покрова Балобановка выходила на кулачный бой с Диким хутором.

Свои богачи были здесь, свои лекари, гадалки, свои знаменитости, например — силач Егоров, извозчик, первый победитель в кулачных боях; говорили, что он уложил насмерть шестерых человек...

Вскинув на плечо легкий узел, Севастьянов уходил дорогой, разлинованной грубыми бороздами. Темнело, месяц наливался золотом. В бороздах блестела грязь. Идти надо было обочиной, по узкой вихляющей протопке, проложенной ногами пешеходов, Севастьянов знал эту протопку наизусть. Коротенькая сквозная тень шагала с ним рядом... Отойдя, оглянулся. Еще раз увидел кривые домишки, разводы дорог, черными реками текущих за оком, шагающего урода под острой скобкой месяца — всю нищую Балобановку, страну его детства.

6

В то время он уже с полгода работал в отделении «Серпа и молота».

Устроил его туда комсомол, а до этого Севастьянов все как-то не мог нигде утвердиться прочно.

Он ходил на вокзал — от Балобановки черт знает какая даль — и предлагал свои услуги в качестве носильщика. Он был высок и силен; но именно поэтому мешочники нанимали его неохотно, они боялись, что он удерет с их мешками, предпочитали пожилых носильщиков, с одышкой, или пацанов поменьше и послабей... Все-таки свой хлеб он зарабатывал, а иногда и домой приносил хлеба. Потом поступил на картонажную фабрику.

Там работали девчата, работа была легкая — женское рукоделье. Севастьянову тягостно было одному сидеть среди девчат и заниматься женским рукодельем. С первого дня он томился — куда бы деться; удерживало сознание, что надо же иметь регулярный заработок, купить теплую куртку, пройти в профсоюз… Коллектив был маленький, отсталый. Клея коробки, девчата стрекотали о Гарри Пиле и ухажорах, их оскорбляло, что Севастьянов не зажигается их интересами и не отвечает на заигрыванья. Они его невзлюбили, дразнили монахом и интеллигентом, а когда им это надоело, перестали его замечать. Перестав замечать, разговаривали в его присутствии о своих девичьих делах, о которых парню слушать не положено, и преспокойно поднимали юбки, чтобы поправить чулок или показать товаркам кружево на белье, — не из бесстыдства, а потому, что Севастьянов не существовал для них, как бы и не присутствовал вовсе. Едва представилась возможность уйти, он ушел без размышлений, не успев оформиться в профсоюзе.

В политпросвете он был курьером. Тоже малоподходящее дело для здоровенного парня — носить бумажки по городу. Скоро его сократили. Он опять отправился на вокзал. Но профессионалы-носильщики уже сорганизовались и выставили на всех платформах свои пикеты в фартуках и бляхах, урвать заработок стало трудно. Севастьянов разгружал на пристани угольные баржи, помогал Егорову, соседу, ремонтировать конюшню, а главным образом околачивался на бирже труда, оттуда иногда посылали на временную работу.

Газета «Серп и молот» сперва печаталась на толстой грифельно-серой оберточной бумаге и не продавалась, а расклеивалась на домах, заборах, афишных тумбах. Была она маленькая, вроде декрета или воззвания. Постепенно росла. Стала печататься на белой бумаге. Стала четырехстраничной. Ее стали продавать за деньги. Предложили на нее подписываться. Но подписчиков было мало. Рабочие еще не привыкли выписывать газету. Кто хотел — покупал на улице у газетчика или прочитывал в красном уголке.

Чтобы приблизиться к рабочему читателю, редакция открыла отделения во всех районах города. Севастьянов работал в отделении Пролетарского района. Оно помещалось на Садовой, неподалеку от площади, где стоял памятник Карлу Марксу. Площадь была мощена булыжником, крупным и расшатанным, как старые зубы. На нее выходил небольшой общественный сад с усеянными подсолнечной шелухой дорожками и раковиной для оркестра. У входа в сад жгучий брюнет грузин торговал с лотка маковниками, орехами в сахаре, белой тягучей халвой, нарезанной кусочками.

Слева от отделения «Серпа и молота» находилось молитвенное собрание христиан-баптистов. Баптисты собирались по вечерам и пели хором. В теплое время они пели при открытых окнах…

Отделение «Серпа и молота» занимало длинную узкую комнату, зажатую между баптистской молельней и парикмахерской. Входили прямо с улицы. Единственное окно давало мало света, его заслонял фанерный щит с призывом подписываться на «Серп и молот».

Севастьянов пришел сюда хозяином. Нашел пустую отсыревшую комнату в пыли и паутине, на полу была просыпана земля. Маленькие сени позади комнаты заставлены битыми цветочными горшками. Видимо, тут был цветочный магазин.

Севастьянов хотел выбросить горшки в мусорный ящик во дворе, но из квартир повыходили жильцы и стали кричать, что он весь ящик забьет своей дрянью. Пришлось нанимать подводу и вывозить горшки на свалку.

Редакция прислала уборщицу, та все помыла и побелила, и сразу в отделении посветлело. Привезли стол и два стула — один для Севастьянова, другой для посетителей. Поставили печку-буржуйку с коленчатой трубой, труба выходила в окно над рекламным щитом. Но топить, кроме старых газет, было нечем, и Севастьянов до теплых дней сидел за столом в ватной куртке и шапке.

Особенно-то сидеть не приходилось. С утра он бежал на заводы: вербовал подписчиков, принимал от рабкоров заметки. Вечером забирал из экспедиции газету и вез в отделение раздавать подписчикам. Горсовет сделал возле редакции трамвайную остановку. Вагоновожатый ждал терпеливо, пока Севастьянов погрузится. И как же гордо ехал Севастьянов со своим грузом на передней площадке, словно депутат. Каким он себя чувствовал значительным, нужным человеком. Как приятно было вытащить газету из пачки и подарить вагоновожатому… Контролеры Севастьянова не беспокоили, они его знали в лицо. А на месте выгрузки, у площади с памятником Марксу, уже дожидаются, бывало, подписчики, помогут и выгрузить, и снести газету в отделение. Севастьянов отмыкал висячий замок и входил первым. Приходили индивидуальные подписчики и уполномоченные от предприятий — получать на весь коллектив. Они звали Севастьянова Шуркой. Говорили: «Ты там скажи в редакции — где же наши заметки, почему о нашем заводе давно ничего нет».

Кроме всех этих дел, нужно было убирать в отделении, уборщица полагалась только в экстренных случаях. Севастьянов чистил пол скребком, мел веником, поливал водой из лейки. Лейку ссужал сосед, парикмахер Жан, Иван Яковлевич. И улицу подметал Севастьянов, справа от него работал метлой Иван Яковлевич, слева — сторож из баптистского молитвенного дома. Иван Яковлевич симпатизировал Севастьянову и стриг его бесплатно, только за одеколон брал, когда Севастьянову приходила фантазия подушиться.

Все, что требовалось, Севастьянов делал с азартом. Потому что это была работа для «Серпа и молота».

«Серп и молот!» Мир дивный, могущественный! Держава печати! Вот только сейчас фельетонист Вадим Железный в роскошной новенькой скрипящей кожанке сидел у залитого чернилами стола и писал — писал и зачеркивал, комкал и швырял в корзину... и вот уже несут его листки вниз в типографию; и важный наборщик в черном халате, в очках с серебряной оправой, положив перед собой эти листки, набирает в верстатку свинцовые букашки, в свинцовые рядки строит сочинение фельетониста и ловко связывает шпагатом; и печатная машина, жужжа, хлопает плоским крылом, и стопы влажных газет растут на обшарпанном прилавке экспедиции, и газетчики выбегают на вечернюю улицу, крича:

— «Серп и молот» на завтра, речь Чичерина, забастовка докеров в Англии, новый фельетон Вадима Железного!

Люди читают фельетон — Севастьянов наблюдает: почти все, развернув газету, прежде всего ищут подвал с подписью Железного. То разоблачит кого-нибудь Железный, то воспоет свободный труд, а то напишет что-нибудь проникновенное, воспитательное, вроде того, например, что к трудящейся женщине, товарищу по борьбе, надо относиться чутко, — такие вещи особенно охотно читали и много о них говорили... Понятно, что Железный гордится; купил себе наркомовскую кожанку и портфель и весь скрипит на ходу. И в редакцию является с таким видом, словно от него зависит судьба республики.

В редакции до того не обставлено и пустынно, до того ничего нет, кроме голых столов и рваных плакатов, что шаги в высоких комнатах эхом отражаются от стен. Столы не письменные — простые, вроде кухонных, с одним выдвижным ящиком; письменные были только у Дробышева и Акопяна... О голые столы, залитые чернилами! Они уже поджидали Севастьянова, когда он с почтением посматривал на них, проходя по коридору мимо открытых дверей.

Благодарность простым просторным столам, похожим на кухонные, за ними так хорошо сидеть и писать, они куда удобней массивных, самодовольных, самодовлеющих письменных столов, о тумбы которых стукаются колени. Благодарная память стеклянной чернильнице, квадратной и плоской, с крышкой, похожей на кепку. И деревянной ручке, изгрызенной на конце (вечными перьями писали тогда миллионеры в иностранных фильмах со светловолосой, светлоглазой кинозвездой Осси Освальд...

А слово «фильм», между прочим, было женского рода, говорили: «приключенческая фильма»...).

Дробышев мелькал в коридоре и скрывался у себя в кабинете. На «здравствуйте» Севастьянова иногда отвечал, иногда нет; может быть, и не знал, что за парень попадается навстречу, что он тут делает. Дробышев был член бюро губкома, пропадал на заседаниях и конференциях, уезжал в Москву, а в редакции все делал Акопян, черноглазый, румяный и спокойный, с приятным голосом, он приходил раньше всех и сидел до поздней ночи — в правой руке перо, в левой папироса.

Еще Залесский был в редакции, старый журналист, работавший во многих газетах дореволюционной России, столичных и провинциальных, много живший за границей, все на свете видевший и со всеми знакомый. Его спрашивали: «Эдуард Александрович, вы Аверченку знали?» — «Конечно, знал». — «Эдуард Александрович, а вы Пуанкаре видели?» — «Брал интервью два раза: в Париже и в Петербурге»… У Залесского была седеющая курчавая голова, пышные седеющие усы и пенсне на тесемке; под усами — мясистые, сочные губы. Ходил он в широких, вроде распашонок, толстовках, с расстегнутым на белой шее воротом, — страдал астмой и не выносил тесной одежды. Редакция получила его в наследство от белогвардейской газеты. Когда белые побежали, он остался. В «Серпе и молоте» он был театральным рецензентом, помогал Акопяну править материал и посвящал молодежь в тайны — по большей части уже непригодные — репортерского ремесла.

В комнатке возле цинкографии сидел Коля Игумнов, красавец с белокурой гривой. Насвистывая арии из оперетт, он рисовал карикатуры и ретушировал фотографии. Они с Севастьяновым переглядывались, оба рослые и молодые, Коля был постарше года на два. Но его баловали, он был полноправным участником редакционной жизни, к нему в комнатку заходили поболтать о новостях, над ним любовно подшучивали, как над милым, очаровательным, забавным ребенком, — а к Севастьянову никто никогда не относился как к очаровательному ребенку…

И разные люди были там: сотрудники местной жизни звонили по телефону, собирая хронику, миловидные машинистки стучали на машинках, приходили рабкоры и присаживались написать заметку. И казалось Севастьянову, что в редакции не прекращается блестящий разговор: рассказывали новости, анекдоты, всевозможные интересные случаи; смеялись, спорили. Работа здесь была словно бы не обязанностью, а удовольствием, — прекрасным жизненным процессом была здесь работа, естественным, как дыхание.

В общем, он полюбил газету навеки, роднее всех запахов стал ему запах типографской краски, самым важным зданием на земном шаре стал дом, в котором помещалась редакция.

По вечерам у себя в отделении, покончив с раздачей газет, он запирался на задвижку и писал фельетоны, подражая Вадиму Железному. Он это делал втайне от всех. Чистая бумага была перед ним и плоская квадратная чернильница, и низко на шнуре электрическая лампочка, прикрытая вместо абажура газетным листом.

Буржуйка стыла, и стыли руки.

Первой коченела левая рука — бездействующая. Он прятал ее в карман, чтобы согреть.

Но это было неудобно, бумага на столе начинала ерзать. Он придерживал ее грудью.

Очень ярко горела лампочка по ночам. Вечером накал был слабый, красный; ночью она сияла, как белая звезда.

Когда начинали коченеть ноги, он вставал, прохаживался по узкой голой комнате, освещенной одинокой сияющей звездой под пожелтелой газетой.

Часов у него не было. Радио тогда не было. По совершенной тишине он обнаруживал, что уже глубокая ночь и нет смысла идти домой в Балобановку.

Это было досадно, потому что дома тепло и на плите оставлен для него суп, или вареная картошка, или каша.

И это было большой удачей, потому что оставалось одно — продолжать излюбленное занятие, ни о чем не думая.

Случалось — то, что он писал, нравилось ему. Нравилось до восторженной спазмы в горле, которую он поспешно и стыдливо заглатывал. Но показать свое писание он никому не решался.

7

Так великолепно он проработал несколько месяцев, и привык считать себя руководителем отделения, и совсем забыл то, что ему сказали, когда он поступал, — что в отделении будут два работника.

Весна подошла, солнышко грело, и появился Кушля.

Он поджидал Севастьянова на улице. Сидел на выступе оконной амбразуры, как на завалинке, грыз семечки и сплевывал шелуху на тротуар. На нем была шинель и буденовка со звездой. Сзади в окне был щит с призывом подписываться на «Серп и молот». Кушлина голова врастала в плакат, как нарисованная.

При виде Севастьянова, отпирающего висячий замок на двери, Кушля поднялся и смахнул с себя подсолнечную шелуху. Правое ухо было у него изуродованное — без мочки. На длинном измятом худом лице ярко голубели глаза. Шинель от старости приняла коричневый цвет, сукно стало как грубый холст, по подолу висела бахрома.

— Вы ко мне? — спросил Севастьянов.

— Ага, к тебе, — ответил Кушля и вошел вслед за Севастьяновым.

На них пахнуло погребом, — в отделении было холоднее, чем на улице.

— Ну, дай закурить, — сказал Кушля.

Севастьянов дал папиросу. Кушля сел и осмотрелся.

— Ты тут спишь, нет? — спросил он.

— Иногда сплю.

— На чем же ты спишь?

— На столе сплю.

— Тебе ж небось коротко.

— Ничего.

— Жестко. Я на столе не могу, у меня грудь, понимаешь, простреленная. Мне, понимаешь, надо мягко. Хоть сена подложить, но чтоб мягко… Не топишь, это плохо.

— Иногда топлю.

— Надо топить. У меня испанка была, и она, понимаешь, окончательно мне грудь испортила. Мне в нетопленном помещении — гроб.

— Да угля нет, — сказал Севастьянов, все еще думая, что Кушля зашел по рабкоровским или подписным делам. Разговор Кушли его не удивлял: среди посетителей нередко попадались разговорчивые люди, склонные рассказывать о своих болезнях и ранах.

— Ну, что значит угля нет. А ты достань.

— Вы что хотите? — спросил Севастьянов.

— Беседовать с тобой, брат, хочу, — внушительно ответил Кушля, сдвинув брови. — Хочу, чтобы ты меня ввел, понимаешь, в курс, вот чего я хочу.

— А вы кто?

— Твое начальство. Работать со мной будешь. Рад?

— Вас редакция назначила?

— А то с улицы пришел… Из политотдела округа послали. Дробышев сперва не разобрался. Они с Акопяном меня думали в экспедицию. Ну, потом разобрались, что мне нужно ответственную должность. По воинским моим трудам. Поскольку я воевал за победу революции. Я за советскую власть воевал, понимаешь, когда ты еще пешком под стол ходил! — воскликнул Кушля с внезапным волнением, и его ярко-голубые глаза вдруг заблестели слезами.

Он вскочил, прошелся в конец комнаты и так же враз успокоился.

— Ишь ты, прямо отдельная квартира, — сказал он, приоткрывая заднюю дверь и выглядывая в сени. — Вот тут отгородить, и будет у меня квартира с парадным ходом и с черным, верно?

— Вы разве и жить будете здесь? — спросил Севастьянов.

— А что? Топить только придется. Я тебе говорил — мне в нетопленной хате нельзя.

— Может быть, — сказал Севастьянов, — вам дадут комнату как демобилизованному?

Кушля засмеялся тихо.

— Да ну, я уж тут. Уж лучше без комнаты.

— Как лучше без комнаты?! — удивился Севастьянов. Он жил тогда еще в Балобановке, собственная комната была для него волшебной, несбыточной мечтой.

Кушля смеялся от души застенчивым симпатичным смехом.

— Не надо комнаты, дорогой товарищ, верно говорю. Пока нет комнаты еще туда-сюда, дышать можно. А будет комната — сейчас же мне, понимаешь, каюк.

— Как хотите, конечно, — сказал Севастьянов, ничего не поняв.

В тот же вечер пришла женщина в шинели и красной полинялой косынке. Войдя, она подошла к Кушле, зачерпнула из кармана горсть семечек и пересыпала в Кушлину протянутую руку. Они ничего друг другу не сказали. Женщина села на подоконник и сидела, грызя семечки, пока Севастьянов выдавал газету подписчикам, а Кушля наблюдал за выдачей, с командирским видом сидя за севастьяновским столом. Она была губастая, тяжелый серый взгляд исподлобья; стриженые волосы блеклыми прядями свисали из-под косынки на воротник. Когда подписчики ушли, она сказала:

— Как же тут жить, народ до ночи толкается, все равно что на барахолке жить.

Кушля запел задумчиво: «Эх, шарабан мой», а женщина закрыла лицо рукавом шинели и зарыдала грубыми злыми рыданьями. «А ну их», — подумал Севастьянов и ушел с тоскливым ощущением утраты, несправедливости, какой-то раздражающей чепухи, вторгшейся в его бытие. Он привязался к своему рабочему месту! А теперь там будет распоряжаться другой человек. Разве он, Севастьянов, плохо работал, что над ним посадили начальника? В редакции и в экспедиции ему говорили, что делать, и он со всем справлялся. И где же он будет теперь писать, и зачем в маленьком отделении начальник?

Утром он пришел на работу рано — Кушля был уже там. И женщина была, но не вчерашняя, а другая, толстая блондинка в платье с цветочками, с толстыми голыми руками. Толщина не мешала ей двигаться проворно, даже резво. Они с Кушлей вдвоем собирали и устанавливали старую железную кровать. Заржавленная и дребезжащая, кровать эта состояла из гнутых железных полос и прутьев и ни за что не хотела стать на все четыре ножки.

— Вот он пришел, — сказал Кушля при виде Севастьянова и выпустил кровать из рук, — он тебе поможет. Помоги ей, дорогой товарищ. Кровать она мне добыла.

— Все тебе добуду, — сказала женщина, хлопоча возле кровати, — только Ксаньку гони, чтобы я тут не видела Ксаньку!

— Чудачка, — сказал Кушля, — как же я ее отсюда прогоню? Тут учреждение, кто хочет, тот и ходит.

— Ну, так любить ее не смей! — сказала женщина и стукнула кроватью об пол.

— Тихо, тихо! — сказал Кушля. — Делай знай свое дело. Тут не базар. Про фанеру не забудь, отгородиться надо первым долгом, а то некультурно.

— Будет тебе фанера! — крикнула женщина, грохоча железом. — Только не люби Ксаньку!

Она приволокла фанеру и с помощью Севастьянова огородила угол Кушле под жилье. Приволокла матрац и подушку. И примус. И оклеила перегородку газетами. Это была кипучая баба, пышущая жаром, как печка. И печку стали топить благодаря ей, она приносила в ведерке уголь и штыб.

Кушля принимал ее дары с спокойным достоинством. Он вообще все принимал от людей как должное. Он отдал им больше. С этим гордым сознанием ходил он по земле в своей куцей шинели — запанибрата с кем хочешь… Севастьянов привез ему из редакции стол. Над столом повесили телефон, громоздкий желтый ящик того времени, с ручкой как у мясорубки. А из типографии Кушля, удовлетворенный, привез и повесил рядом с телефоном печатную табличку: «Заведующий».

Он сидел под табличкой, курил и благосклонно смотрел, как Севастьянов приходит и уходит, составляет ведомости, притаскивает газету, метет пол, словом, делает все, что делал раньше. Кушля не делал ничего. Он был убежден, что заведующему ничего не подобает делать, кроме как разговаривать по телефону и иногда наведываться к высшему начальству в редакцию.

Севастьянова устраивало, что Кушля ни во что не вмешивается. Это примиряло его с пришельцем, они бы даже могли стать приятелями, но Севастьянова отталкивали от Кушли женщины. Они появлялись, то одна, то другая, и быстрым шепотом спрашивали у Севастьянова:

«Ксанька приходила?», «Лизка приходила?» — а если им случалось сталкиваться, они устраивали безобразные сцены. Севастьянов чувствовал брезгливость к их нечистой суете, к этим полным ненависти шепотам, притворным рыданьям, выслеживанью, внезапным взвизгам: «Подлец!» Ужасно не шла голубоглазому, хворому, степенному Кушле такая прыткость в этих делах. Особенно непонятен был, по скоропалительности, роман с толстухой Лизой: Кушля познакомился с ней за день до своего поступления в «Серп и молот».

— Полюбила, понимаешь, — сказал он Севастьянову. — А с Ксаней мы с двадцатого года, она у нас была милосердная сестра. Любят обе прямо сказать тебе не могу до чего! Ты теперь понял, почему мне нельзя комнату: они поставят на повестку дня вопрос о браке...

Он понизил голос.

— А сказать, дорогой товарищ, откровенно, — я б из них ни на одной не хотел жениться! И не знаю почему, ведь бабы, понимаешь, неплохие, хорошие бабы...

Как-то вечером отворилась дверь и в отделение вошли Зойка маленькая и Зоя большая. Они и раньше заходили проведать Севастьянова на работе и не поняли, почему в этот раз он потемнел, увидя их, и отвечал им неласково. Удивившись, они смирно присели рядышком на низком подоконнике, где час назад сидела Ксаня. Севастьянов, нахмуренный и отчужденный, перекладывал с места на место газеты и папки — показывал, что занят по горло. Кушля курил и смотрел ярко-голубыми глазами. Севастьянов вдруг рванулся:

— Ну-ка, девчата, на минутку.

Он вывел их на улицу. Они, привыкшие командовать парнями, вышли как овечки. Он сказал им сурово и непреклонно, чтобы они больше не приходили в отделение.

— Почему? — спросили они.

— Ну, есть причины. Это неудобно.

Зои переглянулись длинным взглядом. По его тревоге и ожесточению они угадали, что в этой выходке нет ничего оскорбительного для них, скорей напротив. Зойка маленькая угадала и взглядом сообщила Зое большой. Умнейший человек была Зойка маленькая.

Загадочно улыбаясь, они ушли. Севастьянов вернулся в отделение. Кушля прохаживался между столами, покуривая. Посторонних не было, рабочий день кончался.

— Мировые девчата! — сказал Кушля.

Севастьянов не ответил. Он не хотел разговаривать с Кушлей о Зоях. Он увел их потому, что сюда ходили женщины Кушли. Инстинктивно он пресекал возможность каких бы то ни было сопоставлений между теми женщинами и Зоями; между отношениями Кушли к тем женщинам и своим отношением к Зойке маленькой.

— Бывают же!.. — продолжал Кушля в задумчивости. — А вот я ни одной такой, понимаешь, не знал. Они мимо меня всю жизнь отдаля идут, ни к одной я никогда не подошел, и она ко мне не подошла, будто овраг между нами, отчего это, как ты думаешь?..

8

А вскоре новый захватил его жизненный интерес, могучее увлечение, то самое, которое владело Севастьяновым: Кушля зажегся страстью к журналистике.

Он писал дни напролет. Куда девалась его лень? Сидя в папиросном дыму под табличкой «Заведующий», углубленно серьезный, он покрывал крупными, катящимися по диагонали строчками длинные листы, сотни листов. С неохотой отрывался, когда к нему обращались, говорил отрывисто: «Ну что? Я занят» — и норовил как можно скорее покончить с будничной мелочью и вернуться на свой Парнас.

Севастьянов рассказал ему, что Вадим Железный еще недавно звался Мишкой Гордиенко, был имажинистом и биокосмистом и тратил талант на чепуху, а что он станет мировым фельетонистом, никто и вообразить не мог. Кушля слушал не шевелясь, ленточка дыма завивалась вокруг его головы, ярко-голубые глаза смотрели с неистовой серьезностью.

— А почему нет?.. — спросил он. — Ничего тут нет особенного. Дорогой товарищ, за то мы и боролись, чтобы это могло быть и со мной и с тобой, а не то, что с Железным. Железному-то легко, он гимназию небось кончал…

Кушля родился и вырос в безвестной слободе Маргаритовке. Грамоте обучили его в Красной Армии.

Свои опыты он читал Севастьянову, Акопяну, наборщикам. Отважился показать Вадиму Железному, тот сказал: «Со временем, возможно, что-нибудь получится», но встреч стал избегать. А наборщики, зубоскалы на подбор, им не попадайся на язык, изощрялись в остроумии насчет Кушлиных писаний и, обидно комбинируя его имя и фамилию — Андрей Кушля, прозвали его: Андрюшля. Он продолжал писать и, не выдерживая горечи непризнания, жаловался Севастьянову:

— Кто они? (Про наборщиков.) Рабочая аристократия. У них жены в каракулевых воротниках ходят… При белых они где были? Там же в типографии. Белогвардейскую прессу набирали. (Кушля любил слово «пресса».) А я — потомственный пролетарий. Ну, деревенский. Что ж, что деревенский. Зато белыми шашками кругом порубанный. Я в моей родной рабоче-крестьянской прессе должен быть первый человек, первей Железного!

— Поучиться бы нам с тобой на рабфаке, — сказал Севастьянов, он начинал не на шутку задумываться о своем невежестве…

Зои больше не заходили в отделение. Но когда наступило лето, они часто поджидали Севастьянова на улице, с кем-нибудь из ребят, прохаживаясь, пока Севастьянов заканчивал свои дела. Он выходил, и они шли гулять и провожать друг друга, разговаривая обо всем на свете. Зои жили в Пролетарском районе, на Первой линии, Севастьянов с Семкой — в Центральном. Между этими районами лежала «граница» — полоса степи, делившая город как бы на два ломтя.

9

«Граница»… Шел, бывало, по Коммунистической, мимо каменных домов и чугунных решеток, и прямо с тротуара ступал в бархатную пыль степной дороги, нагретой солнцем. Булыжная мостовая с трамвайными рельсами выбегала в распахнутое поле и пересекала его.

По одну сторону рельсов тянулся пустырь, где в ярмарку ставили карусели, качели, балаганы. За пустырем — мусорные свалки, угольные склады и угольный, прокопченный, рабочий, неприбранный берег реки.

По другую сторону сеяли хлеб. Вдоль хлебного поля, параллельно трамваю, была протоптана дорожка, ее обсадили молодыми акациями. Колосья кивали проходящим горожанам, дикие травы подступали к дорожке, повилика забрасывала на нее свои длинные побеги с маленькими розово-белыми граммофончиками.

В начале тридцатых годов на «границе» строили театр. Севастьянов приехал тогда из Москвы в командировку и не узнал знакомого места. Поле было изрыто котлованами, завалено строительными материалами, ходили паровозы, выбрасывая кучевые облака, в облаках передвигались краны… Театр построили великолепный, с самой большой и самой усовершенствованной в мире сценой, из самых дорогих материалов, во всех газетах писали о нем…

В войну он был разрушен фашистской бомбой.

Теперь его опять поднимали из праха…

Но все это позже. В юношеские годы Севастьянова на «границе» колосился овес. Тут хорошо было петь хором, никто не мешал. И можно было, устав, посидеть на низенькой травке, пахнувшей пылью и повиликой.

10

— Как вы считаете, — спросила Зойка маленькая, — мы целый день спорили: человек работает, чтобы жить, или же он живет, чтобы работать?

Зоя большая сказала, покусывая колосок:

— Я считаю — он работает, чтоб жить.

— И я! — сказал Ленька Эгерштром, который по-прежнему крутился перед большой Зоей и во всем ей поддакивал.

— Так какой же ты после этого комсомолец! — тихо сказала Зойка маленькая и немножко задохнулась от негодования. — Какой ты комсомолец, если ты так считаешь!

Ленька стал оправдываться:

— Ну хорошо. Если бы мои братья не работали в посадочной мастерской, на что бы мы жили? Нам не на что было бы жить. А ты думаешь, это очень приятная работа? Как же! У них вся одежда пахнет кожей, и волосы, и руки, никаким мылом не отшибешь, ни одеколоном, ничем. А они молодые парни. А девчатам это не нравится. Так, по-твоему, кто-то специально должен жить, чтобы работать на посадке?!

— Это частный случай! — возразил Семка Городницкий.

— Ну конечно! — сказала Зойка маленькая. — Частный и ничтожный.

Спирька Савчук сказал, что приятная работа или неприятная настоящего коммуниста это не должно интересовать. Это интеллигенция (Спирька произносил: интеллихэнция) выдумывает насчет приятности и неприятности. Кто не трудится, тот не ест. И все.

Желтые желваки ходили по Спирькиным скулам, желтый штопор чуба торчал из-под козырька кепки, папироса, свисающая с губы, придавала Спирьке утомленный, разочарованный вид. В свое время, после изгнания белых, он был вожаком группы ребят, потребовавших, чтобы интеллигентов не пускали в комсомол: у них пускай будет своя организация, говорили эти ребята, а комсомол — только для рабочих. К интеллигентам они причисляли всех учащихся, без различия классов. «Молодежная трудовая оппозиция» — так звала себя Спирькина группа — митинговала и шумела по всему городу, распаляя страсти, пока губком партии не положил конец этой заварушке. «Молодежной трудовой оппозиции» предложили прекратить раскольничью деятельность, и Спирька, лишившись трибуны, заскучал и закапризничал. Между приступами малярии — его трепала малярия — он то эпатировал нэпманов на улице, то закатывался с неподходящими ребятами в пивнушку, то вдруг окружал большую Зою тяжелым, настойчивым, каким-то неприязненным вниманием…

— Если ты не паразит, — закончил Спирька, — работай, что тебе советская власть велела, и все. На то существуешь.

— Несколько примитивно, — сказал Семка, — но тем не менее соответствует истине.

Зойка маленькая спросила:

— Если цель жизни не в том, чтобы приносить пользу людям, то в чем же?..

— Смотря каким людям, — сказал Спирька Савчук.

— Рабочим и трудовому крестьянству, — заботливо уточнил Семка.

— ...Неужели в том, — продолжала Зойка, — чтобы жить для собственного удовольствия? Трудиться для продления собственной жизни?.. — Она пожала плечами с презрением.

Севастьянов сказал: все-таки приятная работа — не выдумка, есть много разных хороших работ, самая же лучшая — газетная; и не только печататься в газете, но и собирать заметки, и принимать подписку, и что угодно. Если бы даже за это не платили никакой зарплаты, он все равно бы это делал и ни на что не променял.

— А на жизнь где брал бы? — спросили они.

На жизнь подрабатывал бы. Например, опять бы пристроился разгружать баржи.

Зойка сказала: мало ли что. Вопрос поставлен принципиально. Жить ради наслаждения способен только мещанин. Она нервничала неспроста, они с Зоей большой, видимо, крепко поспорили на эту тему. Зои стали часто спорить, и маленькая, из воспитательных соображений, переносила вопрос на обсуждение коллектива. А ребят, бывало, хлебом не корми, только дай порассуждать о таких вещах.

Они чувствовали потребность определить — как им вести себя в новой жизни. Еще многое в этом смысле было туманно, они же хотели ясности во всем.

Однажды обсуждали: этично ли хорошо одеваться? Леньку Эгерштрома старшие братья устроили к себе в посадочную мастерскую, и он оделся шикарно — завел модные брючки-«бутылочки» из синего шевиота, модные туфли «щучки» и рубашку «апаш». И вот по поводу его роскошного вида зашел разговор: правильно ли, что комсомолец ходит в туфлях из чистого шевро и брюках, за шитье которых заплачена частнику-портному громадная сумма? Допустимо ли это для человека, носящего значок Коминтерна молодежи, когда во всем мире, кроме Советской республики, массы еще угнетены и обездолены и, скажем, в Германии на окраинах городов люди ютятся в жилищах, сделанных из ящиков, потому что нечем платить за квартиру, и дети питаются картофельными очистками?

Зойка маленькая била кулачком по ладони и говорила страстно:

— Недопустимо, недопустимо!

— Ребята, да подождите! — кричал Ленька Эгерштром. — Ребята, да постойте! У нас на посадке все так одеваются, что я, виноват?

Если хотите знать, я еще столько не заработал, мне братья дали денег и сказали: «Оденься хорошо, а то ты как белая ворона». У нас на посадке здорово платят — что я, виноват?

Но о Зойке маленькой было известно, что ее отец, железнодорожный проводник, зарабатывает еще лучше, чем братья Леньки Эгерштрома, и Зойка единственная дочь, и отец с матерью хотели бы одеть ее как куклу, а она не позволяет. Разумеется, ее слово весило больше, чем Ленькино.

— Значит, — спросила вдруг Зоя большая, — и шелковые чулки нельзя носить?

— Конечно! — сказала Зойка маленькая.

— И лакированные туфли нельзя?

— Ты же слышала!

— И замшевые перчатки? И белье с кружевами? — спрашивала большая Зоя.

Все посмотрели на нее. Она шла в своих парусиновых туфлях, надетых на босу ногу, в стираном-перестираном платье, у нее не было ни шелковых чулок, ни замшевых перчаток, ничего, кроме старого платья и грубых туфель. Неужели, подумал Севастьянов, и она, как Нелька, мечтает о барахле, выставленном в магазинах, но ведь Нелька — отсталая девчонка из Балобановки, а Зоя большая дружит с передовыми ребятами и читала «Джимми Хиггинса».

— Зоенька, — сказал Семка Городницкий, — не надо, чтобы мы думали о тебе хуже, чем ты есть. На черта тебе вся эта дрянь, ты прекрасна и так.

11

С обеими Зоями Севастьянов познакомился еще в двадцатом году.

В том году болели тремя тифами: сыпным, брюшным и возвратным. Умирали больше от сыпного. На плакатах была нарисована вошь. Магазины стояли заколоченные. Бандитов развелось гибель, по ночам в разных концах города бахали выстрелы. И было множество студий, где читали стихи, рисовали картины и танцевали босиком по методу Айседоры Дункан.

Югай сказал:

— Возьми какого-нибудь хлопца или дивчину, кто у нас разбирается в стихах?

— Семка Городницкий разбирается.

— Вот. Возьми Городницкого и сходите на Лермонтовскую, — Югай назвал номер, — там какой-то поэтический цех открыли, надо посмотреть, что за цех.

Лермонтовская улица была тихая, с бульваром, с четырьмя рядами сероватых от пыли деревьев. Поэтический цех помещался в бывшем буржуйском особняке, одноэтажном, из ноздреватого серого камня. Особняк стоял в глубине цветника. Клумбы заросли бурьяном, на дорожках валялись окурки, но высокие прекрасные розы цвели над этим запустеньем — чья-то рука берегла их. В распахнутых окнах мелькали молодые лица.

Севастьянов и Семка вошли. Их не спросили — кто такие и зачем: и внимания на них не обратили. Они прошлись по дому. В первой комнате были некрашеные скамейки без спинок да столик, во второй — рояль и перед ним круглый табурет, и больше ничего нигде, голо. Окна настежь. Сквозняк, запах роз из цветника. Молодежь вольно бродила по прохваченным сквозняками светлым гулким комнатам, сидела на мраморных подоконниках, кто-то подбирал что-то на рояле, встал — сейчас же другой подсел, стал подбирать свое. Каждая нота ясно звучала по всему дому. Вдруг все соскочили с подоконников и заспешили в ту комнату, где скамейки.

Там у столика стояла Тамара Меджидова и читала стихотворение. В нем говорилось, что она, Тамара, великая грешница; она сама в ужасе от своих грехов. Читала она гортанным страстным голосом. На ней было черное платье, черные волосы перехвачены бархаткой. Слушатели похлопали. Их было человек сорок. После Тамары появился Аскольд Свешников, весь в белом, лицо напудрено, ненормально блестели подведенные глаза; губы накрашены были сердечком. Он сказал высокомерно-сонно:

— Пирамиды. Поэма. Рыжий египтянин смотрит на спящего львенка.

Сказал, прошагал к двери длинными ногами в белых штанах и ушел, совсем ушел из комнаты. Севастьянов подумал, что он застеснялся и не хочет читать дальше, но оказалось — это вся поэма и есть. Аудитория зааплодировала. Один голос крикнул: «Хулиганство!» К столику выскочил Мишка Гордиенко — он был тогда легкий и тонкий, в студенческой тужурке, худые руки торчали из обтрепанных рукавов, — и закричал:

— В чем дело! Почему хулиганство! Брюсов написал: «О, закрой свои бледные ноги» — и не нашел нужным прибавить ни слова! Аскольд Свешников тоже не считает нужным разжижать свою поэму! Это его право! Не нравится, читайте Северянина!

Аудитория притихла. Гордиенко выждал паузу, упершись тощими кулаками в столик, острые плечи поднялись до ушей.

— Чрезвычайное сообщение, — сказал он деловито. — Два события свершились минувшей ночью. Таинство смерти сочеталось с таинством рождения. Умер имажинист Михаил Гордиенко. Родился биокосмист Михаил Гордиенко. Родившись, он написал свое кредо, популярное изложение своих чаяний, назовем это декларацией, назовем это хартией! Оглашаю хартию биокосмизма. Кто не умеет слушать, прошу уйти.

Он стал читать по тетрадке.

— Земля, — читал он, — точно коза на привязи у пастуха-солнца, извечно каруселит свою орбиту. Пора иной путь предписать Земле. Да и в пути других планет уже время вмешаться. Мы не можем оставаться безучастными зрителями космической жизни.

Ни один человек не удивлялся. Космос вообще был в моде.

— Мы беременны новыми словами, — читал Гордиенко, — слово пульсирует и дышит, улыбается и хохочет…

Семка Городницкий, гордый поручением Югая, слушал добросовестно. Севастьянов, положившись на Семку, рассматривал собрание. Тут он и увидел Зою большую и Зойку маленькую.

Обнявшись, они сидели на задней скамье, в уголку, в стороне от всех. Их чистые глаза были устремлены на Гордиенку серьезно и доверчиво. Глубокое внимание было на лицах. Видно было, что эти девочки забрели сюда в поисках чего-то очень для них важного. И они так старательно-опрятно были одеты, так мягко светились их волосы, ничего в них не было вызывающего и разухабистого, что всегда отталкивало Севастьянова. Они были тихи и прелестны.

Севастьянов как повернул к ним голову, так и сидел. Они и не замечали, что на них смотрят. Вот Зойка маленькая подняла глаза на Зою большую; а Зоя большая опустила свои темные ресницы к Зойке маленькой; они переглянулись, понимающе улыбнувшись. «Не сестры, — думал Севастьянов, — не похожи… Подруги. Дружны — водой не разольешь. Беленькая советуется с черненькой. Черненькая оберегает беленькую…» С первого взгляда, действительно. Зойка маленькая казалась существом воздушным и робким, находящимся под крылом большой Зои.

Вдруг кусты за окном прошумели бурно, и на подоконник вскочил из цветника молодой моряк. Секунду он стоял на подоконнике во весь рост, словно давая полюбоваться своей ладной фигурой и моряцкой формой, потом спрыгнул на пол, прошел в соседнюю комнату, и оттуда раздалась прекрасная громкая музыка. Все поднялись, заговорили, застучали скамьями, двинулись за моряком. Только Гордиенко продолжал читать, выкрикивая слова; но даже Семка Городницкий его бросил и ушел с Севастьяновым к роялю. Обступив рояль, молодежь смотрела, как играет моряк, как трудятся над клавишами его загорелые руки, схваченные в запястьях обшлагами блузы. Близко от Севастьянова, прижавшись друг к другу, стояли Зоя большая и Зойка маленькая, все трое они отражались в лакированной поднятой крышке рояля. Маленькая спросила тихонько, не обращаясь ни к кому:

— Интересно — что это он такое играет?

Севастьянов взглянул на Семку. Тот стоял поглощенный музыкой, его горбоносое лицо было закинуто, губы шевелились. Севастьянов толкнул его и спросил:

— Что он играет?

— Вагнер, — очнувшись, ответил Семка. — «Тангейзер».

— Вагнер, «Тангейзер», — дружески объяснил Севастьянов Зойке маленькой.

— Вагнер, «Тангейзер», — прошептала Зойка, глядя перед собой светло-зелеными прозрачными глазами.

Несколько лет спустя они с Севастьяновым признались, что в первый раз услышали тогда и о Тангейзере, и о Вагнере. Но в тот вечер они это скрыли и почувствовали друг к другу уважение.

А потом как-то само получилось, что они ушли из Поэтического цеха вчетвером и до полуночи гуляли, разговаривая, по Первой линии. Люди солидные боялись поздно ходить по улицам, тем более окраинным, но эти четверо были защищены от грабежа своей бедностью. Отчасти потому, что такова была сложившаяся в гражданскую войну привычка, отчасти потому, что тротуар был слишком узок и щербат для их привольной ночной прогулки, — они ходили по середине улицы, по булыжной мостовой: в центре, обнявшись, две Зои, по сторонам — Городницкий и Севастьянов. Ни фонаря, ни огня в окошке; только звезды освещали Первую линию. Пепельно отсвечивала, горбясь во мраке, широкая мостовая. Белесыми ручейками стекал в ее впадинах облетевший с акаций цвет. Кроны акаций вдоль улицы были темнее мрака. За ними — безмолвные, каждый себе на уме, запершись наглухо, спали кирпичные домики. Последний прохожий прошел, торопясь и размахивая руками, звук шагов его замер. А четверо ходили по пустой улице, как по собственной квартире, и разговаривали легкими голосами.

Зоям нравилось в Поэтическом цехе. Там интересно. Там все талантливые. Михаил Гордиенко талантливый. Тамара Меджидова очень талантливая. Аскольд Свешников — гениальный.

— Это у которого поэма про львов, — пояснила большая Зоя.

— Разве это про львов? — спросил Севастьянов.

— Это про Египет, — сказала Зойка маленькая.

— Как у него странно глаза блестят, — сказал Севастьянов.

— От кокаина, — сказала Зоя большая. — Он нюхает кокаин.

Она сказала это так же уважительно, как говорила: «Он гениальный».

— А как он сказал, — спросил Севастьянов, перескакивая на Гордиенку, — он был — кто? А стал — кто?..

— Биокосмист, — ответила Зойка маленькая. — Это новое, правда, Зоя? Биокосмистов еще не было, были имажинисты и ничевоки.

— А чего хотят ничевоки? — спросил Севастьянов.

Зоя большая объяснила набожно:

— Они говорят: ничего не пишите; ничего не читайте; ничего не печатайте.

— А вы читали Блока? — спросила Зойка маленькая. — «Балаганчик» читали?

— Она от любви к нему хотела утопиться, — сказала большая Зоя.

— Кто?

— Тамара Меджидова.

— От любви к Блоку? — спросил Семка.

— К Аскольду Свешникову. У нее об этом есть стихи.

Зойка маленькая процитировала мечтательно-застенчиво, чуть слышно:

— «Я к тебе прихожу через бездны греха, я несу мое сердце на простертых ладонях».

— Тамара Меджидова — необыкновенная, правда? — спросила большая Зоя.

Их уважение к людям, пишущим стихи и хартии, было огромно. Оно было так огромно, что им не пришло бы в голову влюбиться в Гордиенку или Свешникова. Они не претендовали на внимание титанов и тем более на их чувства. Но любовь между титанами будоражила их. Тамара Меджидова, шествующая через бездны греха к Аскольду Свешникову со своим любвеобильным сердцем на простертых ладонях, была откровением, озарением для этих девочек с Первой линии.

Семка Городницкий немедленно принялся их перевоспитывать. Он спросил, как они относятся к Маяковскому, и стал читать из «Человека». «Хотите, по облаку телом развалюсь и буду всех созерцать!» — гремел он грозным басом перед крепко зажмуренными, затаившимися позади деревьев домиками. И тут вышел горбун и разогнал их.

Горбун вышел из калитки — щелкнула щеколда — и стоял в темной сени акаций, белея рубахой и светя огоньком папиросы. Белая рубаха так резко выделяла горб, что видно было издали: горбун стоит.

И хотя Зои молчали и продолжали идти рядом, но Севастьянов почувствовал, что обе они, едва только щелкнула щеколда, перестали слышать Семку, их внимание устремилось на фигуру, стоявшую в тени.

Горбун позвал негромко скрипучим голосом: «Зоя!» — и Зоя большая молча отделилась от компании и пошла к нему. Он пропустил ее в калитку, вошел следом, коротенький и уродливый — за высокой, тонкой, с длинной гибкой шеей… Громыхнул болт. Трое остановились. Зойка маленькая сказала:

— До свиданья!

Подав Севастьянову и Семке теплую крепенькую руку, она взбежала на крыльцо. Оно было рядом с калиткой, куда увел горбун большую Зою. Кирпичный домик, три окошка на улицу. Жалюзи на окошках. На двери звонок белая пуговка. Дом Зойки маленькой.

12

У них там полы светло-желтые и такие вымытые и блестящие, словно на них всегда светило солнце. Когда являлись ребята, мать и бабушка Зойки маленькой прямо-таки мучались, уходили подальше, чтобы не видеть, как ребята, оставляя без внимания половики, ступают ножищами по этому сияющему полу. Сделать замечание мать и бабушка не смели, боялись огорчить Зойку.

Они обожали ее. Особенно отец, который постоянно уезжал и, уезжая, приказывал матери и бабушке, чтобы они берегли Зойку и не расстраивали ее своими пустяками.

Все в домике было для Зойки: чистота, и солнце, и вымытые цветущие растения в горшках и кадках, и пианино, и аквариум с рыбками, и шкафчик с книгами.

Пианино отец купил (выменял на сало и муку), чтобы Зойка научилась играть, чтоб она была настоящей барышней. Зойка отказалась учиться играть, но пианино стояло, с него стирали пыль, его накрывали вышитыми дорожками, его медные педали и подсвечники начищали мелом — Зойка могла передумать и захотеть учиться музыке, Зойкины дети могли захотеть учиться музыке, наконец — это было ценное имущество, которое Зойка могла продать когда-нибудь впоследствии, в черный день.

Аквариум отец завел потому, что, когда Зойка была совсем крошечной и дом их был только заложен (строился он несколько лет), она у знакомых увидела банку с золотыми рыбками и в восторге закричала: «Папа, рыбки!» — и это занозило отцовскую душу. С тех пор, строя дом, увертываясь от мобилизации (тут началась мировая война), разъезжая проводником в загаженных, битком набитых поездах, выторговывая на сытых степных станциях мед и сало за юбки и пиджаки, купленные в городе на толкучке, — он помнил тот счастливый Зойкин крик. Он купил настоящий богатый аквариум, с гротом, с нежными диковинными водорослями, и населил его диковинными, дорогими рыбками. Он не подумал, что они уже не нужны Зойке, что она выросла. Она удивилась, она к ним и не подходила, — за аквариумом ухаживали не покладая рук бабушка и мать.

Из всех приобретений отца единственной ценностью был для Зойки книжный шкаф. Он стоял в ее комнате (никто в семье, кроме Зойки, книг не читал). Полки шкафа были как пласты пород в разрезе земной коры, они рисовали историю Зойкиного развития.

Внизу были свалены небрежно книги детства: «Маленький лорд Фаунтлерой», «Голубая цапля», сочинения Лукашевич и Желиховской и в подавляющем количестве — Чарская, вдребезги зачитанная подружками, распавшаяся на золотообрезные листы и потускневшие корки роскошных когда-то переплетов, — Чарскую в золоте и серебре отец дарил на именины.

На средних полках стояли Пушкин и Гоголь с картинками, небесно-голубой Тургенев, «Обрыв», Надсон, хрестоматии. Их не трогали, они были погребены под разрозненными номерами альманаха «Шиповник».

На верхней полке находились Зойкины сокровища: Блок, Ахматова, излюбленнейший Бальмонт в мягких белых шелковистых обложках… То были святыни, царства. Но как легко рушились царства! Не прошло и месяца после знакомства Зой с Семкой Городницким, как на заветной полке, раздвинув и притиснув изящные книжечки, стала некрасивая, переплетенная в грязно-розовую бумажку книга «Все сочиненное Владимиром Маяковским», а Бальмонта Зойка маленькая отправила к Чарской. Семка Городницкий был у Зойки в почете, она уважала его за начитанность и не обижалась, когда он, являясь, возглашал:

— Я к тебе прихожу через бездны греха!

В последующие годы шкафчик был забит брошюрами о Парижской коммуне, девятьсот пятом годе, политэкономии, задачах комсомола. Так жила Зойка, бросаясь от стихов к политическим статьям и принципиальным спорам, пока ее отец возил со станции кошелки с яйцами, а мать и бабушка чистили аквариум и пекли пироги.

У нее были зеленоватые, как крыжовник, глаза и детская шея, золотистая от загара. И волосы золотистые, коротко обрезанные, они завивались по-мальчишески вверх, открывая шею сзади и округлый лоб. Через щеки ее и переносицу лежала легкой тенью полоска веснушек, от них еще милее был приподнятый детский нос.

В летние вечера, перед заходом солнца, жители Первой линии выходили посидеть на улице, на крылечках, сложенных из больших серых камней. Сидели, разговаривали, лускали семечки старики и старухи, молодые женщины и девчонки с длинными голыми ногами, расчесанными в кровь от комариных укусов. Неизвестно, чего больше было насыпано на улице — сухого цвета акаций или подсолнечной шелухи. Девочки играли в кремушки, мальчики в айданы. Соседи подходили к соседям — узнать новость, рассказать новость. Севастьянов шел к Зойке маленькой, — на крылечках умолкали, наблюдая его, слышалось только звонкое щелканье разгрызаемых семечек, он шел под щелканье семечек, как в романах идут к любимой под соловьиное щелканье.

Она не сидела на крыльце. Сидела, должно быть, пока не прочла «Балаганчик» и «Незнакомку» и прочее тому подобное; пока была девчонкой в коротком платье, с голыми выше колен ногами, и играла в кремушки. В пятнадцать лет ее не занимали ни кремушки, ни уличные новости. Ее мать и бабушка сидели на крыльце, иногда и отец, когда не был в поездке. Севастьянов здоровался и спрашивал:

— Зойка дома?

И при этом знал, что она там, за занавесками, уже слышала его шаги, сейчас раздвинет занавески и станет, золотистая, между распахнутыми створками зеленых жалюзи, улыбаясь ему своей серьезной улыбкой.

13

А кто такой был моряк, что играл из «Тангейзера»? Зои ничего о нем не знали, кроме того, что он приходил через окно, играл что-нибудь громкое и сейчас же уходил. Почему ему нравилось входить через окно? Почему он приходил играть в Поэтический цех? Если он был моряк, то что делал в этом городе, куда приплывали по реке только баркасы с арбузами и рыбой да старые баржи, ведомые маленькими пароходиками? И если он был моряк (а он был моряк; он носил свою матросскую одежду как моряк; у него был загар моряка и походка моряка), — если он был моряк, то где и когда научился так играть?.. Все это осталось неизвестным, потому что Поэтический цех вскоре закрыли.

Закрывал его Югай. С ним пришла Женя Смирнова, агитпроп райкома, плотная и румяная, в выгоревшей косоворотке и красной косынке, через плечо портупея. Цвет Поэтического цеха был в сборе — Гордиенко, Свешников, Тамара Меджидова… Стоял душный вечер, все были в рубашках с расстегнутым воротом, в легких платьях, один

Югай в кожанке. Он прошел к столику, перед ним расступились, говор затихал, пока он шел. Он сказал:

— Именем губернского комитета комсомола. — Стало совсем тихо. Мелкобуржуазный клуб, так называемый Поэтический цех, организованный группой интеллигентов без учета революционных интересов трудовой молодежи, объявляю закрытым. — Собрание заговорило… — Тихо! — сказал Югай, Женя Смирнова придвинулась к нему, положила руку на кобуру. — Хватит с нас опиума всевозможных видов! Руководителям бывшего Поэтического цеха предлагаю покинуть здание.

И они все, по одному, пошли к дверям — Гордиенко, Тамара и последним — Аскольд Свешников с сонным выражением напудренного лица, с пренебрежительно опущенной нижней губой, сквозь пудру на его носу ртутными каплями проступал пот.

— Остальным остаться, — сказал Югай.

Но еще человек десять ушло демонстративно вслед за Свешниковым. А с оставшимися Женя Смирнова звонким голосом повела беседу о ликвидации неграмотности — важнейшей культурной задаче победившего пролетариата.

В двадцатом году вдоль Коммунистической тянулись два ряда пустых грязных витрин — магазины не торговали. Изгнанные из особняка поэты обосновались в витрине. Они там поставили свой столик, за столиком сидел дежурный. Чаще других дежурил Михаил Гордиенко. Подняв острые плечи, он внимательно писал, иногда взглядывая на прохожих; а прохожие смотрели на него — как он за большим стеклом пишет, сморкается и разговаривает с приходящими поэтами. Слева от Гордиенки висела хартия биокосмистов, справа — декларация ничевоков, то и другое было написано от руки, неважным почерком, на длинных кусках обоев. «Окно поэтов» — так это называлось. Гордиенко сидел там до холодов, потом ушел. И все ушли, и за морозными узорами окна, меж двух длинных манускриптов, одиноко коченел поэтический столик… Когда Севастьянов опять встретил Гордиенку, тот был уже Вадимом Железным, не шумел, стал шире в плечах… Тамару Меджидову Севастьянов позже, году в двадцать четвертом, видел в обществе «Друг детей». Она была в каштановой телячьей куртке с белыми подпалинами и в пыжиковой шапке, у которой на ушах болтались ботиночные тесемочки. Грешная Тамара была в этом виде просто добродушной теткой, ошалелой от кучи забот. Портфель ее был набит чужими рукописями: общество «Друг детей» издавало приключенческие романы; выручка шла на борьбу с детской беспризорностью; Тамара состояла при этих издательских делах... Что касается Аскольда Свешникова — этот уехал за границу, у него там оказались родственники.

14

Зоя большая жила по соседству с Зойкой маленькой.

Маленькая стучала условным стуком в деревянный забор, большая приходила.

С того двора кричали: «Зоя!» Иногда это был женский голос, иногда голос горбуна. Зоя большая вставала и уходила, маленькая провожала ее нахмуренным, озабоченным взглядом.

Во дворе у Зойки маленькой росли черешни. Большие блестящие ягоды, красные и черные, казались сделанными из дерева и покрытыми лаком. Их разрешалось срывать и есть сколько угодно. Самые красивые, по две на одной веточке, Зоя большая любила надевать на уши. Она себя вечно украшала — то наденет ожерелье из мелких ракушек, нанизанных на нитку, то приколет цветок на грудь. И Зойке маленькой она надевала серьги из черешен. Очень они обе были хороши, когда разговаривали и смеялись и яркие блестящие ягоды качались у их щек.

Как жила большая Зоя? Она никогда о себе не рассказывала, и Зойка маленькая на вопросы о ней отвечала неохотно, хмурясь. Зоя большая живет с матерью и братом — кроме этого, собственно, ничего не сообщалось.

Проходя мимо ее ворот, Севастьянов видел в открытую калитку нищее подворье, уставленное лачугами, увешанное тряпьем, еще более неприглядное, чем открытые зною и пыльным ветрам дворы Балобановки. Тут постоянно плакали дети и кричали, переругиваясь, женские голоса. Из этого двора, залитого мыльными помоями, выходила, улыбаясь, большая Зоя; привычным движением наклоняла голову в низенькой калитке; не торопилась закрыть калитку, божественно уверенная, что безобразие, в котором ей приходится существовать, не сливается с нею, не может никому помешать ею любоваться. Севастьянов заметил, что у Зойки маленькой ее прикармливают. Делалось это, конечно, ради Зойки маленькой — той бы кусок не пошел в горло, если бы она не могла разделить его с Зоей большой.

В какую-то осень Севастьянов встретил большую Зою на бирже труда. Там была лестница со сбитыми, заплеванными ступенями из серого мрамора и во всю ширину площадки — окно, его стекла, несколько лет не мытые, почернели и стали непрозрачными. У черного окна, в сумраке, стояла большая Зоя. Севастьянов угадал ее издали, снизу, по очертаниям узких бедер, высокой шеи, непокрытой стриженой кудрявой головы. Она стояла в своем старом пальтишке, из которого выросла, и крутила в пальцах носовой платок. Севастьянов остановился, она подала озябшую руку в коротком рукаве.

— Отмечаться? — спросил он. — Пошли вместе.

— Я жду брата, — ответила она.

Она уронила платок и сказала:

— Если дама что-нибудь уронила, кавалер обязан поднять.

— Вот, действительно, — сказал он, — я похож на кавалера, а ты на даму!

Но все же нагнулся и поднял ее платок, мокрый холодный комочек. Люди шли мимо них, кто вниз, кто вверх. Она сказала, вдруг забеспокоившись:

— Ну, иди. Вот он.

Ее брат спускался по лестнице. Севастьянов сказал: «Всего» — и пошел наверх. Непонятную, непобедимую неприязнь испытывал он к ее брату. И горбун при встречах пристально и недобро взглядывал Севастьянову в глаза своими быстрыми темными глазами и здоровался как-то так, что это у него, несмотря на малый рост, получалось свысока.

Он спускался по лестнице самоуверенной походкой, развязно выбрасывая короткие ноги. С ним шел Щипакин, они разговаривали как знакомые. Севастьянов подумал: «Ого, какое у горбуна знакомство», — для безработного Севастьянова Щипакин был большим человеком.

Сейчас и не вспомнить, как называлась его должность, как-то длинно, и было там слово «уполномоченный»... Щипакин в союзе совторгслужащих занимался трудовым устройством молодежи, он мог устроить на работу, поэтому был одной из популярных фигур на бирже труда. У него были тяжелые круглые глаза навыкате, нос в форме башмака и очень большое расстояние от носа до верхней губы, еще удлиненное глубокой вертикальной ложбинкой. Совсем молодой, он держался важно, с сознанием своей видной роли. Если кто-нибудь из безработных обращался к нему недостаточно, по его мнению, уважительно — он обижался, обрывал, хамил. С горбуном он говорил благосклонно, Севастьянов это отметил, разминувшись с ними на лестнице.

Он отметил это вскользь, их отношения не так уж его интересовали... Шагая через ступеньки, он поднялся на четвертый этаж. В огромном холодном зале было, как всегда, по-вокзальному людно, хвосты очередей перед фанерными окошечками, гул голосов, странно усиленный и омузыкаленный акустикой зала. На полу вдоль стен, подпирая их спинами, сидели люди, курили. Серый дым висел в воздухе, чтобы проветрить — открыли одно из окон на улицу. И там было дымно-серо, шел сильный дождь. Брызги залетали в зал. Люди кашляли, поднимали воротники. Севастьянов только спросил: «Кто последний?» — и стал в очередь к окошку регистратуры, как вдруг раздался женский крик, сидевшие повскакивали, все зашумело.

— Кто? Кто? — спрашивали кругом. У открытого окна вмиг сбилась толпа, лезли на подоконник; другая толпа хлынула на лестницу.

Севастьянов в числе первых очутился возле тела, распростертого на асфальте. Помочь ничем было нельзя. Дождь барабанил по луже крови, размывая ее. Одежда самоубийцы успела промокнуть. Нищета этой одежды — нищета, на живых настолько привычная, что ее уж не замечали ни у себя, ни у других, — на мертвой кинулась всем в глаза. Солдатские «танки» без подметок, заскорузлые, зашнурованные веревкой; жакетик — одно название — заплатка на заплатке; весь в дырах кровавый платок... Неправдоподобно темно-синяя лежала у ног сбежавшихся людей небольшая рука, ладонью вверх, пальцы сложены чашечкой, в чашечку, брызгая, набиралась дождевая вода... Толпа густела. Сквозь серую водяную завесу Севастьянов увидел — среди чужих лиц — лицо большой Зои, темный взгляд ее, остановившийся на самоубийце.

Загудел автомобиль, люди расступились, запахло сквозь дождь аптекой, появились белые халаты, носилки, милиционер, мелькнул щипакинский нос башмаком... Севастьянов видел, как горбун уводил большую Зою, а она спотыкалась и оглядывалась...

Вечером Севастьянов рассказал о происшествии Зойке маленькой. Зойка выслушала молча, сдвинув брови, потом спросила:

— Где же Зоя?

Зоя большая, оказывается, не забегала со вчерашнего дня, ее с утра не было дома. Так она и не пришла, Севастьянов и Зойка маленькая сидели вдвоем. Тихий тянулся вечер, Зойка была не в духе, мерно шумело по крыше, разговор не клеился. Севастьянов у шкафа листал книжки и думал, что ему еще шагать в Балобановку... Зойка сказала, возвращаясь к разговору о самоубийстве:

— Все-таки это слабодушие.

Севастьянов вспомнил руку на асфальте и сказал:

— Кто его знает. Трудно без работы... Очень ей, значит, стало невмоготу.

Потом он добавил:

— Вот, будет мировая революция — все наладится.

— Да! Да! — сказала Зойка.

Горбун вскоре после того поступил на работу, завхозом в клуб совторгслужащих.

15

Дождь переходит в снег, снег валит крупно и густо, как на рождественской открытке, непрерывно падающей сверкающей сеткой заслоняет фонари, ложится толстой гусеницей на резко освещенную цветастую вывеску «Нерыдая».

«Яблочко» ухает из глубин «Нерыдая».

Две женщины под фонарем, пряча лица в воротники, выбивают каблуками дробь.

— Хорошенький, погреться не мешает, — хриплой скороговоркой говорит одна, когда Севастьянов проходит мимо. — Мы уважаем шенпанское, но могем простую водку, если у вас финансы поют романсы.

Другая перебивает:

— Сказилась, какие у него финансы!

— Да на водку много ли надо! — простуженно кричит первая вслед Севастьянову. — Хорошенький, пошли в «Нерыдай»!

Это он шел из редакции с совещания.

Он тогда только что поступил в «Серп и молот».

У него не было на трамвай, а постоянный билет ему еще не выдали, а попросить у кого-нибудь денег в долг он постеснялся.

…На совещании были сотрудники и рабкоры. Из типографии — из красного уголка — в кабинет Дробышева снесли скамейки. Дробышев делал доклад о задачах большевистской печати. Вдруг погас свет. Один из рабкоров поднялся и, светя себе зажигалкой, пошел смотреть пробки. Оказалось авария на станции. Дробышев говорил в темноте. Молчаливо попыхивали папиросные огоньки. Потом внесли керосиновую лампу. К концу доклада электричество опять зажглось.

…Вадим Железный написал отчет об этом совещании. Он там написал: «Рабкоры вошли и поклали шапки на стол».

Акопян выправил: «положили шапки на стол».

— Не подсовывайте мне ваши вываренные в супе слова, — сказал Железный.

— «Поклали» — неграмотно, — сказал Акопян.

— «Поклали шапки» — это экспрессия, масса, мускул, акт! — сказал Железный. — Вы полагаете — в слове все исчерпывается его грамотностью?

— В трамваях висит объявление, — сказал Акопян со своим мягким акцентом, — напечатанное, кстати, у нас в типографии: «Детей становить на скамейку ногами воспрещается». Может быть, вам нравится слово «становить»?

— А конечно, потому что в нем образ! — воскликнул Железный. — Ставят клизму, как вы не понимаете, черт вас возьми! Слово «ставить» тут немыслимо даже ритмически. «Детей ставить на скамейку ногами»… Слышите?! Фраза кособочится, у нее заплетается язык! Это объявление набирал лингвист, умница! И разве не восхитительно «становить ногами», как будто можно становить и головой, разве в этом не эпоха?

— Рабочая газета ищет эпоху в других ее проявлениях, — сказал Акопян спокойным голосом, но очень категорически.

Севастьянов ходил по вьюжным улицам, ходил по большим заводам и маленьким мастерским, набирая полные ботинки снега, и думал: что за штука такая — слово, в Поэтическом цехе сражались из-за слов и в редакции сражаются, и как может быть в слове эпоха, и как это фраза кособочится, и кто же прав — заносчивый Железный или добрый спокойный Акопян.

Он уважал Акопяна, но то, что говорил Железный, ему тоже очень нравилось.

Ему казалось, что и он, Севастьянов, ощущает в каких-то словах силу (мускул) и напор (массу?), а какие-то и ему представляются словно бы действительно — вываренными в супе… Он уже — еле-еле — чувствовал и предчувствовал кое-что, хотя еще много лет и вьюг лежало между ним и его первой книгой.

…Все они выросли, кому исполнилось семнадцать, а кому и восемнадцать. Они считали себя взрослыми, и взрослые не считали их детьми. Спирька Савчук уже брился. У Семки Городницкого окончательно окреп его утробный бас, выработанный посредством многолетних упражнений; он этим басом шикарно спорил с попами на диспутах. Ванька Яковенко поступил на плужной завод и быстро стал выдвигаться — его выбрали в бюро ячейки и сразу в секретари, он стал очень деловым, подружился с Югаем и Женей Смирновой, а от старой компании отдалялся.

Сильнее всех изменилась большая Зоя. Прежде такая тихая, задумчиво-созерцательная, она становилась шумной, полюбила веселье и шутки, полюбила, чтоб парни за нею ходили гурьбой. Парни ходили гурьбой, а ей все было мало, она хотела еще и еще знакомств и побед. Беспричинное раздражение прорывалось у нее, смех стал нервным, глаза вспыхивали неспокойно. И по разным вопросам они все чаще спорили с Зойкой маленькой.

Раз Севастьянов случайно услышал, как они спорили о любви.

— Он меня обожает! — говорила большая грудным, таинственно пониженным голосом. — Разве ты не видишь — он для меня что хочешь сделает!

— Да, вижу, — отвечала маленькая. — Но ты мне скажи — зачем тебе это, ведь ты его не любишь!

— Ну как зачем! — упрямо сказала большая. — А ты разве не хочешь такой любви, чтобы для тебя готовы были в воду кинуться?

— Я хочу такой любви, чтоб я сама ради какого-нибудь человека была готова в воду кинуться! — сказала маленькая. — И ты такой любви хочешь, и для чего ты прикидываешься эгоисткой, я не понимаю. Я ведь знаю, что ты не эгоистка!

Тут вошел Севастьянов, и спор прекратился. Севастьянов понял, что это они говорили о Спирьке Савчуке, ведь за версту была видна Спирькина тяжкая влюбленность в большую Зою.

То был уже двадцать третий год — лето двадцать третьего, уже были мечты о журналистике, был Кушля, уже Севастьянов ушел из Балобановки и обитал с Семкой Городницким на Коммунистической, в комнате возле кухни, где царствовали три ведьмы.

Мечты и прогулки по «границе» были до середины лета. А потом голубоглазый Кушля вмешался в судьбу Севастьянова и переломил ее.

16

Но сначала Севастьянов и Семка Городницкий учились на политкурсах.

Занятия происходили в школе. Севастьянов, с его длинными ногами, подолгу вертелся, усаживаясь за парту, и стукался коленями… Для учебы его освободили от вечерней работы. На курсах они познакомились с двумя страшно передовыми девчатами с табачной фабрики, одну звали Электрификация, другую Баррикада. В сущности, их звали Рива и Маруся, но они октябрились в клубе, с речами и подарками от фабкома, и приняли новые имена для нового быта. Они то и дело хлопали ребят по спинам и кричали: «Шурка, сволочь! Семка, гад!» — и по самому нестоящему поводу заливались хохотом. При всем том — славные были девчата…

Кроме молодежи на курсах учились и пожилые люди, был там инвалид войны, ходивший на костылях, был старик с бородой, как у Маркса, была неприветливая болезненная женщина в пенсне… Им читали лекции о прибавочной стоимости, диктатуре пролетариата, диамате и истмате, о великих утопистах, предшественниках марксизма.

Семка, эрудит, начетчик, обо всем этом читал раньше, а Севастьянов впервые слышал так подробно и был по-настоящему потрясен — сколько же люди думали, искали, фантазировали, догадывались, открывали, стремясь устроить человеческую жизнь разумно и справедливо.

Он даже поднялся в собственных глазах, обнаружив, что его волнует этот мир отважного и жадного мышления, с которым он соприкоснулся; что, значит, он, Севастьянов, тоже из той людской породы, которой доступно высокое. Мысли, зарождавшиеся в его юной голове самостоятельно, имели пока что значение только для него; но на чужую мысль эта голова отзывалась быстрым пониманием, это ведь тоже кое-что.

В тот период своей жизни они с Семкой разговаривали почти исключительно на социально-философские темы, даже сообща сочиняли стихи на эти темы:

> Познавательный процесс
>
> Не свалился к нам с небес,
>
> И врожденных у людей
>
> Сроду не было идей…

В моде была кабацкая песня про торговку бубликами:

> Бублики! Горячи бублики!
>
> Купите бублики, народ честной!..

«Буб-лики! Горячи буб-лики!» — пела улица. «А я несчастная торговка частная!» — пронзительно пел маленький босоногий пацан в коротких штанах и выгоревшей буденовке. «Буб-лики! Горячи буб-лики!» — яростно суфлировала гармошка из пивной. А Севастьянов и Семка, идя домой после лекций, сочиняли песню для себя и своих товарищей:

> Гегель странный был чудак,
>
> Не поймешь его никак:
>
> Диалектика — того
>
> Вверх ногами у него.

> Диалектике было́
>
> В этой позе тяжело,
>
> Но явился Фейербах,
>
> И она уж на ногах.

> Фейербах, Фейербах,
>
> Браво, Людвиг Фейербах!

И так далее — топорно и, быть может, излишне фамильярно, но зато от всего сердца.

А девчата — Электрификация и Баррикада — смотрели им в рот, когда они сочиняли, и потом пели с ними вместе.

17

С тех пор как Кушля возглавил отделение «Серпа и молота» и поселился там, писать Севастьянову стало негде.

В отделении был Кушля, дома — Семка Городницкий.

Кушля непременно подошел бы и заглянул, что там Севастьянов пишет. Он не признавал секретов.

Семка без спроса не сунется, но севастьяновские листки могли попасться ему на глаза случайно, у них ведь ничего не запиралось, да и запирать было некуда, — и неужели же Семка не прочтет? Надо быть возмутительно равнодушным к товарищу, чтобы не прочесть. И Севастьянов огнем сгорит от Семкиных критических, логических, иронических замечаний. Если же Семка воздержится от замечаний, и даже не усмехнется, и будет молчать, словно ничего знать не знает, — это ужасное сострадание еще невыносимее.

Лишенный приюта для своей музы, Севастьянов творил мысленно. У него была пропасть времени, когда он шагал от предприятия к предприятию по редакционным делам.

Шагал, вдруг замечал на себе чей-то взгляд и, спохватясь, сгонял с лица улыбку.

На короткое время отстал было от сочинительства — пока учился на курсах и увлекался общественными науками; потом опять вернулся.

Он составлял в уме фразы, заботясь о том, чтобы они не кособочились. Слагал газетную прозу, как поэты слагают стихи. Кое-что записывал тайком фразу, абзац — и прятал в карман. Газета светила ему как маяк: его интересовали только те явления, которые могли интересовать газету. Изложить старался помускулистее, в подражание Железному. (Московских журналистов, печатавшихся в «Правде» и «Известиях», они с Кушлей тоже читали внимательно, но находили, что наш Железный пишет лучше.)

И вот однажды получилась у Севастьянова одна вещь, и он почувствовал желание показать ее кому-нибудь. Первый раз почувствовал такое желание.

Не желание: необходимость! Неизбежно было, чтобы еще кто-то, кроме него, эту вещь узнал. Не то чтобы исчез его целомудренный страх перед судом другого человека — страх за свое неумение, несовершенство своей работы; страх остался, но как бы отступил на время и наблюдал со стороны: что-то будет!..

Севастьянов пошел в отделение, сел и в присутствии Кушли стал записывать то, что сложилось в его мозгу. Вышло вроде стихотворения в прозе — этого он не знал, не был посвящен в такие тонкости; он все, что сочинял, считал фельетонами… Там рассказывалось, как рабочие судоремонтного, с женами и детьми, пришли на субботник — убирать в цехах: судоремонтный, после долгого перерыва, снова вступал в строй. Субботник был описан с разными восклицаньями, заимствованными у Вадима Железного. Но кое-что было незаимствованное, свое, — тот рабочий: как он разбирал станок, с каким вниманием, не подымая глаз, долго рассматривал снятую часть и клал бережно, — и следующую, перед тем как снять, осматривал, и что-то обдумывал, и в раздумье поигрывал по станку пальцами, и посвистывал, сложив губы дудочкой, — а потом он сел тут же на подоконник и завтракал, медленно жуя и не спуская глаз со своего станка, в одной руке хлеб, в другой ломоть арбуза, — вот этого рабочего Севастьянов сам отметил среди сотен человек и по-своему описал, и этому описанию обрадовался до такой степени, что не мог не поделиться с кем-нибудь своей радостью.

И, безусловно, легче было делиться с Кушлей, чем с начитанным и ироническим Семкой Городницким.

Как он и предугадывал, Кушля, увидев его пишущим, подошел и стал за его плечом. Попыхивая папиросой, он стоял и читал. Севастьянов дописывал не оборачиваясь, уши у него горячели. Кушля взял первый, уже отложенный лист, стал читать с начала. Тем временем у Севастьянова поспел конец; Кушля прочел конец и спросил недоверчиво:

— Это что?

— Да так просто, — нелепо ответил Севастьянов.

— Твое? — спросил Кушля еще более недоверчиво и даже грозно и перешел на другое место, чтобы взглянуть Севастьянову в лицо.

— Мое! — решился Севастьянов.

Ярко-голубые Кушлины глаза смотрели ему в самую совесть.

— Не врешь?

— Иди ты!

Скрестив на груди руки, Кушля прошелся взад-вперед.

— Замечательно!

Он это сказал с глубоким убеждением и серьезностью. И Севастьянов знал, что шутить он не умеет, а все-таки поглядел: не шутит ли?

— Ты считаешь — ничего?

— Что значит ничего! — сказал Кушля с тихим торжеством. — Я же тебе говорю — замечательно!

«Да неужели, — значит, мне не показалось, — да, должно быть, да, конечно, это хорошо!» — подумал Севастьянов.

— Это же надо, понимаешь, сел и написал единым духом, ничего даже не чиркая, ну и ну! И кто — рабочий парень с низшим образованием! Это, дорогой товарищ, просто, я тебе скажу, ну просто, я тебе скажу, — да что тут говорить: сказано — замечательно!

— Что ты, каким единым духом! — поспешил возразить Севастьянов. — У меня раньше придумано было. — Он жаждал похвал, которые мог принять как заслуженные; те, которых он не заработал, были ему тягостны, вымышленными заслугами отодвигалось в тень то немногое, но единственно важное для него, что удалось ему на самом деле.

На Кушлю его поправка произвела неожиданное впечатление.

— Как раньше? — спросил он. — Ты же не переписывал, черновиков никаких не было.

— Правильно, я в голове держал.

— Наизусть, что ли, выучил?

— Ну да, наизусть, только я не учил, оно само как-то запоминается, черт его знает.

— Ну, это, ну, просто... — начал Кушля, качая головой, и не договорил. — И давно это ты?

— Давно уже. — Теперь сознаться в этом было приятно.

— Когда начал писать?

— В декабре месяце.

— О! Давно, — сказал Кушля. — Я только с июня пишу. Чего ж не показывал? Никому не показывал?

— Никому.

— Это интеллигентщина, понимаешь! Как можно не показывать? Что ты кустарь-одиночка? Тем более — пишешь замечательно, можно сказать великолепно! А вот скажи, — спросил Кушля, — ты когда пишешь, ты всегда до конца пишешь или не всегда?

— Как когда, — ответил Севастьянов. — Иной раз и не до конца. Бывает всяко.

— Я когда пишу, — сказал Кушля, — у меня начало получается, и середина получается, а конец не получается, не дается мне конец. Напишу, понимаешь, середину, а дальше ни с места, ты мне, пожалуйста, помоги, ладно?

Он снова стал похаживать, скрестив руки, и лицо его, по мере того как он вдумывался в случившееся, становилось все торжественней, вдохновенней, праздничней, моложе.

— Что значит талант, — сказал он, — я этого человека вижу, как он сидит на окне и арбуз ест и на станок свой смотрит, с которым в разлуке был, — и это не дело, понимаешь, чтоб талант улицу подметал...

Совершенно искренне он был убежден, что Севастьянов делает в отделении только черную работу.

— Ведь чем дорого, — говорил он дальше, — что вот, скажем, талант у тебя, талант у меня? Сейчас я тебе поясню, чем это дорого. Вот мы вчера были в театре с Ксаней. Сидим назади, а в первых рядах сплошная буржуазия. То боялись, гады, одеться чисто, носили что ни на есть поплоше; а сейчас, понимаешь, золотые часы, серьги это, горжетки, все наружу. А мы с Ксаней, в боевых наших красноармейских гимнастерках, — победители! чувствуешь?! — назади сидим и с пятого на десятое слышим, что там артисты на сцене говорят. А душа — она еще не вполне сознательная, душе скорбно, дорогой товарищ, сидеть назади, уступя первые ряды нэпманам. Спроси Ксаню, она тебе то же самое скажет...

— Но ум, — сказал Кушля, блестя ярко-голубыми глазами, — запрещает моей душе болеть. Ум ей говорит: «Не зуди!» — поскольку это не больше как тактика, чтоб из разрухи выйти. А победители все одно мы с Ксаней, а то кто же? — хоть и сидим черт-те где! Они там нехай нам налаживают всякую бакалею и галантерею, а мы будем развивать наши таланты, потому что не им быть первыми, дорогой товарищ, а нам с тобой...

18

Великая вещь — слово одобрения! Грудная клетка у человека становится шире от слова одобрения, поступь легче, руки наливаются силой и сердце отвагой.

Благословен будь тот, кто сказал нам слово одобрения!

Поздно вечером расстался Севастьянов с Кушлей. Горели на улицах реденькие огни. Были спущены железные шторы на магазинах. Из темноты возникали люди, приближались, обрисовывались в неярком свете, проходили вплотную мимо Севастьянова, — чудное у него было чувство, чувство новой какой-то своей связи с людьми, чем-то они стали ему несравненно важней и дороже, чем были, — он еще не знал, чем именно, но чувство это было прекрасно и радостно. Лошадиные копыта зацокали в тишине, извозчик приостановился у тротуара и сказал знакомым голосом: «Садись, Шурка, подвезу», — это был Егоров, балобановский сосед, у которого Севастьянов когда-то ремонтировал конюшню. Севастьянову оставался до дому какой-нибудь квартал, но он сел к Егорову в пролетку и спросил: «Как вы поживаете?» «Живем, хлеб жуем, — ответил Егоров, — а ты как там?» «Я — хорошо!» — от души ответил Севастьянов... Копыта неспешно цокали, удаляясь, он стоял у своих ворот, он поднимался по железной лестнице, думая: «Вот отлично, что Семка дома и не спит. (В их окне был свет.) Я ему тоже покажу мой фельетон. Что, в самом деле!» Но Семка спал, уронив книгу на пол, закинув худое горбоносое лицо. Севастьянов огорчился, потоптался по комнате, подвигал стулом, даже задал вполголоса дурацкий вопрос:

— Ты спишь?

Ничего не помогло, Семка спал. Севастьянов лег нехотя и долго лежал с открытыми глазами, улыбаясь... Утром проснулся — Семка уже ушел. Да при утреннем деловом ясном свете, в сборах на работу, на ходу, и не стал бы Севастьянов ничего показывать и рассказывать...

— Акопян звонил, — встретил его Кушля, когда он пришел в отделение. Велел тебе к нему ехать. Сразу.

— Не сказал, по какому делу? — спросил Севастьянов, а сердце стукнуло: «Вдруг по этому самому?..»

— Не сказал. Нужен, значит. Кидай все и езжай, скоро!

Кушля был взбудоражен и таинствен. «Он звонил Акопяну и говорил обо мне!» — понял Севастьянов. После оказалось, что Кушля звонком поднял Акопяна ночью с постели, расписывая севастьяновские достижения и внушал, что в Советской республике не имеет права талант метлой махать, а обязан талант служить задачам агитации и пропаганды для счастья масс. Акопян, полусонный, терпеливо выслушал и сказал: «Хорошо, я посмотрю» — не очень-то, должно быть, поверил Кушлиной рекомендации. Но в наэлектризованном воображении Кушли все это обернулось таким образом, что Акопян сам позвонил чем свет и потребовал Севастьянова срочно.

Выйдя вслед за Севастьяновым на улицу, Кушля напутствовал его, будто в дальнюю дорогу:

— В добрый час!

В редакции шло своим чередом редакционное утро. Акопян, с пером в руке, сидел над гранками и сказал: «Ты ко мне? Посиди минутку», — пришлось сесть смирно и ждать. Вошел кто-то с хроникой, Акопян стал править хронику. Прибежала машинистка Ляля с перепечатанным материалом, из типографии принесли тиснутую мокрую полосу, Залесский принес рецензию, и они с Акопяном спорили о спектакле, раздался звонок из кабинета Дробышева, Акопян ушел туда и пропал. В окнах стало свинцово — нашла туча, хлынул дождь. Севастьянов слонялся по коридору, видел в открытые двери, как Коля

Игмнов, свесив белокурую гриву, трудится над рисунком; как пришел Вадим Железный, его кожанка блестела от дождя, он повесил ее на гвоздик, вынул записную книжку, уселся, придвинул стопку чистой бумаги, обмакнул перо — и его брови поднялись, он оледенел, отрешился от всего, кроме пера и чистого листа... Видел, как под клетчатым серым зонтиком пришла к Залесскому старуха жена, принесла завтрак в корзиночке, как уборщица Ивановна разносила чай на подносе, она и Акопяну поставила среди бумаг стакан жидкого чая. Всегда готов был Севастьянов наблюдать эту восхитительную, высшую жизнь, но в тот день он томился одним ожиданием, ожиданием Акопяна.

Меньше всего было свойственно ему телячье легкомыслие. Он себя урезонивал: «Размечтался!.. Обязательно окажется что-нибудь обыкновенное, самая мелочь может оказаться, не имеющая отношения... С чего на тебя такое свалится, чего ради вдруг тебя возьмут и напечатают, как будто это так просто. Ты вовсе и не нужен Акопяну, видишь — он о тебе забыл, Кушля напутал спросонок». Но какой-то новый Севастьянов, убежденный в своих силах, не хотел признавать резоны, волновался и заносился, изумляя прежнего солидного Севастьянова.

— Брось, ничего Кушля не напутал, притворяешься перед самим собой, не хочешь разочароваться...

— Какое-нибудь редакционное дело.

— Редакционное он бы по телефону передал... У меня удача. Вот тут, в кармане, у меня лежит удача. Как Кушля про нее сказал? Замечательно, сказал, великолепно!

— Ты, брат, ошалел. Похвалили тебя, ты и ошалел.

— Вот посмотришь!..

Но когда Акопян вышел наконец из редакторского кабинета, и они с Севастьяновым сели друг против друга у стола, и Акопян сказал: «Ты, говорят, пишешь; покажи», — шалый голос умолк, как не было его; сидел перед Акопяном положительный, несуетливый Севастьянов. У этого положительного Севастьянова пальцы были неловкие, деревянные, когда он доставал листки из нагрудного кармана, и он подумал: «Акопяну вряд ли понравится».

Акопян взял листки и, прежде чем читать, отхлебнул холодного чаю из стакана.

«Ему не понравится».

— Сколько ты классов кончил? — спросил Акопян, уже начав читать и отрываясь, что причинило Севастьянову боль; и, узнав, что Севастьянов окончил два класса приходского училища, покачал головой: — Маловато...

«Ясно, не понравится. Чему там нравиться — пишу корову через ять».

Акопян читал, подперев лоб рукой. Севастьянов смотрел на его узкую руку, опущенные веки и думал: «Ужас, и как я решился показать. Ему же никогда ничего не нравится, он все черкает и переделывает, а у меня до того плохо, позорно плохо...»

— Очень приличная зарисовка, — сказал Акопян.

Севастьянов перевел дух. У него губы ссохлись, пока Акопян читал.

— Про рабочего со станком хорошо написано, — сказал Акопян, задумчиво рассматривая Севастьянова своими черными глазами.

«Вот и он говорит, что хорошо, — подумал Севастьянов, и его радость и вера мгновенно вернулись к нему, — значит, в самом деле хорошо, уж кто и понимает, как не он, и какой симпатичный у него голос, как говорит он приятно, и, значит, это называется зарисовка, а не фельетон, правильно, очень подходящее название!»

— Редактор считает, — сказал Акопян, — что тебя следует попробовать на работе в редакции, ты как на это смотришь?

«В редакции, ну конечно! — подумал Севастьянов. — Я это предвидел, я так и знал! Еще утром знал, когда Кушля сказал "в добрый час"... Написано очень прилично. А два класса — что ж два класса, как будто я этим ограничусь, учился на курсах, и на рабфак пойду, и в вуз».

— Ну, так как же ты? — окликнул Акопян.

— Я?.. — Севастьянов прокашлялся. — Я, да... с удовольствием.

Акопян улыбнулся.

— Но имей в виду, заработок на первых порах будет нерегулярный и, возможно, меньше, чем в отделении. Выдержишь?

— Выдержу.

— Зарисовку твою напечатаем. Придумай заголовок и зайдем с тобой к редактору. — Зарисовка была без названия.

Севастьянов вышел на балкон. Пока они с Акопяном разговаривали, дождь кончился, короткий и бравурный, и опять светило солнце. В выбоинах старого балкона с почерневшей узорной решеткой стояла светлая вода. Внизу играли дети, шли прохожие, двое остановились на углу, разговаривая, — ни у кого из них не было таких ослепительных перспектив, никого так не манило будущее, как манило оно Севастьянова, когда он стоял на балконе, придумывая название для своей зарисовки.

«Я в редакции, вот счастье. Это теперь мое — эти культурнейшие, интереснейшие люди, их занятия и разговоры, вся эта увлекательная жизнь... и этот балкон мой. Внезапный какой поворот... Всегда все главное бывает внезапно?.. Это Кушля устроил, я бы разве сам пошел к Акопяну…» Он был навеки благодарен Кушле! Но не за то, что тот похлопотал о его переводе в редакцию. Такую вещь Севастьянов тоже сделал бы для любого товарища… За восхищение он был благодарен Кушле, за признание, за восторженное сияние глаз.

19

Свою зарисовку в газете он без конца перечитывал, она казалась ему чужой и этим притягивала как магнит: он читал и читал, пытаясь удостовериться, что это сочинено им. Напечатанные слова были непохожи на написанные от руки, каждое слово стало выпуклым, громким, его будто вынесли на яркий свет. Севастьянов заметил это сам, и то же сказал ему Вадим Железный.

— Они отпали от вас и зажили отдельной жизнью, не правда ли?

— Да, вроде, — подтвердил Севастьянов.

— Они теперь сами себе господа. Они самоопределились. Им наплевать на вас. Вы властны над ними, только, пока они не напечатаны. Странно?

— Странно, конечно. Потому что я в первый раз…

— Это ничего не значит, что в первый раз. В тысяча первый будет точно так же. К этому диву нельзя привыкнуть. А как вам показалась ваша собственная подпись?

— Да-да-да! — вздохнул Севастьянов.

Его фамилия на газетной полосе била в глаза, как бы напечатанная красной краской; в буквах и сочетаниях букв было что-то удивлявшее Севастьянова, вообще незнакомая была фамилия и чудная. Они с Железным обменялись этими наблюдениями.

— И чем дальше, — торжествующе сказал Железный, — тем она все больше будет абстрагироваться. Она тоже имеет тенденцию к самоопределению. Я смотрю на свое имя в газете и думаю: Вадим Железный, Вадим Железный, кто ж это такой Вадим Железный?.. Не смейтесь! — остановил он повелительно, увидев улыбку Севастьянова. — Это не смешно. Это настоящие открытия. Это больше, чем открыть новую звезду; разве нет?

Он не был похож на тонкого и легкого Мишку Гордиенко в студенческой тужурке с обтрепанными рукавами, того Мишку Гордиенко, что несколько лет назад поставил вопрос о новой орбите для земного шара. Вадим Железный ел бифштексы, занимался боксом, носил кожаную куртку, скрипучий портфель, обожал все кожаное и скрипучее. И он в самом деле был хорошим журналистом и умел писать для простых читателей ясно и горячо, — но от старых бредней не отказался, написал непонятную брошюру под названием «В начале было Слово», издал ее за свой счет, и она продавалась в киосках.

— И жить и писать будете, — сказал он, прочитав севастьяновскую зарисовку и поговорив с ним. И попросил наборщика, тот отлил на линотипе, на память Севастьянову, его подпись: «А. Севастьянов». Пластинку серебристого металла с выпуклыми удивительными буковками Севастьянов получил еще теплой, прямо из машины, — и долго она у него была, пока не затерялась.

20

Если поначалу от восторга он маленько занесся, то первая же неделя работы в редакции сбила с него спесь начисто. Его посылали за хроникой в губсовнархоз — он упускал самые важные сообщения. Поручили ему отчет о конференции работников потребкооперации — он добросовестно сидел на скучном заседании и записывал, что говорили кооператоры, а потом оказалось, что, отвлеченный своими мыслями, он не записал какие-то цифры, которые приводил какой-то товарищ, а без этих цифр отчет не годился. Севастьянов бросился разыскивать товарища, разыскивал его по складам и пакгаузам, бешеную деятельность развил, чтобы получить цифры. Когда разыскал наконец, товарищ сказал: «Что ж вы беспокоились, посмотрели бы в стенограмме»… На маленькую заметку уходила уйма времени.

По собственной инициативе Севастьянов написал штук двадцать зарисовок, но из них только одна была помещена, причем Акопян выбросил все начало и переделал конец.

Торчать в редакции развеся уши и упиваться умными разговорами — об этом нечего было и думать. В редакцию Севастьянов приходил, чтобы сдать материал и получить задание от Акопяна. Наскоро просматривал газеты, выпивал стакан чаю и уходил.

Так или иначе — пусть с грехом пополам — он выполнял все поручения и никогда ни от чего не увиливал. Почти в каждом номере шло хоть несколько его строк, по большей части без подписи. Уже в первый месяц он заработал вдвое против того, что зарабатывал в отделении. Но гонорар выдавали редко и по крохам, так что денег у Севастьянова было еще меньше, чем когда он работал в отделении и два раза в месяц получал свою скромную получку.

Если бы не это обстоятельство, он считал бы себя материально устроенным. Они с Семкой наладили свою жизнь. У каждого была кровать, у каждого кружка. Был нож, чтоб резать хлеб и колбасу. Севастьянову хотелось завести примус и кастрюльку: нет-нет сварить картошки и поесть с огурцом неплохо. Но купить было не на что, да Семка и не допустил бы такого обрастания, примус был в его глазах принадлежностью обывательского быта, который страшнее Врангеля. Зато на столе, на подоконнике, на полу, всюду у них лежали книги. Семка притащил их из дому и всякую получку покупал еще, а глядя на него, и Севастьянов научился покупать; прежде ему казалось, что глупо тратиться на книгу, раз ее можно взять в библиотеке или у знакомых.

Ведьмы громко злословили за дверью по их адресу. Они ненавидели Севастьянова и Семку. Это была ненависть с первого взгляда. С момента, когда Севастьянов и Семка предъявили ордер на комнату возле кухни. Три примуса шипели в кухонном чаду, и три ведьмы шипели у примусов. Кто их знает, этих теток, чего они ярились. Должно быть, революция их прижала, вот они и выходили из себя от одного вида комсомольцев. Каких только гадостей они не придумывали, чтобы отравить Севастьянову и Семке существование; ну, не так-то это было просто. Семка молча щурился в ответ на все выпады. Севастьянова иной раз подмывало сказать пару теплых слов поставить вредных старух на место; но и он брезговал связываться. Жертвами своих боевых действий падали сами ведьмы, они худели от злости и лечились у невропатологов.

Дома Севастьянов и Семка бывали мало. Обедали в столовой ЕПО. Если денег было не в обрез, Севастьянов заходил поесть на базар, в обжорный ряд. Там было вкусно, хотя нельзя сказать, чтобы опрятно. Из глубоких кошелок, из промасленного тряпья бабы-торговки доставали жарко дымящиеся чугуны с жирным борщом, приправленным чесноком и перцем, большие коричневые котлеты, сочные сальники с начинкой из гречневой каши и рубленой печенки. На куриных ножках стояли крошечные дощатые шашлычные с распахнутыми настежь дверками, в каждой шашлычной был стол, непокрытый, даже без клеенки, на столе тарелки с нарезанным хлебом и луком, горчичница, солонка с оттиснутыми в ней следами пальцев. Шашлык жарился на улице, у входа, на высоких жаровнях, в противнях, полных скворчащего жира, райский запах разливался далеко. Севастьянов любил забежать в такую шашлычную. Любил купить огромный, весь в пурпуровых подтеках, пирог со сливами и съесть на ходу, выплевывая косточки. Любил, купив арбуз, не резать его дольками, а трахнуть им о край стола, чтобы арбуз так и распался в руках на большие неправильные ломти с серебристым налетом на малиновой мякоти, утыканной черными глазастыми семечками...

Другого рода соблазны исходили из «Реноме инвалида». Кафе. «Реноме инвалида» помещалось в доме, где жили Севастьянов и Семка. В витрине красовались торты и синяя ваза с пончиками, напудренными сахарной пудрой. Утром выйдешь натощак за ворота — пахнет свежими пирожными… В этом культурном месте тоже приятно было посидеть в получку, выпить бутылку кефира, чашку чая либо спросить мороженого и есть его ложечкой, запивая газированной водой.

Принадлежало кафе инвалидной артели. Разнообразно прихрамывая, члены артели, в белых курточках, белая салфетка через руку, обслуживали посетителей. В этом же доме, со двора, находились их кладовая и погреб, и при кладовой жил Кучерявый, кладовщик…

— Здравствуйте! — сказал главный инвалид, остановив Севастьянова посреди двора, от инвалида пахло ванилью. — Что вас редко видно, почему к нам не заходите, вы и ваш товарищ?

— Денег нет на пирожные, — ответил Севастьянов шутливым тоном, хотя это была истинная правда — с тех пор, как он жил на гонорар, у него никогда не было денег, и он успел задолжать Семке астрономическую сумму, чуть не два червонца.

— Какое это играет значение! — сказал инвалид. — Ведь вы работаете, если я не ошибаюсь, в редакции? («Ишь, знают», — подумал Севастьянов не без ребяческого удовольствия.) Вы можете кушать в кредит, пожалуйста, почему нет, сделайте одолжение.

— Как в кредит?

— Очень просто, вы кушаете, мы записываем, а в получку рассчитываетесь, обыкновенно так делается.

Так делалось — и тетя Маня, и покойная мать брали в лавочке в долг, но Севастьянову неловко было согласиться, он сказал:

— Да нет, зачем же.

Другой инвалид сделал такое же предложение Семке. Посетители не валили в кафе валом, место было не бойкое; открывая кредит, инвалиды закрепляли за собой клиентуру. Семка сперва тоже отклонил предложение, но в черный день они с Севастьяновым не выдержали характера, пошли в «Реноме» и наелись пирожных и пончиков, и еще там оказались слоеные пирожки, которых они раньше не пробовали, они и пирожков взяли: если кредит, то какая разница — рублем меньше или больше. Инвалиды были очень радушны. На другой день Севастьянов и Семка уж прямо отправились в «Реноме» завтракать, пили кофе с булочками. Вечером, возвращаясь из редакции, Севастьянов помедлил секунду перед задушевно освещенной розоватым светом витриной, потом подумал: «Ничего страшного нет, рассчитаемся». Вошел и первым делом увидел Семку, тот сидел за угловым столиком и, щурясь от стеснительности, жевал ромовую бабку. Они стали буквально купаться в роскоши, бывали дни, когда они харчевались у инвалидов по три раза, изобретая всевозможные комбинации пирожков, булочек, пончиков и пирожных с чаем, кефиром, какао, простоквашей, кофе со сливками, кофе с лимоном, кофе по-варшавски, кофе по-турецки и просто черным кофе.

— Мы катимся в пропасть! — сказал Семка после получки.

Он получил зарплату за полмесяца, и Севастьянову выдали часть его заработка, и все пошло в уплату долга инвалидам.

— Остается одно, — сказал Семка трагическим басом. — Продолжать пользоваться кредитом. Выхода нет.

Теперь они полностью столовались в «Реноме». Все другое стало им недоступно, потому что у них не было наличных денег. Вначале от неограниченного кредита в них развились жадность и цинизм. Они пожирали громадное количество сдобной пищи, неслыханные и стыдные количества: кажется, за все свое прошлое и на все свое будущее наелся Севастьянов сладкого; и при этом как миллионерам, как каким-нибудь Рокфеллерам, им было наплевать, сколько эта пища стоит. Допив чай, они могли тут же приняться за какао. Приводили в «Реноме» знакомых и щедро угощали. С горя устраивали состязания — кто больше съест пирожных.

Но скоро их стало мутить от кондитерских запахов. Они почувствовали отвращение к сладкому. Огорчая инвалидов, целую неделю пили одно молоко, к молоку приносили в кармане житного хлеба. Им мерещились запахи жареного лука, мяса, селедки. Севастьянов видел во сне огненный борщ и сальники с гречневой кашей. Баррикада справляла день рождения. Они ей принесли в подарок торт; но когда она стала резать его и угощать, они простились и ушли, это было выше их сил.

— Знаешь, довольно, — сказал Севастьянов. — Ну ее к богу, такую жизнь. Я придумал.

Он взял ссуду в кассе взаимопомощи. Они расплатились с инвалидами, ринулись в столовую и заказали столько мясных блюд, что официант подумал они его разыгрывают.

Было трудно выплачивать ссуду; но эти трудности не шли ни в какое сравнение с тем рабством, которое они испытали, пользуясь кредитом в «Реноме».

21

У Семки обнаружился туберкулез легких.

Семка всегда был слабосильный, а последнее время очень уставал на работе. Работал он инструктором в губбюро ЮП, юных пионеров, — Севастьянов не понимал, с чего ему уставать… Когда пошли осенние дожди, Семка все время ходил в мокрых ботинках — калош у них не водилось, — чихал и кашлял. В конце концов сходил в амбулаторию, оттуда послали его в тубдиспансер, и там сказали:

— Неважно дело, надо в санаторий, жиры надо есть, как можно больше жиров.

— Я, — сказал Семка, — ем сплошные жиры.

Они в это время кормились у инвалидов.

Докторша велела измерять температуру и принимать порошки, а курить запретила под страхом смерти.

Курить Семка не бросил, но градусник купил и ставил его себе по вечерам. Докторша велела чертить кривую. Семка чертил и расстраивался, от расстройства ему делалось хуже.

В разных книгах описано, как болеют чахоткой. Семка знал, что это значит, если температура каждый вечер — тридцать семь и пять. Знал, что у чахоточных бывает кровохарканье; и, кашляя, прижимал платок к губам и потом взглядывал на него с ужасом.

Но как-то зашли Электрификация и Баррикада. Говорили, по обыкновению, обе сразу, хохотали до слез, махали руками, смахнули градусник со стола и разбили. Семка расстроился, но, прожив несколько дней без градусника, увидел, что так спокойнее, и перестал заниматься своей температурой.

А так как кровохарканья все не было, то он решил, что чахотка — не такая уж страшная болезнь, чтоб из-за нее паниковать. И он стал относиться к ней наплевательски. Порошки, которые ему дали в диспансере, подмокли, лежа на подоконнике, и он их выбросил в мусорное ведро.

Огорчало его только то, что ему запретили посещать пионерские сборы.

В ноябре сыпал мокрый снег, мели мокрые метели, без передышки мело и таяло, на мостовых ледяная кофейная жижа стояла по щиколотку. Семка расхворался, доктора уложили его в постель. Ребята его проведывали, носили ему книги, и Женя Смирнова зашла, сказала, что Югай обещал выхлопотать Семке путевку в Крым. «Я его просила», — сказала она и покраснела, как девочка. Она была председательница губбюро ЮП, Семкино начальство, на шее у нее был пионерский галстук. Револьвер она уже не носила.

Пришел и старик Городницкий, каким-то образом узнав о Семкиной болезни.

Он пришел с парадного хода и спросил у отворившей ему ведьмы:

— Пардон, мадам, здесь живет молодой человек Городницкий, Семен Городницкий, мой младший сын?

На нем были гетры, пушистое пальто, кепка из той же материи, что и пальто. Пахло от него дорогими папиросами и дорогим мылом.

Ведьма глянула и побежала, указывая дорогу. Он величественно прошел по коридору в кухню и тростью постучал в облупленную дверь.

— Семка, — сказал он входя, — это же анекдот…

Семка лежал и читал, держа книгу на поднятых коленях. Колени остро торчали под одеялом.

— Ей-богу, анекдот, — повторил старик Городницкий, взял стул и сел, отдуваясь. — Что ты хочешь доказать? Я ничего не понимаю. Комсомолу будет хорошо, если ты подохнешь от чахотки? Советской власти будет хорошо? Мировая буржуазия передохнет вместе с тобой? Молодой человек, — повернулся он к Севастьянову, — вы, кажется, Шура, да, Шура… Объясните мне, для чего надо, чтобы он валялся в этой кошмарной комнате, — пардон, ведь кошмарная, согласитесь… Чтобы доказать, что он не принадлежит к классу эксплуататоров? А без этого вы ему не поверите, что он не принадлежит к классу эксплуататоров?

Он пригнулся к Семке:

— Я не допускаю мысли, чтобы в твоем уходе сыграла роль моя женитьба, ведь нет — нет? Софья Александровна — приличная женщина, преданная женщина, и я же нуждаюсь в заботе, я не в состоянии жить так, как живете вы. Ведь у меня никаких ресурсов! Немножко было валюты, так и ту забрали в двадцатом году! Чтоб вы знали, Шура, я тоже никогда не принадлежал к классу эксплуататоров! Никогда не имел наемной рабочей силы, кроме кухарки и горничной! Я был служащий, вам понятно? Не я нанимал, а меня нанимали, вам понятно? Брокар нанимал меня, чтобы я распространял его парфюмерию! Вы молодые идиоты. Если человек надел приличный костюм, так он уже, по-вашему, буржуй. А я, чтоб вы знали, безработный пролетарий. Да: пролетарий. И да: безработный! А что я должен, я привык, вам понятно — я всосал с молоком матери, я не могу одеваться неприлично, — так я буржуй?!

Он посмотрел на Семку, на узкую его кровать, провисшую наподобие гамака, и сказал:

— О боже. Без пододеяльника.

И прикрыл глаза пухлой белой рукой в коричневых крапинках.

— Семка, — сказал он потом, — ну хорошо, ты ничего не хочешь слушать, ну хорошо — отрекись от меня через газету. Многие отрекаются через газету, что ж, это всех устраивает. Отрекся, а на чьи средства ты там дальше существуешь — кого это может интересовать? Дай объявление, что с такого-то числа не имеешь со мной ничего общего, и делу конец. Хочешь, я завтра отнесу твое объявление?

— Батька, — сказал Семка суровым басом, — ты действительно ничего не понял, сколько я тебе ни втолковывал. На кой черт мне отрекаться через газету? Для моей партийной совести необходимо, чтобы я вошел в новую жизнь свободным от всяких буржуазных пут.

— Партийной совести? — переспросил старик Городницкий, слушавший со вниманием. — Так ты уже, значит, партиец? Можно поздравить?

— Нет, я только комсомолец, — ответил Семка, — но совесть и у комсомольца партийная.

— А! — сказал старик Городницкий.

— Ты зря беспокоишься, — продолжал Семка. — В чем дело, собственно? У меня есть все, что нужно.

— Вижу, — сказал старик Городницкий, — вижу... А в чем выражались буржуазные путы?

— Мне достанут путевку. Поеду в санаторий.

— Санаторий — это тридцать дней. Для этой проклятой болезни надо, чтобы каждый день был как санаторий. Чтоб был режим, чтобы ты дышал кислородом, а не этим кошмаром... Я пришлю тебе подушки. Это ж не подушка — то, что у тебя под головой.

— Я как раз обожаю такое, как у меня под головой. Как раз подушки мне совершенно излишни.

Они не договорились ни о чем.

Конец разговору пришел, когда старик Городницкий сказал:

— Я из-за вас отказываюсь от первоклассных предложений, из-за тебя и Ильи. Я имею знаешь какие предложения!.. Организуются частные предприятия. Меня приглашают в пайщики. Но я не хочу вам вредить, не дай бог. Я хочу быть государственным служащим и получать жалованье от советской власти. Зачем я стану портить жизнь моим детям?

— Этот разговор, — сказал Семка, — я считаю беспринципным. Беспринципным и отвратительным.

Он разволновался и раскашлялся. Старик Городницкий очень испугался его кашля и заторопился уходить. Его руки дрожали, когда он застегивал пальто.

— Шура, — сказал он, — проводите меня, там где-то мои калоши... Шура, — спросил он, надевая калоши, — что, он часто так кашляет? А нельзя его пока устроить хотя бы в ночной санаторий, я читал, что открыли ночной санаторий...

— Это при фабрике Розы Люксембург, — сказал Севастьянов, — только для табачниц.

— Вы подумайте, — сказал старик Городницкий, взяв его за грудь косоворотки, — дома он спал на хорошем диване. Кругом стояли фикусы. Боже мой, я бы сию минуту привел извозчика... Слушайте, давайте так: вы ему скажите, что он сумасшедший, а я приведу извозчика.

— Он же все равно не поедет, — сказал Севастьянов.

— Вы считаете — не поедет?

— Ни за что не поедет.

— И вы считаете — он прав?

— Да. Я считаю — прав.

— Ну хорошо, — сказал старик Городницкий, — а вам не приходит в голову, что у него же заразная болезнь, и он на вас кашляет и дышит, и вы, вы лично в опасности каждую минуту, это вам не приходит в вашу голову?!

Но Севастьянов чувствовал в себе здоровья и жизни на сто лет. Он только улыбнулся.

— Носятся с принципом! — горестно сказал старик Городницкий. Носятся с принципом, когда речь идет о жизни и смерти. Как будто могут быть какие-нибудь принципы, когда речь идет о жизни и смерти.

Пока они разговаривали, в передней то одна открывалась дверь, то другая, и выглядывали благодушно улыбающиеся, полные расположения лица ведьм. Расположение и улыбки относились к старику Городницкому, к его гетрам, трости и превосходному запаху.

Одна из ведьм потом сказала Семке с неожиданной любезностью:

— Какой у вас интересный папа. Вы, оказывается, из хорошей семьи...

22

В ту осень и зиму Севастьянов принадлежал еще себе.

Он не берег свою свободу, не замечал ее — жил: работал в редакции и в ячейке, читал, ходил бесплатно в театр по запискам Акопяна. Ухаживал за Семкой, когда тот сваливался. Играл с Колей Игумновым в шахматы.

Любовная буря надвигалась на него — он не подозревал, ходил вольный, краснел, поймав на улице женский взгляд, несколько чопорно сторонился заигрываний толстенькой машинистки Ляли.

Такой независимый был он, чуточку одинокий среди парочек, которые норовили уединиться и целоваться. Он не хотел целоваться просто так — без пламени, без мечты, без преодоления, во время киносеанса или за редакционной дверью; и потом выслушивать шуточки.

Вышло — будто он берег себя для бури, которая надвигалась.

Ну что ж. Он рад, что вошел в этот циклон чистым.

Зойка маленькая тоже выглядела немножко одинокой среди влюбленных пар.

Она поступила на педфак и держалась очень строго — будущая учительница — Севастьянов уж не рисковал брать ее за руку, как прежде. Ей сшили темно-синее платье с круглым белым воротником и рукавами в виде баллонов, милое платье, Зойка сфотографировалась в нем и подарила карточки приятелям, на этой карточке у нее совсем детская шея и детское, нежно-покатое плечо…

Они виделись не часто, по вечерам Зойка занималась, в редакцию они с Зоей больше не приходили. И как-то он отдалился от Первой линии.

Он ведь был занят не меньше Зойки, сотрудникам редакции случалось работать по двенадцать и четырнадцать часов в сутки, и они не жаловались, наоборот, щеголяли своей занятостью и неутомимостью… Предприятия возвращались к жизни; открывались новые; Севастьянов шел то на одно, то на другое и писал, как они работают. После разрухи — удовольствием и гордостью было опубликовать, что, скажем, на чугунолитейном отлили в ноябре столько-то кухонных плит, а швейпром сшил столько-то пальто. Дробышев требовал, кроме того, описаний трудовых процессов, он хотел поднять у читателей интерес к производству и технике.

…Вспомнить сейчас нетопленные, с выбитыми стеклами цехи, ветхие шлепающие ремни в заплатах и швах, как старая конская сбруя; тесные кочегарки, где двери отворялись прямо во двор, на холод; дворы, потонувшие в грязи и ломе…

А вот двор бывшего дома Хацкера. Он без ворот — нараспашку; каменная ограда разобрана во многих местах. Дом построили перед войной; шестиэтажный, он казался очень высоким, потому что вокруг были небольшие, приземистые дома, они как бы лепились у его подножья. В девятнадцатом году в доме Хацкера помещался белогвардейский штаб. Когда Красная Армия брала город, в дом попал снаряд, и сделался пожар, остались только наружные стены. Высокий узкий коробок без крыши, с пустыми оконными проемами верхних этажей — сквозь них было видно небо — мертвенно маячил в конце длинного Мариупольского проспекта над спуском к реке, над пустыней бездействующего лесопильного завода.

Севастьянов входит в этот двор. Завтра ночью Севастьянову предстоит вместе с милицией прийти сюда на облаву; он хочет при дневном свете увидеть места, которые должен будет описать. В доме

Хацкера, под развалинами, под прахом, свила гнездо шпана, отсюда бандиты по ночам ходят на промысел.

Двор завален битым кирпичом, битой штукатуркой, всякой дрянью. Везде торчат — то сгнивший лоскут, то черепок, то гнутый, рваный кусок кровельного железа, проеденный ржавчиной. За четыре года, оседая под дождями, смерзаясь от морозов, мусор стал твердым, словно утрамбованным, и весь блестит, как уголь, от осколков стекла. На самой большой куче вырос куст репейника — не страшась осеннего холода, растопырил среди дряни свои колючки и цветет красно-лиловыми хищными цветами. «Я напишу и про репейник», — думает Севастьянов и чувствует мимолетную радость оттого, что он это напишет.

Он стоит у пролома в той части ограды, что обращена на реку. Здешние улицы идут уступами: город скатывается к реке. У себя под ногами Севастьянов видит крыши, трубы, сараи, дворики с развешанным тряпьем. Уступом ниже расстилается двор лесопильного завода, он будто метлой выметен — все до последней щепочки унесли люди, что могло гореть и дать тепло… Еще ниже — тяжелая и серая, как ртуть, течет под широким небом река, дальний берег — песчаный, низкий, ближний — черный от штыба, тут проходит железнодорожная ветка; паровозик тонко закричал, сверху его не видно, но кудрявые круглые облака отмечают его путь вдоль реки. А повыше где-то, между этими облаками и глядящим на них с высоты Севастьяновым, скрипнула на петлях калитка. И этот звук был чуть ли не такой же громкий, как крик паровоза. И все это были мимолетные прекрасные радости, одна за другой. Сквозь радость что-то думалось хорошее, созидательное — что завод будем пускать и дом будем отстраивать, и вообще все самое лучшее впереди, — газетная работа приучила думать созидательно…

Глубокой ночью он опять шел в эти места — с отрядом милиции. Сапоги милиционеров глухо топали по мостовой. Светила луна.

Дом Хацкера окружили с четырех сторон, главная засада находилась на лесопилке, через которую шпана обязательно будет тикать, как объяснил Севастьянову маленький разговорчивый милиционер Шечков.

С Шечковым и другими Севастьянов вошел в дом через забаррикадированный, замаскированный вход, днем он этого входа не заметил. Они спустились в подвал по расшатанным каменным плитам. Милиционеры светили себе карманными фонариками и держали пистолеты наготове.

Узким коридором двигались они в глубь разрушенного здания. По стенам разбегались глазки света от электрических фонариков, пахло аммиаком и сыростью. Коридор сворачивал в неизвестность, в неизвестности осветились косые ступеньки винтовой лестницы.

Сверху ударил выстрел; забухала перестрелка. Милиционеры впереди затоптались, кто-то сказал: «Дорогу, ну-ка», и два милиционера пронесли назад к выходу своего товарища, а другой раненый шел сам, рукой зажимая плечо. Оставшиеся поднялись по лестнице — больше оттуда не стреляли — и пошли по комнатам, обшаривая фонариками потемки и в потемках мокрый след, кровавый след на полу.

В одной из комнат было громадное роскошное зеркало, и все они, проходя, невольно посмотрели в это зеркало, в его пыльной глади их отражения прошли как в мутной воде… В другой комнате сидела на полу, раздвинув ноги, женщина, десяток светлых глазков уперся в нее, она вскинула им навстречу дерзкое молодое лицо с прикушенной губой.

— Дьявол, дура малахольная, — сказал ей Шечков. — Куда ранена?

— В ногу, — ответила она сквозь зубы.

В кружке света, у подола ее юбки, лежал браунинг, его подняли, он был еще теплый.

— Женчину подсунули вместо себя под пули, ну сволочи! — сказал Шечков с удивлением. — Ладно, жди, заберем. Сейчас некогда.

За стеной раздался стук, сильный и короткий, от него дрогнул пол. Потом над головой послышалось медленное шуршанье — теченье, оползанье каменных масс… Женщина засмеялась со стоном. Вдруг распахнулась, выдохнув тучу пыли, дверь в следующую комнату, оттуда посыпались, заскакали куски кирпича.

— Завалили! — крикнул Шечков. — Тикай на двор!

Преследуемые шелестом — казалось, каменный поток течет над потолком, — они поспешили назад, мимо мутного зеркала в поблескивающей искрами раме, по винтовой лестнице в подвал, узким коридором к выходу, серебряно и неподвижно озаренному луной. Выстрелы били внизу, на лесопильном заводе, Шечков исчез куда-то, и Севастьянов наугад побежал через знакомый пролом забора вниз, на звук выстрелов, к событиям. Он бежал по схваченному ночным морозцем переулку между низенькими домиками, рядом бежал догнавший его Шечков и азартно говорил на бегу:

— Вы поняли нашу стратегию, у них подземный ход аж до Пильщицкой, они нас тут отрезали, а мы их встрели с того конца!

Пока они бежали, луна ушла за тучу, стало темно. Стрельба удалялась, она была уже на невидимом берегу, у невидимой реки, справа и слева и все дальше и дальше… Час спустя на Мариупольском перед домом Хацкера построилась окруженная конвоем шпана, которую захватили при облаве. Их построили парами, и они стояли в насторошенной недоброй покорности. Они закуривали; зажигалка освещала черные, как у угольщиков, лица и чудовищные космы. Только несколько человек было задержано хорошо одетых и чистых, то были главари, аристократия малины; их увели отдельно, среди них, кстати сказать, обнаружился знаменитый Королек, рецидивист, которого искали по всей России.

Об этом ночном деле Севастьянов написал очерк, и туда он вставил свое предложение, мысль, которая пришла ему в голову, когда он днем, перед облавой, приходил поглядеть на дом Хацкера. Он предложил устроить субботник и очистить от хлама это темное место, а затем отстроить дом заново, силами профсоюзов, на кооперативных началах. Очень дружно была подхвачена эта мысль, и уже недели через две начались работы, они продолжались много дней, выходили на них предприятиями и целыми профсоюзами. До самых глубин разобрали бандитское гнездо. Заделали подземный ход. Очистили двор. Нашли склады награбленного — одежду, меха, женские сумки, мужские бумажники, золотые вещи, в том числе золотые зубы; револьверы всевозможных систем и огромное количество часов, ручных и карманных.

23

Вечером того дня, когда был напечатан очерк о доме Хацкера, вдруг пришли Зои.

— Ты подумай, он цел и невредим! — сказала большая.

— Неужели цел и невредим? — спросила маленькая.

— По-моему, да, — сказала большая.

— Да не может быть! — сказала маленькая.

— Здравствуй! — сказали обе и протянули теплые руки.

Такие свежие они были и оживленные — Севастьянов вдруг обрадовался им, как сестрам.

— Почему вас удивляет, что я цел и невредим?

— Мы думали, тебя бандиты подстрелили, — сказала большая.

— Мы были уверены, что ты весь продырявлен пулями, — сказала маленькая.

— Такими ты расписал красками.

— Да уж, знаешь! У тебя там столько стреляют — просто удивительно, что кто-то оттуда ушел живым.

Глаза у Зойки маленькой сияли и смеялись.

— А где же Сема? — спросила она. — Мы, собственно, зашли его навестить.

Она положила на стол кулек с апельсинами.

— Он в клубе, наверно, — сказал Севастьянов. — Он уже на работу ходит.

Он не понял ничего. Честно поверил, что они пришли проведать больного Семку, а он, Севастьянов, лицо в данном случае второстепенное и неважное, случайно оказался дома и подвернулся под их шуточки.

«И знаешь: я не виню себя, что верил честно; таков я был тогдашний и не могу себя в этом винить. Что ты мне сказала, то я и принимал на все сто процентов; к Семке — значит к Семке, какое могло быть сомнение. Мужской самоуверенности во мне ни капли не было; и хоть жизнь с детства, случалось, била без жалости и тыкала во что угодно, но душой я был доверчив, очень! Откуда было взять мне столько самоуверенности и самодовольства, чтобы подумать, что ко мне ты бежала в женской тревоге, бежала увериться собственными глазами, что я жив-здоров, не ранен, не поцарапан? Подумать, что мною зажжено и ко мне обращено твое сияние?.. Как мне, маленькая, осудить себя за доверчивость? За то, что видел в твоих словах только один смысл, а второго смысла не искал? Таким я был и, значит, иным быть не мог, не с чего было мне быть иным…»

Зоя большая улыбалась, глядя на них, сидела и улыбалась ласково и весело, она стала прямо-таки неправдоподобно красивой. Севастьянов сказал невольно:

— Ты ужасно красивая стала.

— Да, — подтвердила Зойка маленькая и посмотрела на подругу долгим взглядом, — она невозможно красивая. Ей трудно жить, до того она красивая.

— Глупости, — сказала большая Зоя. — Почему трудно, наоборот… Знаешь, Шура, я буду учиться в балетной группе.

— Ее принимают за красоту, — грустно сказала маленькая.

— Да, — беспечно сказала большая, — у меня нет способностей. Не понимаю почему, ведь вальс, например, я танцую неплохо, и походка у меня легкая, правда? А они говорят — нет способностей. Но все равно принимают. А ты говоришь — с красотой трудно жить.

Она вытянула ноги и поиграла кончиками туфель. Длинные ноги в туго натянутых черных чулках…

…Длинные голые ноги в балетных розовых туфлях. Ленты развязались на туфле. Зоя большая сидит на полу и, вытянув длинные голые руки, завязывает ленты. Она аккуратно скрещивает их на щиколотке и продевает в петельку, и по ее сосредоточенному блестящему взгляду и приоткрытым губам видно, до чего ей нравятся эти розовые туфли с лентами, как она ими восхищена и занята.

Ее темные кудри убраны в сетку, вместо платья на ней балетная пачка, накрахмаленная коротенькая пачка из белой марли. На голой нежной спине цепочкой проступают позвонки.

— Я буду танцевать характерные, — говорит она Зойке маленькой и Севастьянову, стоящим над нею.

Это происходит в клубе совторгслужащих. Пол, на котором сидит Зоя, завязывая ленты на туфельке, — не просто пол, а серый пустынный настил театральной сцены. Горит висячая лампа в колпаке из жести, конус ее света устремлен на них троих. В квадратном окошечке в глубине сцены, под потолком, мутно голубеет дневной свет. Там, под потолком, путаница деревянных перекладин, канатов и блоков, внизу — плоская серая гулкая пустыня, а занавес поднят, и пустой темный зрительный зал смотрит на сцену, отсвечивая в темноте лакированными спинками стульев.

Как Севастьянов там очутился? Кажется, Зойка маленькая его привела. Кажется, большая Зоя зазвала их — покрасоваться перед ними в новых одежках и новой увлекательной обстановке. С этой сцены она собиралась показывать себя, чтобы оттуда, из зала, на нее смотрела тысяча глаз.

Зойка маленькая сказала, поеживаясь, — было знобко даже в пальто:

— Ужасно неуютно!

Даже в пальто было холодно, а Зоя большая сидела у их ног в пачке, полуобнаженная.

— Неужели тебе нравится? — строго и огорченно спросила у нее маленькая.

Большая покончила с завязками и поднялась, легкая, во весь рост. Бесшумным шагом шла она рядом с Севастьяновым и Зойкой маленькой, показывая им сцену, артистические уборные, задние комнаты клуба, закрытые для публики. С ребячьим простодушием она хвастала тем, что она тут свой человек, не посторонняя. Ее брат служил здесь завхозом, он помог ей устроиться в балетную группу, не так-то просто было туда попасть. Это был самый богатый клуб в городе, бывший театр «Буфф».

Они всходили по отвесным лесенкам, заглядывали в люки, приостанавливались перед развешанными полотнищами и реквизитом, на мгновение заинтересованные то макетом бронемашины, то декорацией, изображавшей средневековый замок, то настоящей, вышитой темным серебром церковной хоругвью, попавшей сюда из какой-нибудь закрытой церкви.

Потом большая Зоя приоткрыла перед ними дверь в комнату, где десяток белых пачек и два десятка розовых туфель под звуки рояля делали одинаковые движения и молодцеватый голос считал: «...и раз, и два, и три, и...» Потом Зоя сказала, что ей тоже надо идти заниматься. Она стояла на площадке, пока Севастьянов и Зойка маленькая спускались по белой лестнице в вестибюль. Сумерки надвинулись, окно на площадке было как синькой подсиненное. Севастьянову вспомнилось, как она стояла на другой площадке, у другого окна, черного от грязи, какое у нее было узкое детское пальтишко и кроткие встревоженные глаза и как он поднял ее платочек...

Он вышел с Зойкой маленькой из клуба и наткнулся на Спирьку Савчука, тот стоял у самой двери, читая афишу.

— Здоров! — дружески сказал Севастьянов. Но Спирька сделал вид, будто не видит их, повернулся к ним спиной и пошел прочь.

— Не трогай его, — сказала Зойка маленькая. — Он сходит с ума от ревности.

— К кому?

— Ко всему миру и к нам с тобой в том числе.

— Почему к нам с тобой?

— Ты же знаешь, как он относится к Зое.

— Ну да; но при чем тут мы с тобой?

— Он ведь понимает, что мы идем от Зои.

— Так что ж такого?

— Ровно ничего; но он ненормальный.

Они поговорили о ревности и осудили это собственническое чувство, унижающее человека.

— Чудовище с зелеными глазами, — сказала образованная Зойка.

— Буржуазная отрыжка, — сказал Севастьянов.

Впрочем, они дружно пожалели беднягу Спирьку, прикованного в сумерках к клубной афише. Их изумляло, что этот самолюбивый задиристый парень, левак и драчун, в любви оказался таким слабым и отсталым, таким — до огорчения — мещанином. Вместо того чтобы гордо отойти раз и навсегда, он отрывался от большой Зои и опять возвращался, грыз ее, ссорился с ней, мирился и умолял идти с ним в загс. Он не просто добивался взаимности, ему загс непременно понадобился, ему требовался законный брак.

24

Ревность ли была тому причиной или что другое, но ужасно высокомерно стал держаться Савчук с ребятами из прежней своей компании. Они теперь с ним встречались редко; но каждому в эти встречи он норовил сказать что-нибудь неприятное — с удовольствием говорил, со злобой.

Леньке Эгерштрому он сказал, что рабочие посадочной мастерской, собственно говоря, не пролетариат, а кустари, собранные под одной крышей, у них и мироощущение индивидуалистическое, и образ жизни обывательский. Ленька Эгерштром, комсомолец, у которого старший брат был коммунист, обиделся насмерть.

Семка Городницкий старательно делал свое дело, он боролся со скаутизмом. Многие пионервожатые в недавнем прошлом были скаутами, и они протаскивали скаутские методы в работу, а Семка Городницкий, как инструктор губбюро ЮП, с этим боролся. Он не знал, как надо работать, — пионерская организация была только что создана; вряд ли сам он сумел бы руководить отрядом, если бы ему это поручили; но как не надо работать — это он своей комсомольской головой понимал и, когда был здоров, не щадя себя мотался по пионерским сборам, выискивая, не пахнет ли где вредным скаутским духом. И это его рвение Савчук тоже обхамил, сказав, что Семке из самого себя еще надо вытравить классово-подозрительные вкусы и привычки, прежде чем учить других революционной линии поведения. Семка побледнел и не нашелся что ответить, а Спирька смотрел на него с жесткой усмешкой на желтом желчном лице малярика.

С гвоздильного завода Спирька ушел и работал на плужном, где секретарем комсомольской ячейки был Ванька Яковенко. Они сблизились: раздражительный непримиримый Савчук и аккуратный, выдержанный, дисциплинированный Яковенко. Что они нашли друг в друге общего?

Раз вечером Севастьянов их обоих повстречал у Югая, в общежитии для ответственных работников. Общежитие помещалось в бывшей гостинице; там были длинные коридоры и нумерованные двери; по коридорам ходили, размахивая швабрами, уборщицы в красных платочках. Здесь жили неженатые, жили и бездетные пары. Подходя к комнате Югая, Севастьянов слышал громкий разговор, выделялся Спирькин голос. Севастьянов вошел — они замолчали, поздоровались рассеянно. Кроме Спирьки, Ваньки Яковенко и самого Югая тут была Женя Смирнова, она сидела на кровати и курила, пол у ее ног был засыпан пеплом. Севастьянов спросил:

— Вы чего, ребята, замолчали?

— Мы о будущем говорили, — сказал Яковенко, — фантазировали. Ты Елькина слушал? — Елькин читал по клубам лекции о бытовом раскрепощении женщины, бытовых коммунах, общественном воспитании детей и свободе любви.

— Нет, не слушал, а что? — спросил Севастьянов. Будущее живо его интересовало. И он устроился как мог на спинке кровати — больше сесть было некуда.

— Так, у нас насчет хрустального дворца голоса разделились, — улыбаясь ответил Яковенко. — Савчук и Женя за хрустальный дворец, а мы с Югаем за что-нибудь попрочнее.

— Иди ты с хрустальным дворцом, — проворчал Спирька.

— А почему не хрустальный? — спросила Женя. — Почему, действительно, не приучать человека к прекрасному с малых лет, Елькин прав.

— Я у батьки с матерью без хрусталя живу, — заметил Яковенко, — и ничего.

У него было ясное красивое лицо и серые холодноватые глаза, весь он был такой основательный.

— В семье ребенок растет собственником, — сказала Женя, стряхивая пепел с папиросы. — Мой отец, моя мать — с этого он начинает. Дальше больше: моя книга, моя коллекция. С хрусталем, без хрусталя, все равно ему прививают эти инстинкты. В большей дозе или меньшей, но прививают. Кроме того, он вынужден приспосабливаться к взрослым и врать им. Можем ли мы даже в пионерской организации — вырастить его стопроцентным коммунистическим человеком?

Севастьянов прикинул: было ли у него когда-нибудь собственническое чувство по отношению к родственникам? Он, когда был маленький, удирал от них на улицу, там была вся его жизнь, весь интерес, а они хоть и попрекали его этим, но в глубине души были довольны, что он не путается под ногами. Врал он им, конечно, порядочно… Да, возможно, он был бы лучше, если бы его вырастили в хрустальном дворце, без участия тети Мани и дядьки Пимена.

— А сад возле дворца будет? — спросил он.

— Разумеется, — ответила Женя, — сад, площадки, лодки, все условия… Но насчет посещений Елькин перегибает. По воскресеньям надо разрешить родителям проведывать детей.

— Воскресений не будет, — сказал Севастьянов.

— Ну да, то есть по пролетарским праздникам.

— Пролетарских праздников, наверно, тоже не будет, потому что пролетариата не будет. Классов не будет.

— Ну да. Ты понимаешь, что я хочу сказать. Какие-то дни отдыха ведь останутся… Ах, ну да. Поскольку труд перестанет быть тяжкой необходимостью — может быть, не будет и дней отдыха? Поскольку не от чего будет отдыхать…

Югай и Спирька Савчук сидели хмурые по углам и молчали. Яковенко, сцепив руки на колене, осторожно поглядывал то на одного, то на другого. А между тем, подходя, Севастьянов слышал их спорящие голоса. Тут дело не в воспитании детей, подумал он, в другом чем-то. Не для того ли Женя Смирнова так словоохотливо все это говорила, чтобы разрядить конфликт, нависший в воздухе?

— Но если родители, — сказала она, — станут посещать своих детей в любое время, неорганизованно, когда кто захочет…

— Женя, — прервал Яковенко нетерпеливо и рывком расцепил руки; но тотчас подобрался и заговорил спокойно, твердо глядя Жене в глаза своими серыми глазами. — Ты можешь успокоиться. И ты, и Елькин. Никто не захочет посещать своих детей, из вашей же установки это вытекает. У вас какая установка? Что у родителей совсем не будет представления, что вот это мой ребенок, а это чужой. Значит, не будет и чувства, что ему обязательно нужно видеть своего ребенка. Он же, по вашему тезису, и знать не будет, что такое свой ребенок. Этот инстинкт у него отомрет. Для него все дети будут одинаковы.

— И что же, и очень хорошо, — сказала Женя. — И ты очень ошибаешься, что он не захочет их видеть. Он будет проведывать всех детей вообще, как коллективист. Ты заметь, как взрослые любят смотреть на детей. Как они с тротуара смотрят, когда идет отряд. Или когда детский садик выводят гулять… Разница в том, что чужие дети станут каждому еще ближе, потому что он не должен будет думать, например, что у него где-то дома лежит собственный больной ребенок.

— Но большой вопрос, — возразил Яковенко, — скажет ли он тебе за это спасибо.

— Большой вопрос, — медленно сказал Югай, — что он вообще скажет, трутень, выросший под колпаком в хрустальном дворце. Он такое может сказать, что ого!

— Что вы к хрустальному дворцу привязались! — крикнул Спирька. — Я дворец не в том смысле привел! Я в том смысле, что рабочий класс за свою кровь и страданья обязан получить все самое лучшее, вот!

— Спокойней, — сказал Яковенко, — а то все общежитие сбежится.

— Это что за категории такие христианские, — спросил Югай, — это что за евангельские слова: страданья! Не отучишь вас мыслить рабскими понятиями. Еще скажи: мученический венец.

Он был по-домашнему — в рубашке, заправленной в брюки, в расстегнутом вороте рубашки виднелись жесткие смуглые ключицы.

— А что, крови не было, да? — спросил Спирька. — Девятое января не отмечаешь, да? При чем тут Евангелие?

— При том, что пролетариат России капиталистическую гидру положил на лопатки! — сказал Югай. — И это самый грандиозный факт истории, а наши пропагандисты, как попы, ноют про страданья и кровь! Сколько лет в одну дуду: кровь, кровь… Проливалась рабочая кровь. Боролись, ну и проливалась. И еще прольется.

Как будто может быть борьба без крови, — заметил Яковенко.

— Подумаешь, без хрустального дворца коллективиста не вырастить! — продолжал Югай. — А революцию кто делал, индивидуалисты?! Коллективисты в борьбе растут, а не во дворцах.

— Именно! — сказал Яковенко.

— Люди задыхались в атмосфере царизма и строили в мыслях хрустальные дворцы. Это символ, хрустальный дворец, ясно тебе — символ жизни при коммунизме! А мы решаем практические задачи. Нам вот нэп приходится проводить, чтоб наши завоевания прахом не пошли. Мы от капитализма в богатое наследство миллион болячек приняли. У нас хозяйственники не хотят, молодежи квалификацию давать, у нас малограмотными комсомольцами пруд пруди! Прихожу в губком — сидят-ждут ребята из станицы, за помощью приехали, разваливается у них ячейка. Я еду с ними, приезжаем — их секретарь венчается в церкви с кулацкой дочкой…

Югай стоял, говоря, и Женя Смирнова смотрела на него снизу вверх, закинув румяное лицо.

— Ты говоришь — получить. — Губы Югая двигались, как замороженные. Что значит получить? Тебе принесут, а ты соблаговолишь — получишь? А кто тебе должен принести? От кого ждешь?

— Марксистская постановка, — одобрил Яковенко.

— Ждут иждивенцы, — сказал Югай.

— Вы меня задвинули в иждивенцы, — сказал Спирька, — вы мне надавали по рукам не знаю за что. Кому бы надо надавать, тем вы не надавали.

— Пора подковаться как следует. Все съезжаешь на какие-то, черт тебя знает, мелкобуржуазные позиции.

— Югай, ну хватит тебе! — сказала Женя. — Мы говорили, будет ли семья при коммунизме.

— На мелкобуржуазные, я? — переспросил Спирька.

— Надо читать, Савчук. Полдюжины слов твердишь три года и думаешь это политика. Ленина читать надо.

— Я стою на революционной позиции! — крикнул Спирька. — Это вы съезжаете, вы за рабочее выдвижение не болеете, вы чужаков напустили полный аппарат!

— Конкретно! — сказал Югай.

— Спокойно, — повторил Яковенко и взял Спирьку за локоть.

— А ты не знаешь! — выдернув локоть, крикнул Спирька Югаю. — Рабочая масса говорит, а ты не знаешь! Кто в деткомиссии?! Спекулянты туда напхались, дела делают! В совнархозе кто коноводит?! Спецы коноводят!

— Совнархоз и деткомиссия комсомолу не подчинены, — сказал Югай. — Нас знаешь как встречают, если мы залазим в совнархоз.

— Пролетарок в секретарши не берут, а берут инженеровых жен! — кричал Спирька. — В политпросвете барыни заседают под видом педагогов!.. А, да ну вас! Пошли, Яковенко! О чем говорить!

Он вышел, швырнув дверью.

— А Елькина надо посмотреть, что за Елькин, — сказал Югай. — Морочит голову, отвлекает молодежь от текущих задач. Елькина наши руки могут достать.

— Савчук безусловно не прав во многом, — сказал Яковенко, твердо глядя Югаю в глаза, — ему безусловно надо подковаться, бросить комчванство и так далее. Но все-таки трудно объяснять ребятам, почему рабочий Савчук, комсомолец с двадцатого года, организатор и так далее, — почему он только член бюро ячейки, неужели не выше ему цена в глазах комсомола.

— Пусть работу покажет и дисциплину, — ответил Югай. — Демагогию его мы видим с двадцатого года.

— Трудно объяснять, — повторил Яковенко, — и, откровенно говоря, это многих ребят расхолаживает.

Он попрощался тем не менее приветливо. Севастьянов вышел с ним. В конце коридора поджидал Спирька, расхаживая взад и вперед.

— Валерьянку пей, — сказал ему Яковенко. — Очень полезно для бузотеров. Ведь прав Югай: ни черта не растешь, болтаешься хуже беспартийного. Чего тебя понесло отстаивать Елькина? Нашел кого отстаивать. А главное, все можно сказать спокойно.

Спирька будто не слышал, он мрачно смотрел на Севастьянова и сказал:

— А ты теперь, значит, в интеллихэнтах ходишь. Отдыхаешь от рабочей лямки.

И насмешливо покивал чубатой головой. Но Севастьянов отбил нападение, сказав:

— Ладно, ладно. Ты эти штучки брось. — Он так был уверен в своем пути, что Спирькин выпад не задел его нисколько.

25

Железные морозы, небывалая стужа.

В окоченевший январский день в типографии печатают сообщение в черной траурной раме. Оно расклеено на домах и заборах, люди подходят и в молчании прочитывают эти листки с крупными жирными буквами, стоят и читают, окутанные паром своего теплого дыхания. И газета выходит в трауре — черной рамой обведена первая полоса.

Умер Ленин.

26

Они стояли на углу, просвистываемые ледяным ветром, выбивали дробь ногами в жиденьких ботинках, зуб на зуб не попадал, — и говорили: каким он был, Ильич. Они его не видели. Югай видел его на Третьем съезде комсомола. Но так громадно много значил Ленин в их жизни. Не только в минувшие годы, но и в предстоящие, и навсегда значил он для них безмерно много. Всегда он будет с ними, что бы ни случилось. Так они чувствовали, и это сбылось. И, соединенные с ним до конца, видя в нем высший образец, они желали знать подробности: как он выглядел, какой у него был голос, походка, что у него было в комнате, как он относился к товарищам, к семье. И все говорили, кто что знал и думал.

Один говорил: настоящий вождь, настоящий характер вождя. Это надо уметь — так прибрать оппозиционеров к рукам и предотвратить раскол. Другой рассказывал, что кто-то ему рассказывал, что однажды Ильич при таких-то обстоятельствах так-то пошутил. Третья сказала задумчиво:

— Он незадолго до смерти елку устраивал для крестьянских ребятишек там, в Горках.

— Его в семье Володей звали, — заметил кто-то, и всех удивило это обыкновенное имя мальчика — Володя, отнесенное к тому великому, который лежал за тысячу снежных верст от них в Колонном зале.

— Исключительный ум, организационный гений, верно, — сказал еще один, — но самое главное в нем, ребята, это преданность идее; он одной идее отдал жизнь, он шел к цели железно.

— Он иначе не мог, — сказал Севастьянов, подумав, — у него все чувства очень большие. Отсюда и шел железно. Он не может быть преданным немного, не в полной мере. Он уж если предан, то совсем предан.

Они еще не привыкли говорить о нем в прошедшем времени, сбивались на настоящее.

Это они заговорились, идя с траурного собрания, прежде чем разбежаться по домам, воротниками прикрывая уши. На ветру тяжело хлопали флаги. Вечером они были совсем черными.

27

На траурном собрании, как сейчас вспоминается, за столом президиума висел маленький портрет Ленина, обвитый красной лентой и черной.

Собрание еще не началось — ребята входили и рассаживались, — как двое внесли, бережно поддерживая с двух сторон, большой портрет Ленина в широкой полированной раме, вверху на раме был герб СССР. Они сняли маленький портрет с лентами и повесили на его место новый большой портрет. Ленин был на нем государственный, строгий, без прищура, со взором раскрытым и вопрошающим.

В те дни вместе со многими другими рабочими, молодыми и старыми, Яковенко и Савчук вступили в партию.

В губкоме решили: Яковенко по своим способностям должен быть использован на работе крупного масштаба.

— Пора, брат, пора! — сказал Югай. И Яковенко уехал в Москву на курсы ЦК комсомола.

28

— Хочу я, — сказал Кушля, — открыть тебе одну вещь, потрясающую вещь, полный, понимаешь, кавардак в моей личной жизни.

— У тебя, по-моему, уже давно полный кавардак, — заметил Севастьянов.

— Нет! — сказал Кушля, торжественно подняв руку. — Не будем, дорогой товарищ, играть словами по такому поводу. Тут не годится играть словами. Тут начинается, понимаешь, такое, куда входить надо скинув шапку.

И, как всегда в порыве возвышенного чувства, глаза его заблестели от слез.

— Мои отношения с Ксаней, — продолжал он, — это святое дело. Мы с ней на пару такой путь прошли, в таких переделках побывали, что ни в сказке сказать. Ты бы знал!.. Которые не воевали, что вы знаете! Таких мук Исус Христос не терпел, как мы терпели. Он за три дня отмучился… Сыпняком я, например, болел на тихорецком вокзале. Лежу с громадной температурой прямо на полу, и прямо по голове сапоги день и ночь — бух! бух! Вот этой самой шинелью укрыт был. И под эту самую шинель подлегла ко мне Ксаня — не там на вокзале, а возле Великокняжеской. Лег спать один, а проснулся в компании, она говорит: глаза, говорит, твои голубые! Да… И смотрю — уже свои манатки волокет и с моими складывает. Где ж ты денешься!

Кушля помолчал.

— С тех пор мы с ней. Куда я, туда она. У ней ни родни, никого. Родня-то есть, да сплошная контра, не нравится им, видишь, гадам, ее жизнь, тряпкой не помогут! Мои дядьки маргаритовские тоже, между прочим, на меня зубами скрежещут, они б меня поставили приказчиком в свою кулацкую лавочку, тогда б я им как раз подошел, да!.. Но я на них плевал, я устроился на ответственную должность, а Ксаня мыкается, понимаешь, — из одной больницы уволили, из другой уволили. А считалось — она неплохая сестра, нет, неплохая! Характер, что ли, испортился, кто его знает…

Севастьянову понятно было, почему Ксаня не ужилась ни в одной больнице. «Да ты погляди на нее как следует, — сказал бы он Кушле, если б не было неловко, — какая она сестра!» В немытой гимнастерке, с блеклыми прядями немытых волос вдоль тусклого угрюмого лица, с шелухой от семечек на губах, она вызывала желание держаться подальше; а тяжелый взгляд исподлобья пугал, наводил на мысль, что она ненормальная. Двигалась еле-еле, будто спросонок. Куда такую в больницу? Да вряд ли Ксаня и хотела работать. Кушля давал ей из получки сколько-то — ей хватало. Хватило бы и меньше. Одними бы семечками была сыта, лишь бы не отрываться от Кушли надолго. Ни хлеб ей не был нужен, ни одежда человеческая, ни люди: только Кушля. Впервые за свою небольшую жизнь наблюдал Севастьянов такое поглощение человека человеком; такое растворение, исчезновение одного человека в другом. Смотреть на это было даже страшновато. «Где же тут дружба, — думал Севастьянов, — где равноправие, это на смерть похоже. Он ее не любит и никогда не мог любить, она же больше ничего не умеет, кроме как всех вгонять в тоску».

— Такие святые отношения, — сказал Кушля, — не могут пострадать от какого-нибудь пустяка. От того, что Лиза меня полюбила, — от этого не пострадали наши с Ксаней отношения. Ведь с Лизой получилось как: она полюбила очень сильно. Но на сегодняшний день и с Лизой отношения — тоже святыня, сам догадайся почему… Вот ты молодой, а имеешь привычку судить людей, ничего не зная. Не говори: имеешь. Ты и Лизу судишь — не говори: я вижу, что судишь. А ведь вот не знаешь, что она с двумя сестрами в одной комнате живет, а аборт делать не стала. Радуется, понимаешь, как самому большому счастью... Это нехорошая у тебя привычка — судить не зная, ты отучайся. Тут тяжелая драма, а ты говоришь «кавардак».

— Ты сказал «кавардак».

— Тяжелая драма. И теперь скажи: как я должен выходить из этого положения?

— Не знаю! — чистосердечно ответил Севастьянов.

— Вот и я не знаю. Я спать перестал, веришь? Что-то надо решать одно, верно? Прежде я смотрел чересчур легко. Я смотрел со своей мужской колокольни. А ну их, думаю, разберутся как-нибудь! Сами ведь заварили кашу... Но когда я почитал, понимаешь, кое-что и сам стал писать кое-что, и познакомился с тобой, и с Семкой Городницким, и с вашими замечательными культурными девушками, — я стал расти, ты, наверно, заметил. Я за этот год вырос исключительно и не могу смотреть с мужской колокольни. Лежу ночью и думаю — как же я Ксаню брошу, это ж я ее убью? А с другой стороны — как сына оттолкнуть, представляешь?! Кручусь, как рыбешка на сковороде, пока трамваи не пойдут, тогда засыпаю немного.

Он прошелся, чтобы унять свое волнение.

— Я на ваших девушек смотрю и думаю: что ж такое значит, что на меня за всю мою молодость не пришлось нисколько чистоты этой и нежности... Ведь чистота — это хорошо, над этим только сволочи смеются, верно?

— Верно.

— Что ж такое, думаю, что, например, Лиза, не спросившись, ко мне подошла, под руку взяла и повела куда хотела, а, например, Зойка маленькая в жизнь не подойдет?.. Да, дорогой товарищ, уже — все, уже никогда не будет мне этой любви воздушной, про которую читаем в хороших книгах.

— Ну почему, — сказал Севастьянов, — может, будет еще.

— Нет! — сказал Кушля. — Чего не будет, того не будет! Это — судьба мимо меня пронесла. Журналистом стану безусловно, будь уверен, а насчет любви — нет! Тут при распределении не учли меня, что ли. И возражать особенно не приходится, поскольку жизнь далеко еще не достигла своей высоты. Поскольку дерьма еще горы кругом невывезенного. Но мы его вывезем, дорогой товарищ, с помощью нашей прессы! Мы нашу жизнь подымем на должную высоту!

— Слушай, — сказал Кушля, — я тебе эту картину описал, как я в Тихорецкой на вокзале, на каменном полу. Открою глаза — надо мной сапоги шагают — туда, сюда! Дверь не закрывалась ни на одну минуту. Холодом меня охлестывало на полу, как ледяной водой, январь это был. Скажи: как я жив остался? Уж не говорю о ранениях. Сколько крови моей утекло в землю. Я умирал несчетно раз. Я все, понимаешь, про это знаю — как умирает человек, что у него делается с руками, с печенкой, селезенкой, сердцем… И все ж таки жив, ты подумай. И теперь…

В глазах у него ярко заблестели слезы.

— Теперь будет сын. Мой сын, понимаешь? Глаза мои, волосики… А может, на Лизу будет похож, тоже ничего, она ведь ничего, верно? Симпатичная, верно? Не в том дело, на кого будет похож, а в том, понимаешь, — ты подумай, какая жизнь у него будет, что я, отец, ему завоевал. Он же родится — где? — в Советской республике, а не в рабстве, как я был рожден. Уж у него — будь покоен! — все будет, чего у нас с тобой не было. Уж он все получит, чего мы, отцы, в нашей молодости и не слыхали, только сейчас и узнаем, как дикари. Ему не придется в сыпняке на вокзале, — да и болезней, думается мне, не будет, когда он подрастет. Уничтожим и болезни, — ничего, я считаю, не будет на его светлом пути, ни сучка, ни задоринки…

29

Окно комнаты, в которой жили Севастьянов и Городницкий, смотрело во двор. С четырех сторон двор был обставлен домами — заключен в кирпичную коробку.

Опять наступила весна. Севастьянов и Городницкий отворили свое окошко и больше не затворяли, и жизнь двора перла к ним в комнату.

Во дворе, лепясь к стенам, дыбились зигзагообразные железные лестницы, одна — прямо напротив окошка. Почти непрерывно раздавался металлический перестук, по железным ступенькам сбегали ноги, потом появлялась фигура, потом голова, или наоборот: вслед за грохотом ступенек показывалась голова, затем плечи, постепенно вырастал человек в полный рост.

Все было преувеличенно громко. Каблуки по булыжнику цокали, как копыта. Собака лаяла внизу — будто здесь, в комнате. Удар детского мяча был как выстрел из револьвера.

Когда въезжал во двор фургон с молоком или выезжала телега с пустыми бутылками — лошади фыркали, бутылки дребезжали и возчики ругались прямо в ухо Севастьянову и Городницкому.

Фургоны, бутылки, возчики — это относилось к кафе «Реноме инвалида».

Хотя Севастьянов и Городницкий уже не столовались в кафе, но инвалиды сохранили к ним добрые чувства. Инвалиды были люди и все прекрасно поняли. Встречаясь со своими бывшими клиентами, они здоровались по-родственному. Они то и дело проходили по двору в своих белых курточках.

Направо внизу была дверь: две створки, выкрашенные в мутно-коричневую краску, исцарапанные; дверь без крыльца — выходила прямо на булыжник. Почти всегда она была открыта, за нею виднелась темнота: как в пещеру вход. Красавица овчарка лежала на пороге, царственно вытянув шелковистую сильную лапу, и янтарными глазами следила за проходящими по двору.

За этой дверью помещалась кладовая кафе «Реноме инвалида», и там же где-то в пещерном этом мраке обитал Кучерявый, кладовщик.

Он тоже носил белую куртку. Чаще других инвалидов хромал он через двор — то к черному ходу кафе, то к погребу, и всякий раз большим ключом отмыкал замок на погребе, и всякий раз тщательно этот замок навешивал. Даже с третьего этажа было видно, что у него спина (в белой куртке) как подушка, а волосы — как матрацные пружины.

Под торчащими вверх пружинами — пухлое белое лицо, похожее на ком теста, со вздутиями и вмятинами, как на сыром тесте, с узким бледным ртом и неожиданными глазами — маленькими, темными, живыми, небрежно-рассеянными, словно Кучерявый что-то очень важное соображал и прикидывал в уме, и нимало этот занятой и отвлеченный ум не участвовал в кладовщицких манипуляциях с мукой, маслом и прочими продуктами, а участвовало в этих манипуляциях только пухлое, мятое, нездоровое тело Кучерявого, напрашивающееся на некрасивые сравнения с тестом и подушкой.

У входа в свою пещеру он кормил собаку. С заботливостью старой хлопотуньи хозяйки гнулся, ставя перед ней миску с едой. Собака весело лакала похлебку и грызла кости, всеми движениями и игрой мускулов выражая наслаждение. Он давал ей сахар. Поднимал руку, и она взлетала над ним в ликующем прыжке, длинная спина ее взвивалась серебряным огнем. И на третьем этаже было слышно, как хрустел сахар у нее на зубах. Диана звали эту собаку.

30

Семка Городницкий привык к своей болезни. Всю весну его донимал кашель и слабость — он эти явления игнорировал. Он не отвечал на вопрос: «Как ты себя чувствуешь?», справедливо считая его бесплодным и размагничивающим. Пионерская организация готовилась к лагерям, первым своим лагерям. Семка заседал и суетился вместе с вожатыми — физкультурными ногастыми парнями и полногрудыми стыдливыми девчатами в красных галстуках. Суетился, и ему представлялось, что он такой же здоровенный, ловкий и проворный, как они…

Югай, обещавший выхлопотать ему путевку в Крым, ушел с комсомольской работы, был теперь секретарем Пролетарского райкома партии. Его место в губкоме комсомола занял Яковенко. Сдавая Яковенке дела, Югай не забыл сказать: «Городницкого отправить надо подлечиться, в подходящее какое-нибудь место, в Ялту, Алупку», — Яковенко сам рассказал об этом Семке; но раз за разом оказывалось, что путевка была, подходящая, в Ялту, в Алупку, но отдана другому товарищу, у которого больше прав на лечение и отдых, а Семке надо еще подождать.

Так у него обстояли дела, когда приехал Илья Городницкий.

Он свалился как снег на голову. Воскресенье, утро. Севастьянов и Семка по случаю выходного дня проснулись поздно и нежатся на своих койках, покуривая. В дверь стучат.

— Кто там? Да-а! — зевая откликается Севастьянов. В комнату просовывается по-утреннему нечесаная голова ведьмы. Слышен приближающийся смех, говор, шаги.

— Там пришел ваш папа! — говорит ведьма торопливо-испуганно и восхищенно. — И с ним какие-то… товарищи! — Она исчезает, на ее месте Илья Городницкий, он весело спрашивает:

— Можно?

Он стоит на пороге, высокий, тонкий, темнобородый — странна и красива темная борода на молодом лице, — за ним теснятся незнакомые люди, а он смотрит на Семку, поднявшегося с постели, и добродушно улыбается.

— Это Семка? — спрашивает он быстро. — Это в самом деле Семка? — Он приближается к кровати. — Это ты, Семка?

— Здоров, Илья! — отвечает Семка, больше всего озабоченный тем, чтобы его мужественный голос не дрогнул от волнения.

Илья обнимает брата.

— Какими судьбами? Надолго?

— Ты слышишь, Марианна, какой бас?

С Ильей пришло много людей. Они не входят в комнату, остаются в кухне, курят там и громко разговаривают. Только старик Городницкий тут как тут, вьется вокруг Ильи и сияет.

— Борода! Нет, борода! — восклицает он как пьяный. — Нет, Семка, ты посмотри — борода, ха-ха, борода!

— Марианна! — зовет Илья.

Женщина входит на его зов. На ней что-то серое и лиловое, она красива — белая нежная кожа, карие глаза, бледно-золотые волосы, низко на затылке уложенные узлом. Она тоже улыбается и тоже здоровается, сначала с Семкой, потом с Севастьяновым. Здорово-таки неудобно сидеть перед ней в постели, с ногами, вытянутыми под одеялом; черт знает до чего неудобно. А у Семки к тому же на рукаве рубашки дырка, он страдает невыносимо.

— Он будет жить с нами, — говорит Илья своим мягким голосом.

— Конечно, — отвечает Марианна, — он будет жить с нами.

— Ты будешь хорошо с ним обращаться? — спрашивает Илья.

— Я буду хорошо с ним обращаться, — отвечает Марианна, улыбаясь.

— Она будет хорошо с тобой обращаться, — говорит Илья, обнимает Марианну за плечи и притягивает к себе. Она вспыхивает, она стоит как заря в этой комнате, полной разбросанных штанов, табачного тумана и солнца, светящего сквозь табачный туман.

— Борода, ха-ха! — кричит старик Городницкий. — Илья, ты молодец, прямо берешь бычка за рога! Бери его за рога, забирай его отсюда, посмотри, что я тебе говорил, у него же щек совсем не осталось!.. Но, однако, дорогие, поторопимся. Софья Александровна ждет. Ты бы одевался, Семка. Я приведу извозчика…

— Фима! — зовет Илья. — Фима! — И так как в кухне не слышат, он идет и возвращается, ведя за пуговицу какого-то толстяка. — Фима, вот это мой брат Семен, его надо лечить, надо его в хороший санаторий.

— А что такое? — спрашивает у Семки толстяк Фима (после оказалось заведующий губздравом). — Что у вас?.. Ничего, отправим, вылечим, — Илья, Илюшка, слышишь, пусть он ко мне зайдет на прием!

Илья не отвечает, рассказывает, добродушно смеясь, как шел, приехав, по Старопочтовой и как соседи его узнали, несмотря на бороду… Он рассказывает весело, товарищи смотрят на него с любовью. Они ходят за ним толпой — куда он, туда и они, — потому что любят его, подумал Севастьянов. Каких-нибудь два часа назад он приехал, а они уже слетелись, уже они вокруг него. А женщина повторяет как эхо каждое его слово.

— Софья Александровна ждет, — втискивается в разговор старик Городницкий, — завтрак остынет, поторопимся, господа.

Он пугается, что сказал «господа». Но те, к кому он обращается, заняты друг другом, он не в счет в их компании, они не слушают, что он там говорит. Но он-то хочет быть в их компании! Он хочет говорить! Он не хочет молча стоять в стороне, как незваный! Ведь Илья приехал к нему! И он с отцовской строгостью обрушивается на Семку:

— Будешь ты одеваться или нет! В конце концов, из-за тебя все остынет! Одевайся сию минуту!

Совершенно спятил старик: как бы Семка одевался при Марианне? Выцветшие глаза старика выкачены стеклянно и беспомощно. Губы дрожат. Илья приехал к нему с вокзала с чемоданом, тем самым признал своего отца, свою кровь, свой кров. Но это было на мгновение — вот Илья уже не с ним, вот он уже принадлежит своим товарищам, товарищам по подполью, по юности, по общей цели, общей склонности к шутке и смеху, а старику уж померещилось было, что его первенец, добившийся в жизни успеха, будет принадлежать ему, что люди увидят — они рядом, отец и сын, в согласии и дружбе, они друг другу радуются, друг друга хлопают по плечам! Терзаясь от ревности, старик хлопочет, чтоб поскорей увести их к себе, в комнаты, где он хозяин, и усадить за стол — может быть, дело еще повернется в желательную сторону, ему дадут слово за его собственным столом, он поднимет рюмку за Илью, Илья предложит тост за отца, который его родил и-и, так сказать, воспитал, ведь как-никак до седьмого класса Илья жил в отчем доме... Скорей, скорей, хлопочет старик; задержка за Семкой. Сжимая в кулаки пухлые руки с коричневыми крапинками, старик наступает на Семку:

— Долго ты еще будешь сидеть!..

— Завтракать! Завтракать! — раздаются голоса. — Ефим, чур, накормить как следует, Рита ничего не умеет! — Товарищи, копчушки и редиска — этим даже Рита сумеет накормить. Пирогов, извините, не будет. — Копчушки, восхитительно, обожаю копчушки (это восклицает Илья), пошли, товарищи, Семка, одевайся! — Марианна догадывается наконец, что ей следует выйти, и Семка вскакивает как встрепанный.

— Значит, ты тут жил аскетом, — мягко говорит ему Илья, — и наживал чахотку. А что случилось бы с революцией, если бы ты позволил этому старому буржую подкармливать тебя? Для тебя была бы польза, для старого буржуя удовольствие, а революции наплевать, она, мой дорогой, не этим занята.

— Илюша, как же можно, — ужасным шепотом шипит старый буржуй, — как это можно?! Куда вы собираетесь, я слышать не хочу! Дома все готово, Софья Александровна...

— Ну что ты! — говорит Илья. — Товарищи условились, мы собираемся у Фимы. Там еще придут, куда ж к тебе.

— Пусть пятьдесят человек! — шепчет старик Городницкий, задыхаясь. — Пусть сто человек!

— Я, может быть, у тебя переночую. Завтра-послезавтра у меня будет квартира, а эту ночь я, возможно, переночую у тебя. Слушай —

тебя надо привести в человеческий вид, что это за гадость, эта вывеска, мережка и зигзаг? Тебе надо работу, надо в профсоюз, надо, надо выводить тебя из этого состояния!

— Я надену твою новую косоворотку, — бормочет тем временем Семка Севастьянову.

— Валяй, — соглашается Севастьянов, сидя с вытянутыми ногами под одеялом.

Так он сидит, пока все не уходят. Старик Городницкий тащится за ними. Севастьянов одевается. Вот, значит, этот Илья Городницкий…

Что-то очень в нем привлекательное: в улыбке, в мягком голосе, в быстрой живой манере.

Зазнайства — ни капли. Как он закричал хорошо: «Копчушки, копчушки!» — невольно улыбнешься.

«Что это за гадость?» — без злобы спросил, с веселым любопытством…

Но, думает Севастьянов, должен же человек соответствовать своей биографии. Должен или не должен? Должен! А про Илью, если не знать, ни за что не скажешь, что у него такое прошлое: подполье, работа в ревтрибунале… Такая серьезная биография, а он так несерьезно себя держит. Все движется, не постоит на месте. Вертится на каблуках, словно танцует; теребит бороду. Зачем-то бороду отрастил, чудак… При всех обнимает свою Марианну. Говорит легковесно…

Революция, разумеется, не пострадала бы, если бы некий старый буржуй прикармливал некоего Семку Городницкого, хорошего комсомольца с туберкулезным процессом в легких. Но что сталось бы с революцией, думает Севастьянов, шнуруя ботинок, если бы все комсомольцы стали прикармливаться из буржуйского кармана, вот ведь в чем дело. Разве один Семка нуждается в прикорме?.. Человек с такой биографией не может ставить интересы личности выше принципа, это обмолвка.

Вечером Семка сообщает известия. Илья назначен к нам губернским прокурором. После своей книги он ожидал большого назначения в Наркомюст; но где-то что-то разладилось, разладилось настолько, что в Москве Илья не получил работы, его послали на периферию. Впрочем, он, по его словам, не собирается здесь засиживаться.

— «Мережки и зигзага» уже нет.

— Уже сняли?

— Сняли. Он велел. Этот его длинный приятель, — ты не видел, Балясников из исполкома, — он обещал устроить батьку товароведом в ТЭЖЭ.

— Вот как, — говорит Севастьянов, и они умолкают. Обо всем этом надо подумать. Эта молниеносность в устройстве дел их как-то угнетает.

Через несколько дней Семка перебирается к брату. Провожают его Севастьянов, Электрификация, Баррикада и несколько ребят в пионерских галстуках. Они связывают книги, за год книг у Семки стало вдвое больше, и дорожит он ими ужасно. Осторожно и ласково берет он их своими худыми пальцами. Его беспокоит, что ребята обращаются с его сокровищами недостаточно бережно, что веревка врезается в переплеты… Вдруг приходит Марианна.

— Вот хорошо, — говорит она, — я не опоздала, вы как раз собираетесь, Сема… Сема, я пришла сказать, пожалуйста, ни матраца, ни подушки, ничего этого брать не надо, там все есть, — и чем я могу вам помочь?

Помогать не нужно, и так в комнатушке не повернуться от книг и людей. Особенно много места занимают, дурачась и хохоча, Баррикада и Электрификация. Марианну уговаривают посидеть в уголку, она сидит, подобрав под стул ноги, и смотрит с понимающей добродушной улыбкой, которую переняла у Ильи.

Она непременно хочет что-нибудь нести, и ей тоже дают маленькую стопку книг, чтобы она успокоилась.

Ватагой идут они по улице.

— До чего тепло, — говорит Марианна с радостным удивлением, — до чего волшебно тепло! Из Москвы я в теплом пальто уезжала. Там у нас по дворам еще лед не весь растаял. А у вас цветут акации.

Да, опять зацветает акация, перышки листьев на ней опять ярко-зеленые, бутоны как огуречные семечки, и уже раскрылись кое-где зеленовато-белые хрупкие цветы.

Идти недалеко, Илью и Марианну поселили в том самом общежитии ответработников, где живут Югай и Женя Смирнова. На третьем этаже, в конце длинного коридора, Марианна отпирает дверь.

— Вот ваша комната, Сема.

Ну и комната, Севастьянов не видел в этом довольно-таки спартанском общежитии так великолепно обставленных комнат. Мало того, что на полу ковер, а на окнах и двери длинные синие занавески, — здесь еще стоит мягкая мебель светлого дерева, обитая темно-синим сукном: диван и два кресла, а перед диваном круглый стол. И письменный стол, и на нем лампа в молочно-белом стеклянном абажуре. А за ширмой, нарочно отодвинутой, чтоб можно было увидеть сразу, — кровать и мраморный умывальник.

— Ой! — иронически-почтительно говорит Электрификация.

— Вам тут будет хорошо, правда, Сема! — восклицает Марианна. — К вам будут приходить ваши товарищи, и всем хватит места!

Положим, когда приходили ребята, места хватало и в той их комнатушке, та комнатушка была прямо-таки резиновая.

Семка недоверчиво поворачивает вправо и влево свое горбоносое острое лицо. Он опускает связку книг на ковер, и все они следуют его примеру. Марианна взволнованно ждет, что он скажет. Она приготовила ему сюрприз, брату своего мужа, — пусть же почувствует ее родственную заботу, пусть восхитится, пусть ему будет прекрасно, как прекрасно ей! Все эти желания выражены в ее тревожной улыбке. Семка взглядывает на нее и говорит вежливо:

— Еще бы не хватило места. Спасибо.

По его голосу Севастьянов понимает (девчата, Баррикада и Электрификация, понимают тоже), что Семка ошарашен роскошью нового жилища и колеблется — заявить протест немедленно или дождаться Ильи. Но Марианна видит Семку второй или третий раз в жизни и не разбирается в оттенках его баса; ответ ее удовлетворил. Она с жаром обращается к ребятам:

— Пожалуйста, прошу вас, приходите чаще!

Это уж лишнее: это дело ребят и Семки, а вовсе не ее. Все немножко смущены этим взрывом любезности. У Электрификации и Баррикады вытягиваются лица. Со времен политкурсов толстушки относились к Семке преданно: он был для них вершиной эрудиции и духовности, доступной индивидууму их возраста. Они считали за честь бывать в его обществе и радовались, если их дурачества и хохот заставляли его улыбнуться. Теперь, выходит, над ним будет хозяйкой Марианна: захочет — пригласит их к нему, не захочет — не пригласит… Толстушки отчужденно молчат, сжав румяные губы.

Марианна не замечает прохладного ветерка, пробежавшего между нею и остальными. Она занимает их как гостей, как своих гостей: ведет, показывает две соседние комнаты, где со вчерашнего дня живут они с Ильей. Отлично их устроили, правда? В Москве у них была одна комната, и теперь Марианна не нарадуется простору. Вся мебель — казенная, они с Ильей ведь цыгане, у них нет ничего…

Она предлагает курить, приносит пепельницу.

Ей хочется дружеских, братских отношений с ними — она не притворяется, ей в самом деле хочется. Но она не знает, как этого достичь. Бедняжка.

В открытых окнах — вид на реку. Половодье почти спало. Два сонных паруса царят над ним, белый и черный. Белый — яхта из яхт-клуба; черный рыбачья лодчонка. Баркасы шмыгают, шевеля веслами, во всех направлениях. Дальше, за береговыми вербами, еще стоящими в воде, — кремовая полоса песков. За песками, до горизонта — солнечно-зеленая вешняя гладь, усеянная рыжими и черными точками, — бессчетные стада на безбрежном пастбище.

— Почему нет музыки? — спрашивает Марианна, заглядывая ребятам в глаза (а они молчат). — У вас же катаются на лодках с гармонью, катаются и играют на гармони, мне рассказывал Илья.

— Это по большей части в воскресенье, — объясняет Севастьянов. — На гармони играют, а то наймут шарманщика и возят с собой, чтоб играл им целый день.

— Хорошо на том берегу, должно быть, — говорит Марианна, глядя не на тот берег, а на ребят.

— Да, — подтверждает Севастьянов. — На том берегу очень хорошо.

В заключение она их угощает конфетами из большой коробки, которые подарил ей Илья по случаю новоселья. И они уходят, оставляя Семку в новой блистательной жизни, с красивой женщиной, женой его старшего брата. В комнатушку за кухней Севастьянов возвращается один.

31

На том берегу, на песках, рос кустарник, непышный, в рост человека, с долгенькими белесоватыми листьями, отливающими на солнце паутинной сединой; с неказистыми серо-сиреневыми мелкими цветочками, похожими на цветы картофеля.

Песок был раскаленный, сыпучий.

Они шли в волнах солнца, не глядя друг на друга. Ему было страшно взглянуть на нее. Может быть, и ей было все-таки страшно.

Иногда на ходу, нечаянно, соприкасались их руки; но сейчас же он отстранялся, чувствуя ожог и холод вдоль позвоночника.

В спину им, уходящим, смотрели ребята.

А может быть, не смотрели, там у воды такой шумный поднялся разговор, когда они ушли вдвоем, — неестественно шумный.

Позади была река, усыпанная блеском, сотни лодок разгуливали по ней, гармошки и шарманки играли на лодках, как полагалось в воскресенье.

Они уходили все дальше, музыка играла тише, кустарник становился гуще.

32

Накануне вечером проводили Семку в Ялту.

А утром Севастьянов спал — один в комнате, как царь, — ребята ввалились и потащили кататься на лодке. Среди них была большая Зоя. Севастьянов спросил:

— А Зойка маленькая?

— У нее отец заболел, — ответила большая.

На набережной, у сходней, килем вверх лежали лодки. На них были написаны женские и мужские имена: «Нина», «Шура», «Муся», «Вова». Ребята взяли лодку и поплыли по сверкающей реке. Потом причалили к тому берегу, в нелюдном месте, чтобы привольней было купаться. И там она сказала, смеясь:

— Почему ты никогда не объяснишься мне в любви? Объяснись мне в любви!

Он спросил:

— Разве все обязаны объясняться тебе в любви?

— Все объясняются, кроме тебя. Ну правда! Ты один не объясняешься. А мы уже столько лет знакомы!

Балуясь, она настаивала:

— Ну, пожалуйста! Ну, какой!..

Он лежал на песке, а она приподнялась и стала на колени. Подняв руки, она ловила кудрявые пряди своих волос, разлетавшихся на ветерке, и пыталась упрятать их под косыночку. Прямо перед лицом Севастьянова были взвиты ее тонкие руки, розово-смуглые, длинные, прелестные девичьи руки. Севастьянов увидел маленькую дышащую грудь под белым полотняным платьем и хрупкие выступы ключиц. Он увидел смеющиеся губы, лучики-морщинки на губах, каждый лучик был высвечен солнцем. И вдруг жаром хлынуло в него все это. Он вздрогнул оттого, что она рядом, теплая, с длинными розовыми руками. Разве прежде он не замечал ее красоты? Замечал сто раз. Но все равно — в первый раз за столько лет он увидел Зою.

И будто круг раздался: будто все отодвинулись, и в кругу они остались вдвоем.

Расхотелось разговаривать. И с ней тоже. О чем они говорят? Чепуха, треп. Кому это нужно.

Она была тут — это было нужно. Что она подняла руки, стоя на коленях, и ловит свои волосы — исключительно нужно и важно. На это, оказывается, можно смотреть, и смотреть, и смотреть.

Все поняли. Словно им подшепнул кто. Все, замолчав, оставили их вдвоем в кругу.

Она сказала, неизвестно к кому обращаясь, рассеянно, перестав смеяться:

— Пошли погулять.

Промолчали все. Вроде не слышали.

— Пошли, Шура? — сказала она и встала.

Все молчали. Гармошки на лодках, надрываясь, играли вперехлест. Севастьянов встал и пошел с ней рядом.

Потом было возвращение в город. В лодке, со всеми. Севастьянов греб, она сидела напротив, опустив руку за борт в журчащую воду, оранжевую на закате.

Оранжевая вода вскипала вокруг ее пальцев.

Севастьянов смотрел на нее и греб неторопливыми сильными ударами. Кругом говорили, они двое по-прежнему пребывали в кольце молчания и отъединения.

Над озаренной рекой темнел синий город, придвигаясь. И лицо ее было зажжено живым светом, раскинутым во всю ширь реки и неба.

33

Он сидел в зале клуба совторгслужащих, а на сцене происходило балетное представление. Мелькали красные шарфы и загримированные лица, но только одно лицо он видел, зажженное, озаренное, и следил за каждым его движением. Что танцевали — не разобрал. Хлопал, когда все хлопали. Не понял: почему, когда представление кончилось, одна из танцевавших вышла вперед и ей хлопали отдельно, — почему не Зоя вышла, а какая-то другая, которую нельзя даже сравнить с Зоей. Он похлопал из приличия. Но то явное было недоразумение. Кто-то чего-то недопонял.

Объявили антракт, в зале зажегся свет. Севастьянов встал и двинулся вдоль ряда к проходу. Ему наперерез, в профиль, деревянно держа голову, глядя неподвижно вперед, прошел Спирька Савчук. Желтые борозды лежали на его щеках, он улыбался горькой вымученной улыбкой. «Знает», — подумал Севастьянов. Он больше не осуждал Спирьку за его неразумную страсть. Спирькино горе заслуживало уважения — кого ж и любить, если не Зою.

Он не стал навязываться Спирьке с неуместными «здравствуй» и «как поживаешь» и со своей сияющей рожей, — тихо пошел следом, соблюдая деликатную дистанцию.

На улице, у выхода из клуба, у афиши, освещенной лампочками, ждал он Зою после представления. На этом самом месте как-то зимой ждал ее Савчук… Севастьянов подумал: вполне возможно, сейчас он подойдет, Спирька, тронет за локоть, скажет: «Слушай, ну-ка иди сюда, ты что же», и надо ответить выдержанно, честно, по-мужски, с сознанием своего права и Зоиного.

Но Спирька не появился. Напрасно Севастьянов, похаживая перед афишей, ждал его и мысленно репетировал объяснение. Спирька тоже был мужчина и не нуждался в никчемных вопросах и ответах.

34

— Одного я не понимаю.

— Чего ты не понимаешь?

— Где я раньше был? Ты же существовала, ты, ты, ты! Существовала!

— Ты дружил с Зойкой.

— При чем тут Зойка? Дружба с Зойкой — это совсем другое... Слушай, помнишь — ты платок уронила, а я поднял. На площадке, неужели не помнишь? Я сам не додумался, ты мне велела поднять. Я поднял и пошел, и в голове не было, что ты для меня такое... А помнишь, как мы познакомились? Я сидел, оглядываюсь, вижу — ты. А потом ты спросила...

— Это Зойка спросила.

— Верно. Это Зойка спросила. Но все-таки что-то у меня к тебе было с самого начала. Сразу тебя увидел. Как будто нарочно оглянулся, чтобы увидеть. Как будто кто меня толкнул оглянуться. Я тебя люблю. Ты никуда не уйдешь. Ты останешься тут.

— Сумасшедший.

— Останешься, и все.

— Сумасшедший.

— Глупости. Зачем я останусь?

— Любить меня.

— Разве так я тебя не люблю?

— Так не получается. Я ни о чем не могу думать. Ничего не могу делать, когда ты не со мной.

— Наоборот, по-моему: ты ни о чем не можешь думать, когда я с тобой.

— Ты ничего не понимаешь!

— Ты уйдешь в редакцию, а я что буду делать?

— Ждать меня. Будешь заниматься своими делами. Но когда я буду приходить, чтоб ты обязательно была дома. Иначе я не могу.

— Мне и так достанется, что поздно вернулась.

— Я войду с тобой!

— Ну какие глупости, и думать не смей. Такой скандал получится, ты не представляешь. И вообще не вздумай приходить.

— Почему?

— Я не хочу!

— Почему не хочешь?

— Так!

— Нет, ответь: почему?

— Вы все мещане, вот что. Когда любовь красивая, вы не понимаете. Непременно тебе запереть меня от всех. От всего. Вот твое отношение.

— Слушай!..

— Я хочу быть счастливой. А ты требуешь, чтобы я как пришитая сидела целый день. С этими бабками, очень интересно. Сидела, тебя ждала, пока ты придешь, вот твое отношение.

— Ну не плачь. Ну не плачь. Я ничего же не требую, ну не плачь!

35

Но когда своей сильной мальчишеской рукой он обнимал ее, теплую, льнущую, — такими пустяками оказывались все несогласия! Ее теплота, ее дыхание, ее закрытые глаза — тут была сладость и тайна жизни, дары и очарования жизни; она ему эти очарования указала; приобщила, приковала к ним, заставила вращаться вокруг них на привязи. Каруселить, как было сказано в одной смешной хартии. Я каруселю вокруг тебя по орбите. Дивно прекрасное занятие — каруселить. На короткой приструнке. Вечно чувствовать эту приструнку, где бы ни был. Где бы ты ни была. Вечно ждать, даже находясь вместе. Ждать — вот откроются еще неразведанные миры; они открываются, и опять ждешь, и это бесконечно — как вселенная.

Меры времени спутались: секунда приносила потрясения, от которых взрослела душа, а часы то тянулись, как годы, то уходили, как вода в песок.

Сутки стали величиной огромной — по числу впечатлений, которые в них вмещались.

Зоя приходила вечером. Он мчался домой, чтобы не упустить ни минуты свидания и чтобы оградить ее от ведьм, — они ее так и кусали своими взглядами и усмешками, когда она проходила через их Лысую гору, через кухню.

Забежав в магазин, он покупал колбасы или ветчины и немного пикулей — она любила пикули.

Стал франтом: купил новые парусиновые брюки, хотя старые были еще хоть куда, чуть-чуть только сели в стирке.

Заработки его увеличились, он получал фикс, и гонорар стали платить аккуратнее, можно было позволить себе кое-что — например, кожаный портфель, вещь нужнейшую, которая сразу придавала человеку вид ответственного работника.

Ходил с портфелем, прибранный, подстриженный, торжественно-задумчивый, надушенный тройным одеколоном.

Однажды у них отняли вечер. Дробышев отправлялся с губернским начальством на Машстрой и взял Севастьянова. Севастьянов первый раз отроду ехал в автомобиле. Его посадили с шофером. В прежние дни он бы сполна насладился этим удовольствием, теперь одно думал: когда же мы вернемся в город… Степь цвела и дышала. По склонам длинной балки, как ковры, лежали огороды богатой коммуны «Заря». Синий четырехугольник, синий платок, расстеленный среди зелени, — поле медуницы, детская колония посеяла медуницу для своих пчел. За группой деревьев блестел купол с флагом монастырская церковь, с которой сняли крест, — детская колония помещалась в бывшем монастыре… Подводы, запряженные волами, влачились в ленивой пыли. Бабы ехали, свесив ноги. Мужики спали за бабьими спинами, укрыв голову от солнца. В прежние дни Севастьянов вбирал бы в себя эти картины, не пропуская ничего. Теперь надо всем стояла, все затмевая, Зоя. Майская степь, дорога с людьми и волами, синее поле, ковры огородов, флаг на куполе — это было ее подножье. Груды белых облаков в небе тоже были ее подножьем. Выше всего стояла она, все затмевающая, с лучиками на розовых губах, — и вдруг мы не вернемся до вечера, вдруг не успеем! — думал Севастьянов.

Машстрой был только что заложен. Ему предстояло неторопливо расти от сезона к сезону, с приостановкой работы на осень и зиму, неторопливо расти до первой пятилетки, когда все изменится — темпы и масштабы; когда страна зашумит стройками, потоки людей хлынут по стране во все концы и опустеют биржи труда. К тому времени Машстрой, укрупняясь на ходу, двинется вперед семимильными шагами — один из первенцев, гигантов пятилетки. В двадцать четвертом году это были длинные мазаные бараки, штук десять бараков. Грабари, съехавшиеся из разных мест, лопатами копали котлован для первого цеха. Под навесами на печках, сложенных из кирпича, багроволицые кухарки варили еду в артельных котлах. Распластанные на траве, сушились заслуженные рубахи и штаны — выгоревшие, в заплатах.

В маленькой конторе два человека, один средних лет, в косоворотке, лохматый, в доску свой, другой — старик с острой белой бородкой, молчаливый и надменный, — разворачивали перед губернским начальством трубки синек. Смотрело начальство, смотрел Дробышев, потом синьку передавали Севастьянову. Это длилось без конца. Солнце спускалось. Уехать, уйти, убежать не было никакой возможности.

Началось собрание. Губернское начальство сделало доклад. Дробышев сделал доклад о стенной печати. Выбрали редколлегию. Дробышев объявил, что товарищ Севастьянов, сотрудник «Серпа и молота», поможет редколлегии выпустить первый номер стенгазеты. Объявив, сел в автомобиль с начальством и укатил в пылающий закат.

Севастьянов посмотрел им вслед. Он даже записки не успел ей оставить… Закат пылал. Но это же еще не вечер, подумал Севастьянов. И ему вдруг показалось, что если проявить оперативность, если очень, очень постараться, не разбрасываясь, не отвлекаясь…

Надо полагать, члены редколлегии навсегда запомнили урок оперативности, который он им преподал. Они хотели сперва поужинать и его покормить; но он тиранически загнал их в красный уголок и засадил за работу. Неискушенные в газетном деле, они подумали, что это так и надо такая лихорадка, и повиновались ему. Усердие их было велико и чистосердечно; но они ничего не умели. Изнемогая от их медлительности, он бросался помогать каждому и в результате сам написал почти все заметки, передовую и отдел «Кому что снится». И собственноручно переписал газету начисто. И нарисовал две залихватские карикатуры, подражая рисункам Коли Игумнова (до этого никогда не рисовал карикатур). И с отчаянной щедростью раскрасил заголовок красной тушью и золотом. В тот вечер он понял, что значит выражение «работа кипит в руках». Каждое слово ему удавалось и каждый штрих. В жизни потом с ним не было ничего подобного.

Неистовствуя, думал: «Она пришла и ждет. Она ждет». Позже, когда окна стали глухо-черными, ночными: «Она беспокоится. Не знает, что думать. Но она еще ждет». Часов ни у кого не было. Время скакало громадными скачками. «Может быть, она еще ждет». Железная дорога была недалеко, поезда останавливались на разъезде «Машстрой», он рассчитывал уехать, как только кончит свое дело.

Члены редколлегии выбывали из строя по очереди. Один ушел, второй уснул тут же на лавке. Дольше всех держался председатель, чернобровый и черноусый дядька в вышитой рубашке. Он сидел возле Севастьянова и с уважением следил за его действиями. Потом и он заснул, положив голову на измазанный красками стол.

Стенгазета получилась на славу. Севастьянов распрямил спину, — окна были голубые, ясные, электрическая лампочка растаяла как льдинка, ночь прошла, он опоздал на свидание.

Председатель и член редколлегии крепко спали. Севастьянов аккуратно прикрепил свое творение кнопками к стене. Вот. Теперь домой. Вдруг бывают же случаи — вдруг все-таки, несмотря ни на что, вдруг она еще ждет!

Он вышел из красного уголка. Холодноватое, чистое рождалось утро. За бараком он услышал женские голоса и пошел на них.

Две кухарки перебранивались, растапливая печь. Степь была их кухней, небо — крышей. Они бранились вполголоса из-за плохо вымытого котла. Горечь тлеющего кизяка сочилась в рассветную свежесть. Севастьянов спросил:

— К железной дороге как идти?

Они оглядели его с головы до ног и, прекратив перебранку, показали кратчайший путь — прямиком через степь. Одна, вытирая руки о фартук, проводила его немного; даже зашла вслед за ним в густую траву, перевитую повиликой. Он сказал «пока» и зашагал по высокой траве.

Солнце только что встало и лежало, блистая, на краю степи. И вся степь блистала, переливаясь, каждая травинка держала свой сияющий алмаз. Севастьянов промок по колено… Довольно скоро он увидел желтую будку разъезда, увидел дымок приближающегося поезда — комочек ваты в голубизне, — пустился бегом, выдирая ноги из травяных пут.

Сердце весело колотилось. Он выскочил на полотно. Рельсы струились в раннем солнце как светлые ручьи. Поезд приближался, он шел в сторону города. Мимо Севастьянова, громыхая, поплыли платформы, цистерны, маленькие красно-коричневые вагончики, исписанные цифрами и словами, — это был товарный поезд, и он не собирался здесь останавливаться. Севастьянов высмотрел подножку с поручнями, нацелился и вскочил.

Сразу его резко обдуло ветром. Он устроился на узкой площадке, подложив портфель под голову. Богатырский сон сразил его мгновенно. Что-то снилось сквозь грохот колес, гремевших в ухо… Проснулся в городе, на товарной станции, — железнодорожник разбудил, спасибо ему.

36

«Моя невероятная», «немыслимая», — писал он.

Каждый день писал: в невыносимо огромный промежуток от вечера до вечера, от встречи до встречи. Придвигал листок, и слова срывались с пера водопадом, казалось — их сотни тысяч. На самом деле их было, должно быть, штук полтораста. Среди одних и тех же слов он топтался, задыхаясь, захлебываясь этими словами.

«Ничего не делаю, только думаю о тебе. Не хочу о тебе больше думать и думаю. Не хочу писать это письмо, не нужно писать его, совестно…

…Пришел в редакцию спозаранок, еще полы мыли. Разложил свои заметки и сел писать очерк. Писал-писал, а к двенадцати оказалось, что не написал даже заголовка, а писал письмо тебе. Был этим ужасно возмущен. Решил попробовать работать дома. Сейчас пишу дома. И опять то же самое. Сидел над пустым листом, делал вид, что занят делом. Но больше не могу ломать себя и обманывать. Ведь все это время я только и делал, что вспоминал тебя.

Ругаю себя и уговариваю, что я тряпка, кисель несчастный. Но не могу тебя прогнать из себя».

Он был сдержан. Чтобы наизнанку себя выворачивать, напоказ — никогда: кому это интересно, ни людям, ни ему самому… Откуда взялась необходимость все, все, все и сию же минуту ей рассказать, без малейшей утайки, без пощады к себе, — такая необходимость, как воду пить, когда жажда:

«Ты пойми меня правильно. Мне надо не только целовать тебя, но и видеть, как ты сидишь, стоишь, ходишь, слышать, как ты говоришь и смеешься, рассматривать, какие у тебя пальцы, локти, зрачки. Я тебя жду, как никого и ничего не ждал…

Ты права, что я сошел с ума. Беру папиросу — это ты, это я тебя беру в руки. Надеваю майку — это ты, это ты ко мне прикасаешься. Черт знает что. Только с тобой мне спокойно более или менее. Но когда я без тебя, я не могу.

Я хочу, чтобы ты была со мной сейчас и всегда.

Ты согласишься жить вместе. Ведь ты уже не можешь взять свою любовь обратно. Ты должна согласиться.

Как мне сделать, чтобы ты тоже без меня не могла? Ничего не могла, чтобы ты без меня не жила…»

Писал, и вдруг стукнули в дверь. Он крикнул: «Да!» — и откинулся на спинку стула в жгучей уверенности, что это она, — угадала, что он дома в этот дневной неположенный час, через крыши и шумы услышала зов и пришла. Он и не оглянулся, так был уверен. Сидел, закрыв глаза, ожидая ее прикосновения.

— Здравствуйте, Шура, — сказал робкий голос.

Анна Алексеевна, мать Зойки маленькой.

— Что случилось?! — вскрикнул он и поднялся.

Все происходившее в те дни с ним и вокруг него имело отношение к Зое. Пришла Зойкина мать — она скажет, что что-то случилось с Зоей, его Зоей.

Худенькая женщина в сером платьице, в чувячках, с кошелкой, вошла, прикрыла рукой лицо, плечи ее затряслись.

— Что?! — повторил Севастьянов в страхе.

Поглощенная своей бедой, она не заметила его наэлектризованности. И нечаянное его восклицание отнесла к собственным горестям, оно оказалось вполне уместным.

— Еще ничего, слава богу, не случилось, еще надеемся, — ответила она, совладав с собой, — еще только во вторник операция будет.

Ах да, у Зойки маленькой болен отец, его положили в клинику… Вот как — значит, дело серьезное… Пробормотав что-то, Севастьянов придвинул Анне Алексеевне стул. Она поставила на стул свою полную, с раздутыми боками кошелку, прикрытую чистейшим суровым полотенцем и сама уместилась на краешке, держась за кошелку, — то ли чтобы та не упала, то ли чтоб самой не упасть.

— Зоечка говорила с профессором, — сказала она, — профессор сам операцию сделает. Тяжело, конечно. Такая операция, а организм, доктора говорят, неважный, переработанный организм.

Она стала рассказывать подробности, робко и вместе деловито.

— И хоть бы что-нибудь кушал, — тихо и рассудительно говорила она, — а то ничего ведь не кушает, как же болезнь побороть? Чего только не готовим, чего не носим. Все по строгой диете, как велят. Зоечка ему говорит: скушай ты, папа, ради меня, хоть ложечку, говорит, скушай… — Простенькое, увядшее, бесцветное лицо ее опять задрожало; но опять она пересилила себя, кончиком головного платка промокнула слезинку в уголке глаза. — И не спит. Ему всякие средства для спанья — нет, не спит. Не от боли, боли-то нет, когда в лежачем положении. О нас думает, вот и не помогают средства… Шура, я к вам в редакцию ездила, не застала, адрес мне ваш там дали. Василий Иваныч вас просит, у него дело к вам, чтобы вы зашли до операции.

И так как Севастьянов, туманно задумавшийся о том, как счастье и несчастье соседствуют в мире, ответил не сразу, — она добавила:

— Он вас очень убедительно просит.

— Обязательно! — отозвался он с горячей неловкой готовностью. — Обязательно! Когда можно?

«Но зачем же было в редакции брать адрес, — мелькнуло в голове, — Зойка маленькая ведь отлично знает, где я живу».

— Вообще-то пускают по четвергам и воскресеньям, с четырех до шести, — добросовестно разъяснила Анна Алексеевна, — но мы с Зоечкой бываем ежедневно, по очереди, и в отношении вас я договорилась. Василий Иваныч велел договориться, чтобы вас приблизительно вот в это время пропустили. Почему я вас и разыскивала. Сейчас как раз операции идут и врачей в палатах нет, можно пройти. — Севастьянов не мог понять выражения, с каким она смотрела на него, и боязнь была в ее взгляде, и осуждение, и грусть. — Если, может, у вас занятие несрочное… Может, прошли бы с вами, здесь недалеко?..

Пока он убирал неоконченное письмо, она осматривала его жилище, поджав губы, с тем же осуждающим и скорбным выражением. Зорко, он заметил, осмотрела все — потолок и окошко, постель и старые ботинки, выглядывавшие из-под кровати. И при этом безотрадно и укоризненно покачивала головой.

В саду клинического городка гуляли по дорожкам, сидели на скамейках больные в серых халатах и шлепанцах. Сад был большой, зеленый, но в нем попахивало аптекой. Некоторые гуляли на костылях… В раздевалке хирургической клиники Севастьянову дали халат, а Анна Алексеевна надела свой, белоснежный, принесенный из дому. По этому принесенному с собой халату, по тому, как она его быстро и ловко надела и как спросила: «Дочка моя не была?» — Севастьянов понял, что они с Зойкой маленькой днюют и ночуют в клинике, и все уж их здесь знают. Стараясь ступать потише, он шагал за Анной Алексеевной через голизну широких светлых коридоров и безлюдных лестниц. Она шла впереди проворно и бесшумно в своих мягких чувячках, несла увязанные в салфетку мисочки и кастрюлечки, которые вынула из кошелки. Пришли в большую палату, дошли до угловой койки у окна.

— Вася, — сказала Анна Алексеевна, наклонясь к седой голове, лежавшей, глубоко вдавившись, на подушках, — Шура пришел.

Седая голова медленно повернулась. «Ох, какой!..» — внутренне вздрогнул Севастьянов. Такое он представлял себе, когда читал о мумиях: иссохшее, узкое, темное — только с закрытыми глазами; а на этом лице двигались и светились живые человеческие глаза. Седина волос подчеркивала изжелта-коричневый цвет кожи. Громадные иссохшие коричневые руки были сложены на груди поверх одеяла.

«Что это! Разве можно так измениться! Сколько я его не видел? Полгода? Разве может человек так измениться за полгода!» — думал Севастьянов. Но надо было поздороваться. Он сказал:

— Здравствуйте, Василий Иваныч.

Они, ребята, всегда чувствовали перед старым проводником стеснительность: он был суров, неулыбчив; скажет тебе слово — будто милость оказал. Бывало, они расшумятся в Зойкиной комнате, он пройдет мимо открытой двери, глянет — они начинают говорить тише. А он никому ни разу не сделал замечания.

И в облике мумии он не был жалок, по-прежнему чинный и строгий, опрятно побритый: кругом щетинистые физиономии, а он побрит.

— Здравствуйте, — ответил он и подал руку. — Присядьте.

Анна Алексеевна поспешила пододвинуть табуретку.

«Раньше он говорил мне ты», — вспомнил Севастьянов.

— Видите, какие дела, — сказал Василий Иванович, — скрутило меня как, не ждал и не гадал. Плохие мои дела.

Будь Севастьянов старше и искушенней, он бы ответил принятой в таких случаях ложью: «Ну что вы, Василий Иваныч. Вы превосходно выглядите». Но он еще не умел так лгать, даже не подозревал, что надо солгать. Он молча потупился, склонив голову.

— Я вас пригласил для серьезного разговора, — сказал, подождав немного, Василий Иванович. После этой фразы он стал задыхаться и шептать. Задыхался на протяжении всего разговора — пошепчет свистящим сильным шепотом и остановится набрать воздуха. На шепот перешел, чтобы не услышали лежавшие рядом. И на протяжении всего разговора жена, безмолвно стоя в изножье кровати, смотрела ему в лицо, лишь изредка и на мгновение переводя на Севастьянова полный муки взгляд.

— Придвиньтесь. Еще. Наклонитесь. Ближе, — шептал Василий Иванович. — Вы порядочный человек? Порядочности кругом вижу мало. Но про вас хочу думать, что вы человек порядочный. Сужу по тому, как моя дочь к вам относится. Порядочный вы?

— Не знаю, — ответил Севастьянов, беспомощно покраснев. — Думаю, что порядочный…

— Ну так обещайте, что про наш разговор не узнают ваши дружки-товарищи. Вообще никто не узнает, что бы мы ни решили.

— Хорошо, — сказал Севастьянов, удивляясь. — Я никому не скажу.

— Чтобы дочь не узнала, главное. Зоечка чтоб не узнала. Ясно вам?

— Ясно, Василий Иваныч.

— Никогда не узнала. Ни теперь, ни когда-нибудь… после. На чем бы мы ни кончили.

— Хорошо. Я и ей не скажу.

— Чтоб до нее и не дошло, что я вас звал и разговор имел. Видите: она у нас с Анной Алексеевной одна, и мне первой всего — ее счастье. Ясно вам?! — выдохнул он со свистом и потряс коричневыми руками. — Зоечкино счастье!

Севастьянов смотрел в окно. Зеленые ветки двигались за промытыми стеклами. («Почему не откроют окна? Такая духота».) Он тоже хочет счастья Зойке маленькой. От всего сердца ей желает, чтобы она, такая требовательная и достойная, была очень счастлива, очень. Но это уж от человека зависит — найти свое счастье. Помочь никто не может, и Севастьянов не может. Да Зойка и не нуждается в помощи. Найдет сама.

— Моя дочь, — шептал старый проводник, — не такая, как эти все девицы. Ничего не оставлял без внимания. Что мог — все… Учил…

воспитывал... все предоставлял для развития. Не думайте, — если мы малоразвитые, то не понимаем развития: понимаем! Вырастил...

«Положим, — подумал Севастьянов, — Зойку воспитала советская власть и мы, комсомол».

— Умница. Умница-разумница. Золотая душа. Вот сейчас конец года, важные лекции у ней на педфаке. А был хоть один день, чтоб она ко мне не пришла? Дня не было! Как после операции обход пройдет, я уже на дверь смотрю: и вот она. Приходит заранее и внизу дожидается. Знает, что я лежу и на дверь смотрю. И до вечера со мной. Мне уж все тут говорят — какую, говорят, вы дочь вырастили...

Темное лицо просияло гордыней.

— Покамест не заболел, мы с ней мало бывали. Профессия моя такая: разъезжал. Но когда свободен, всегда около ней. Будучи маленькой, гулять ее водил. — Простерши руку, он показал, какая она была маленькая. — В Александровский сад мы ходили. Сяду на лавочке и смотрю, как она с детишками на песочке играется. Или с горки бегает. Или красных жучков на дорожке собирает. Ходили с ней в цирк, в игрушечный магазин. В гимназию поступила — вместе пошли в магазин Иосифа Покорного. Купили учебники, ранец, весь набор ученический для приготовительного класса. Каждое перышко, что она писать училась, через мои руки прошло. Ну, когда подросла, тогда, конечно, какой ей интерес со мной гулять. Молоденькой девочке молодая требуется компания. Как будто я не понимаю... Но заболел я — она со мной. И прогонять бы стал, так не уйдет. Да. Напоследок насмотрюсь. Наговорюсь...

Он шептал исступленно. Видно, за всю жизнь это самая большая была его любовь — может быть, единственная.

— Слушайте, Шура! Мне ее горя не надо, чтоб она на моей могиле неутешенная плакала! Не надо, не надо! Наклонитесь! Слушайте! Я ее утешенную оставить хочу! Не думайте, что я вообще боюсь ее одну оставить. Не, не боюсь! У ней характер самостоятельный! Она моя умница! Ее ни в какое болото не потянет, и никакой прохвост ее разума не лишит!

— Верно! — энергично кивнул Севастьянов.

— Но хочу, покамест я тут... Слушайте, Шура! Если — возможная вещь так нам с Анной Алексеевной кажется — по душе ей один человек...

— Василий Иваныч!

— Вы ее знаете, вы обязаны понимать, что ей по душе прийтись — это надо в сорочке родиться.

— Василий Иваныч!

— Да.

— Вы… напрасно боитесь, что Зойка будет одинокой. Вы не бойтесь.

— Да?

— Я уверен. Всегда возле нее будут люди. И всегда ее будут уважать.

— Это-то — я тоже уверен. Слушайте, Шура. Уважения сердцу мало. Молодому — тем более. Молодые вы, конечно, совсем молодые. Но теперешняя молодежь рано женится, прежние наши порядки им не указ. Поженились бы сейчас, я б на операцию лег спокойный…

Зеленые ветки, все в солнце, играли листиками за прозрачным стеклом. «Вечно эти старики, — думал Севастьянов, — вечно они, ей-богу… Им с Анной Алексеевной кажется! Бедная Зойка, если б она услышала, вот бы возмутилась, что ее сватают. На Первой линии разве понимают дружбу. Для них все молодые — женихи и невесты».

Он решил не отвечать. «Как я объясню?.. Вам, Василий Иваныч, показалось, она меня не любит, я ее?.. Язык не повернется, не могу я рассуждать с ним об этих вещах. Все без слов понятно».

Склонив голову, он слушал, что шепчет старик. Тот шептал, шептал, шепот стал слабеть. Анна Алексеевна все стояла в ногах кровати, губы ее были сложены горько и неприязненно.

— …Понимаю, — шептал Василий Иваныч, — что жить вы будете не так, как мы. Что мы нажили своим старанием — вы раскидаете и не пожалеете. Но я понимаю, что по-нашему вам не жить. Я тоже развитый стал. Не только я ее воспитывал: и она меня воспитывала. Я все понимаю. Живите по-своему…

— …Дурака озолоти, — шептал он, — дураку ни к чему. Дураку хоть царский престол предложь…

— …Я не могу эту картину видеть, как она на могиле плачет и некому ей слезы утереть, — неожиданно громко в лицо Севастьянову, так что тот откинулся, крикнул он. Его стало корчить и швырять на постели в судорогах тошноты. Анна Алексеевна к нему бросилась. Он замахал на Севастьянова рукой — уйди! Севастьянов встал и вышел в коридор. Закурил…

Ему было жалко, жутко. Он закрывал глаза перед видением смерти. Но в то же время чувствовал протест против посягательства на свое тайное, не подлежащее огласке, — свое, Зойкино, чье бы то ни было. Против старости, которая умирающими руками трогает их, молодых. Давайте так: это наши дела, и мы уж сами в них разберемся.

Санитарка несла по коридору судно. Брел, запахиваясь, больной в сером халате, из-под халата болтались завязки кальсон. Анна Алексеевна вышла и сказала с тихой ненавистью:

— Василий Иваныч вас просит, чтоб вы уходили. Скоро Зоечка может прийти. Чтоб вы не встретились.

Севастьянов спросил: можно ли зайти на минутку к Василию Иванычу сказать до свидания.

— Лучше не надо, Василий Иваныч себя плохо чувствует.

— Передайте привет ему, — пробормотал Севастьянов.

Он еще кое-что хотел высказать. Пожелания насчет вторника. Чтобы операция прошла благополучно. Но Анна Алексеевна так на него посмотрела, только что не говорила: ох, да уходи ты.

Он вышел в зеленый сад, и воздух показался ему упоительно свежим.

Вышел из сада на улицу и обрадовался, что она полна здоровых людей.

Домой возвращаться не хотелось. Потянуло в редакцию, в привычную атмосферу деловитости, бодрости, разнообразных интересов, новостей, острот. Подошел трамвай, он сел.

И увидел Зойку маленькую. Она шла по направлению к клиникам. Нахмурясь, сосредоточенно обходила лужу — тротуар поливали, — чтобы не замочить чувячки, такие же на ней были коричневые чувячки, как на Анне Алексеевне, — это они чтоб по клинике тихо ходить, подумал Севастьянов. В голубой майке, со стопкой книг в руке, она была совсем подросток, школьница.

Она его не видела. Только мелькнула — трамвай рванул, голубая майка осталась позади.

37

Коля Игумнов окликнул Севастьянова, когда тот, приехав в редакцию, проходил мимо его двери:

— Тебя искала женщина.

— Знаю. Она меня нашла.

— Уже? — спросил Коля. — Это твой роман?

— Давай не трепаться, — остановил Севастьянов. — Это моей знакомой мать.

— Это ты брось трепаться. Грубовата немножко, но знаешь, эти скулы, и разрез глаз, и вот здесь на переносице, у бровей, что-то пикантное, познакомь, ладно?

Заглянула уборщица Ивановна:

— Ты здесь, Шура? Тебя к телефону.

То была Нелька, Нелькин жеманный, ненатуральный, балобановский голосок, по балобановским понятиям так полагалось говорить приличной барышне.

— Шура? Здравствуй, Шура, я была у тебя в редакции, но не застала. Я тебя приглашаю — догадайся, на что. Да, ты угадал, Шура. За одного молодого человека. Ты его знаешь. Да, балобановский. Догадайся. Такой шатен. Не можешь, ну скажу. За Жору. Разве это обязательно? Что ты говоришь. По-моему, нисколько даже. По-моему, только лишь в книгах. А в жизни бывает только лишь симпатия. Ну конечно, симпатия есть. Свадьба во вторник, а в четверг мы уезжаем, так что ты смотри приходи, Шура. Кто его знает, увидимся еще или же нет. В Горловку; там Жорин крестный, обещает устроить Жору на завод. Что ты говоришь, Шура, какому молодому человеку? Что-то я не обратила внимания. У вас там много молодых людей. Глаза? Да что ты. Переносица? Как переносица? Я не понимаю, Шура, как может нравиться переносица. Художник? Что ты говоришь. Интересный? А звать? Коля? Ну что же, приводи его. Скажи, что мы приглашаем. У нас, между прочим, будет довольно шикарно. Справляем у Жоры, у них собственный дом.

Нельзя было нанести Нельке такую обиду — не прийти на ее свадьбу, добродушной Нельке, с которой росли вместе, которая латала ему бельишко и поверяла свои секреты. И опять предстоял потерянный вечер — без Зои, но зато почти весь вторник Севастьянов провел с ней вдвоем, возмещая предстоящую потерю. Они взяли лодку и поплыли на свой берег, в те заветные, горячо-песчаные, медово залитые солнцем места. В будний день там было как на необитаемом острове. Только их голоса звучали под синим небом, когда кому-нибудь приходило в голову что-нибудь сказать. Прожив в тишине и счастье этот необыкновенный, синий, бездонный день своей жизни, к вечеру Севастьянов с Колей Игумновым, с подарками и букетами, на извозчике — Коля не захотел идти пешком — ехал в Балобановку.

Собственный дом, в котором справлялась свадьба, был таким, как большинство балобановских собственных домов: «зала», спальня, кухня. В этих трех коробочках ухитрилась поместиться сотня человек, и не только пить и закусывать, но и танцевать. Две гармони играли в очередь без передышки. Танцоры на расчищенном посреди «залы» пятачке как заведенные выбивали чечетку, припадочно тряся плечами: цыганочка входила в моду, парень в Балобановке не считался парнем, если не умел плясать цыганочку; на свадьбе лучшие танцоры показывали свою квалификацию. Они были в наутюженных брюках, сужающихся к щиколотке, в желтых франтовских туфлях с широким рантом, волосы у всех зализаны назад, и на всех длинные, до колен, белые кавказские рубашки мягкого шелка, с высоким воротом и застежкой из мелких пуговиц — до самого подбородка; талии перетянуты узкими поясами с серебряным набором. (Здешние ребята вырабатывали свои моды. Когда при белых Васька Егоров, сын извозчика, стал носить черненое кольцо с фальшивым брильянтом, то многие парни кинулись раздобывать себе такие же кольца.) «Приоделась Балобановка, — подумал Севастьянов, видя кругом добротно одетых людей, — дела в гору пошли». Впрочем, те, у кого не было хорошей одежи, на свадьбы не ходили: народ в поселке жил самолюбивый.

За столами, оттиснутыми к стенам, сидели тесно, обливаясь потом от духоты. Самогона, браги, пива, вина было разливанное море. Закуска тоже щедрая. Горячие пироги подавались со двора через окна, открытые в багровую закатную пыль. Дядька Пимен, сидевший в почетном углу с тетей Маней и жениховой родней, пел песню, силясь всех перекричать, а тетя Маня кричала на него, угрожая разводом. Все громче и неразборчивей становился гомон. В говоре и выкриках тонул, пропадал дробно-бедовый перебор гармони. Нелька, гордая, довольная, скуластенькая, причесанная у парикмахера, в белом платье и фате с восковыми цветочками, сидела между Севастьяновым и Колей Игумновым и рассказывала им, что можно купить обстановку в кредит, с рассрочкой, и что если Жора, бог даст, поступит на завод, то у нее будет зеркальный шифоньер. Коля, красивый, ослабевший от выпивки, с взмокшими и перепутанными над лбом белокурыми волосами, брал Нельку за руку и говорил задушевно:

— Не надо, Нелли. Не надо про шифоньер. Вы лучше скажите, когда я вас буду рисовать. Почему мы не встретились раньше?

А перед ними, задумчиво на них глядя, выбивал чечетку и тряс плечами Нелькин муж. С руками, повисшими как плети, с тощей вытянутой шеей, в кавказской рубашке, застегнутой до самого его маленького круглого смуглого ребячьего личика, плясал он и трясся, неутомимый, прямой, как деревянная кукла. Когда кричали «горько», Нелька вставала, целовала его и возвращалась, цепляясь фатой за стулья.

— Нелли, — говорил Коля, — я тебя не понимаю, как ты можешь его целовать.

— Коля, что вы говорите, — отвечала Нелька. — Вы не должны говорить, Коля.

Севастьянов пил нехотя и думал о Зое. Она отказалась пойти с ним на свадьбу. Отнекивалась шутливо, придумывая всякие отговорки, и вдруг сказала резко, со слезами в голосе: «Да ты что, слепой, не видишь — мне же не в чем идти! Что мне за удовольствие быть хуже всех!» Он поразился, он никогда не думал, что она может считать себя хуже всех и страдать от этого, она, беспечная и лучезарная, избалованная любовью и знающая себе цену. У него открылись глаза. Мужской стыд обжег лицо. Сидел писал письма... Нет чтоб подумать о ней по-настоящему, как о близком человеке, что у нее есть и чего нет и что ей нужно.

— Не сердись на меня! — сказал он. — Я дурак! Мы сошьем платья! Ах я дурак! Ты же так все это любишь. Всякую чепушинку любишь. Бусы из ракушек... Скажи, — спросил он, становясь все более зрячим и с этой новой зрячестью уверенно вступая в мир, где обитала она со своими желаниями, со своей женской, детской, странной и важной сущностью, — ты в балетный кружок не для того ли записалась, чтобы надевать разные наряды и шарфы, правильно я сейчас подумал? Скажи.

— Да-а, — прошептала она. — Только не говори никому.

— Я вспомнил одну вещь. Это прошлым летом. Ты хотела лакированные туфельки. Так у тебя и не было лакированных туфелек.

— Не было...

— Купим туфельки. Я как зверь буду работать. Я сколько хочешь могу работать. Это я сейчас развинтился, пишу не то, что надо, пишу тебе письма.

Она прижалась к нему.

— Пиши мне письма. Я люблю твои письма.

— Хватит. Больше не буду писать письма. Буду дело писать. — Он быстро соображал, как заработать побольше. — Как раз начались отпуска, за всех отпускников буду работать. А сам в отпуск не пойду, возьму компенсацию, сразу мы с тобой разбогатеем.

И — губами трогая шелковистые волосы на ее затылке:

— Только во вторник еще погуляем, хорошо?

Он сильно устал в этот вторник, проведенный на необитаемом острове. Попав с необитаемого острова в гам, звон и мельканье свадебной пирушки, с трудом заставлял себя проделывать что требуется: разговаривать, чокаться, улыбаться. Пить он не привык, а тут все время подливали в рюмку и провозглашали тосты, и как он ни крепился — «зала» пошла ходуном, туман заволок глаза... Туман разошелся: была ночь, горели керосиновые лампы, много жарких слепящих ламп, за столом поредело. Севастьянов поднялся и, раздвинув чечеточников, пошел к выходу. В кухне танцевали падеспань; на сундуке спал Коля Игумнов, подтянув к подбородку длинные ноги. Посреди двора, в падающем из окошек свете, одиноко стояла Нелька, белея венчальным нарядом.

— Будь здорова, — сказал Севастьянов. — Желаю тебе всего.

— Если б ты родной был брат, — сказала она, — ты б меня познакомил раньше. Ты бы не допустил, чтоб я за Жорку вышла мимо своей судьбы.

— Ты выпила, — сказал он. — Это же все трепотня. Он утром не вспомнит, что молол. Уезжай, Нелечка, в Горловку.

И, погладив ее по голове, направился знакомой дорогой.

В черноте, набитой звездами, шел и думал бодрые думы. Скоро начнет светать. Наступит день, трезвый, рабочий. Да здравствуют трезвые рабочие дни! Приду к Акопяну, нагрузите меня, скажу, хорошенько, мне очень надо. Ввиду особых обстоятельств. «Особых» или «семейных»? «Особых». И ты увидишь, Зоя! Этого разложения, чтобы в рабочее время уплывать на необитаемые острова и писать малахольные письма… С этим кончено. Увидишь. Они все зарабатывают своим женам на платья и всякое там барахло, — а я, неужели не заработаю? Это же счастье — заработать для тебя… Сколько все мы тратим времени на гулянье, дуракавалянье, разговорчики, пение песен, — ужас сколько времени. Разболтанность. Безответственность. А еще о вузе мечтаю. При таком образе жизни и рабфака не одолеть. Бесхарактерность: зовут гулять — идешь, наливают тебе самогона — пьешь эту отраву… Чего пил? Ну, чего пил? Ведь от души воротило… В девятнадцать лет — что я сделал? Ни черта. Тот же Илья Городницкий сколько уже успел, а на много ли он старше?..

Чернота светлела, звезды меркли. Вошел в город — уже только одна звезда легко и алмазно висела на востоке над крышами окраинных хибарок, все было серого цвета и неподвижно. Акации стояли погруженные в сон. Трубы не дымили. Спал сидя сторож на лавочке возле маслобойного завода. Два-три прохожих, должно быть загулявшие, как и он, за весь путь повстречались Севастьянову. Он сделал крюк, свернул на Первую линию. Отсвечивали камни пустых крылец. Мимо подворья, где жила Зоя, прошел он, мимо ворот с низенькой калиткой. «Я тут, я снюсь тебе?..» Хотел войти во двор, но не решился: собаки забрешут по всей Первой линии. Рядом, у Зойки маленькой, жалюзи были опущены наглухо. Севастьянову вспомнилось, что в этот вторник, который только что минул, Зойкиному отцу, Василию Ивановичу, должны были делать операцию. «Ну, если спят, верно все благополучно», — подумал Севастьянов, проходя, — ему не хотелось думать о печальном.

Чуточку зарозовело небо и по деревьям пробегал шелест пробуждения, когда он добрался домой, предвкушая, как сладко сейчас уснет. Во дворе, как и всюду, — ни души, безмолвье. Грохот его шагов по наружной железной лестнице должен был, казалось, разбудить весь квартал. Он достиг последнего лестничного марша и увидел, что кто-то сидит на ступеньках пониже площадки, на которую выходила его дверь. Этот кто-то спал, закутавшись в серый платок и прислонясь к перилам, — Зоя! Зоя у его двери! Как мог тише — чтоб не испугать — поднялся он к ней. Лицо ее было закинуто к розовеющему небу, губы приоткрыты. Он осторожно сел рядом. Осторожно обнял. Она открыла непонимающие глаза и закрыла снова.

— Зоя! — прошептал он.

Она устроилась удобней у него на груди и сонно задышала.

— Проснись! Пойдем! — будил он шепотом и покачивал ее в руках. — Проснись! Как же ты?.. Могла сорваться… убиться…

— Это ты! — сказала она, проснувшись. — Я к тебе пришла.

— А я был на Первой линии. Разговаривал с тобой, а ты тут!

— Ты был у нас? У моих?

— Да нет. Я прошел мимо. Знал бы я — вот балда! Ты давно тут?

— Не знаю. Наверно, не очень. Не знаю. Я ходила по улице…

— Какая ты умница, какая удивительная, что ты тут!

— Он выгнал меня. Он сказал, чтоб я… чтобы я девалась куда хочу.

Она залилась слезами в его руках.

Он смотрел на нее, покачивая. Все было как сон. Розовое небо и сквозная железная лестница, повисшая над пустым двором. И они двое на вершине лестницы.

— Но он же замечательно сделал, что выгнал тебя. Он просто ничего гениальнее не придумает за всю свою жизнь. Я его обожаю за то, что он тебя выгнал! Я не знаю, как его благодарить! Давно бы ему догадаться это проделать — выгнать тебя, чтоб ты пришла ко мне, где же быть тебе, если не со мной, а? Скажи.

Он говорил ей в ухо и прикладывал губы к этому маленькому уху, распылавшемуся от слез, и старался рассмешить ее и успокоить, и ни о чем не спрашивал, чтобы не растравлять ее обиду, — никогда ни о чем он не спрашивал, она была свободный человек, ее любовь была — прекрасный дар.

— Мы еще долго тут будем сидеть, как ты думаешь? — только это спросил он под конец, и она засмеялась. До чего становилось весело, когда она смеялась и смеялись ее глаза, еще полные дрожащих слез, в мокрых ресницах и уже ликующие, ее глаза — черные зрачки в золотисто-карем ободочке, голубой белок и по маленькому Севастьянову в каждом зрачке.

Он открыл своим ключом дверь черного хода. Остерегаясь разбудить ведьм, тихо прошли они через кухню в свою комнату.

Часа два он проспал глубоким сном и проснулся разом, словно его встряхнули. Встряхнула мысль: «Еды ни крошки; когда она ела вчера? Она проснется голодная». С гордостью и нежностью, которых раньше не знал, посматривал на нее, одеваясь. Обшарил карманы, собрал все свои деньги, мятые бумажки, сосчитал… Она спала. Ее старый серый вязаный платок, порванный во многих местах, висел на спинке кровати. Перед тем как уйти, он взял этот платок и укутал ей ноги поверх одеяла. Не потому, что она могла озябнуть; она не могла озябнуть в это теплое утро; а потому, что ему теперь необходимо стало укрывать ее, кутать, заботиться о ней.

38

Брат и мать считают ее своей собственностью. Так понял Севастьянов из ее объяснений. Многое он предпочел бы не знать. Упоминание о Щипакине было как обухом по темени, но Зоя хотела объяснить, какие отношения у нее сложились в семье, почему она вынуждена была уйти. Когда она собой ради них пожертвовала, они решили, что так всегда будет; что они будут распоряжаться ею как своим имуществом.

До революции они жили под Петроградом, в деревне Пудость. Отец держал маленькую, совсем маленькую, крохотную гостиницу; без вывески даже, но ее знали; в нее приезжали парочки на одну ночь — из шикарных мест вроде Царского, Павловска, — «иной раз такие офицеры приезжали и с такими дамами, ты даже не представляешь, как эти дамы были одеты и какими от них пахло духами!» Отец умер. От войны и голода они уехали на юг к бабушке. Зое было тогда двенадцать лет. Бабушка тоже умерла. У нее тоже все пропало.

— Мы ужас до чего нуждались. Меня кормили у Зойки, а его и маму никто ведь не кормил. И его не хотели принимать никуда, считали, если горбатый — значит, слабый, вечно будет на бюллетене. Мы бы просто пропали, если бы он не устроился на работу.

Мать жалеет горбуна и слушается, Зою она не любит и ругает. А горбун Зою ненавидит. Он всех здоровых ненавидит за свое уродство.

— Правда, он думал — Толя женится. — Она мерзавца Щипакина называла Толей.

— Перестань!

— А вчера я сказала, что не выйду за этого… за которого они хотят, чтоб я вышла. У него фруктовый магазин на Садовой. Он…

— Перестань! Больше ты к ним не пойдешь. Все кончено, не думай, забудь.

— Как же я не пойду, там все мои вещи, надо забрать.

— Какие у тебя вещи.

— Ну все-таки. Я же совсем без ничего. Выбежала — платок схватила…

— Хорошо, я заберу. Тебе туда не для чего ходить.

— Нет, тебя я не пущу. Ты ненормальный.

— Не бойся, я его не прихлопну. Я не хочу сидеть в исправдоме. Слишком много у меня есть, чтоб я от всего отказался и сел в исправдом.

Он пришел к ним, когда горбун был на работе. Зоина мать месила тесто, босая, с волосами, кое-как сколотыми на затылке гребенкой, руки выше локтя в муке.

— Я за Зоиными вещами, — сказал Севастьянов.

— Она где же? — отрывисто спросила женщина.

— У меня, — ответил он.

Она вытерла руки тряпкой и пошла собирать одежки, валявшиеся здесь и там. Убого, грязно! Вокруг плиты просыпан штыб. Возле кровати лежал среди щепок топор. Женщина обходила его так, словно это было его постоянное место, словно так и следовало топору лежать возле кровати. В кривое оконце, расположенное низко над полом, видна была земля, залитая мыльными помоями.

«За этот стол она садилась, — думал Севастьянов, — здесь по утрам открывала, проснувшись, глаза… И хоть бы что-нибудь, кроме помоев, было видно в оконце, я всегда считал, что у них, наверно, еще хуже, чем в Балобановке, там по крайней мере небо кругом, простор, а здесь все стиснуто… Выходила отсюда за стихами, за танцами, за радостью, а возвращалась-то обратно в этот куток, к братцу и к мамаше…» В жилье пахло какой-то гнилью, как из старой бочки. Головой Севастьянов почти касался потолка.

— Пользуешься! — сказала Зоина мать и швырнула ему узелок. У нее были отекшие щеки и мешки под глазами, но глаза красивые, карие, брови длинные, и Зоя и проклятый горбун были похожи на нее. — Пользуешься, сволочь, что человек обиженный, что силы у него нет добраться до твоей ряшки!

Севастьянов взял узелок и вышел. С многочисленных крылечек, из окошек с геранями жители подворья смотрели, как он идет по обставленному лачугами дворику, шагая через мыльные лужи.

На улице под акациями мальчишки играли в айданы, они кричали, как воробьи. Жалюзи на доме Зойки маленькой были опущены по-ночному — наглухо. «Надо справиться о Василии Иваныче. Совестно не зайти, рядом был и не зашел. Зойки и Анны Алексеевны, должно быть, дома нет, ну у бабушки узнаю». Севастьянов поднялся по горячим от солнца камням и нажал белую пуговку звонка. Звонок отчетливо прозвучал за дверью; но никто не вышел, и раз и другой. «Может, они во дворе». Калитка была заперта. Севастьянов постучал.

Мальчишки, игравшие в айданы, обратили на него внимание и, отвлекшись от своего дела, сказали ему:

— Эй, ты! Чего ломишься! Они в больнице все! У них хозяин помирает!

39

Еще раз он побывал на Первой линии — уже после смерти Василия Ивановича.

О смерти узнал не сразу и на похоронах не был.

Шел и боялся, думал: будет плач, рыданья. Увидят его и заплачут в голос. Станут рассказывать, как мучился, что говорил. И какими словами утешать, разве их можно утешить?

В эгоизме своего счастья он не желал печали, не желал боли, причиняемой жалостью, желал нераздельно принадлежать своему счастью. Шел потому, что как же не пойти — не по-людски, не по-товарищески…

Зеленые жалюзи были подняты, сквозь них белели занавески.

Отворила Зойкина бабушка: глянула через цепочку — кто там — и впустила. На робкое «здравствуйте» Севастьянова ответила густым голосом, ободряюще:

— Здравствуй, зайди, — и важно покивала головой, как бы говоря: «Да, такие у нас обстоятельства, что же делать, тут уж ничего не поделаешь».

Она сказала, что Зоечка занимается во дворе. Он прошел через комнаты и кухню, — все было на прежнем месте, аквариум, пианино, цветы, полки с сияющими кастрюлями. Тот же пол, как свежим лаком покрытый, и дорожки от двери к двери — без единой морщинки. Будто никто не ушел из дома навеки. «Как странно», — думал Севастьянов. Он бы счел более закономерным, если бы нашел в доме упадок и хаос, и среди хаоса они бы лежали замертво.

У Зойки оказалась целая компания — два парня и две дивчины, все незнакомые. Они сидели под черешнями на разостланном рядне, кругом были разложены книги, тетради, листочки. Зойка сразу увидела Севастьянова, выходящего из дома, и смотрела на него пристально, не вставая, — по ее лицу двигалась пестрая сетка теней и солнца, и он не мог разобрать выражения этого маленького похудевшего лица, неподвижно обращенного к нему… Это длилось несколько секунд, не больше. Отложив книгу, она встала ему навстречу. Судорога прошла по ее горлу, точно она что-то проглотила с трудом; но она не заплакала.

— Здравствуй, Шура.

— Здравствуй, Зоечка. Как живешь?

Он готов был убить себя, уничтожить на месте за этот вопрос! Но, честное слово, это сорвалось с языка от растерянности и беспомощности перед ее горем.

И она это поняла, как понимала все с ним происходящее всегда, всегда. Ей, кажется, даже понравилось, принесло ей облегчение, что он приступает к разговору так обыкновенно, буднично, — словно никто не ушел навеки.

— Вот, немецким занимаемся, — ответила она. — У нас у всех с немецким так плохо, что хуже некуда. Знакомься. — Она назвала какие-то имена. — А это Шура, мой товарищ детства.

Ребята недовольно посмотрели снизу на Севастьянова. Он сказал:

— Я помешал вам.

— Немножко, — согласилась Зойка.

Она стояла, сложив на груди руки и держа себя за локотки. Губы у нее были бледненькие, голубоватые от бледности. И вообще выглядела как после тяжелой болезни.

— Пойдем, пусть они занимаются, — сказала она и пошла впереди, все так же крепко ухватив себя за локти.

— Я тебя еще не поздравляла, — сказала она не оборачиваясь.

— Спасибо, Зойка.

Он ждал, что Зойка спросит: «Почему она не пришла?» Но Зойка не спросила.

Зоя не захотела с ним пойти, сказала: «Ну, на Первую линию мне теперь дороги закрыты», — Севастьянов понял это так, что ей там невозможно показаться после того, как родные ее прогнали. Но по Зойкиному молчанию он догадался, что есть и другая причина. Рассорились, что ли? Или то, что одна счастлива, когда другую постигло несчастье, стало стеной между ними?

— Поздравьте Шуру! — сказала Зойка, вводя Севастьянова в комнату, где ее мать и бабушка сидели друг против друга: бабушка торжественно держала перед собой поднятые руки с распяленным на них мотком шерсти, а Анна Алексеевна сматывала шерсть в клубок быстрыми ловкими движениями.

— Они с Зоей поженились, поздравьте его.

Анна Алексеевна обернулась и уколола его острым взглядом. Бабушка с воздетыми руками многозначительно покивала головой, как бы говоря: «Да, да, такие обстоятельства, тут уж ничего не поделаешь». Они продолжали свое занятие. Стоя возле них, Зойка сказала:

— А я поступаю на работу.

Он знал, что после смерти отца она станет во главе семьи — работница и заботница, ответственная за себя и за этих двух старых женщин.

— Иду учить детей. Меня принимают в железнодорожную школу, в первую ступень.

— А педфак?

— Думаю — окончу. У нас большинство и учится и работает.

— Нелегко! — посочувствовал Севастьянов и покраснел — до того неуклюже прозвучало слово сочувствия. Что ни скажешь — все не то и не так.

— Что же Зоя не приходит? — тихо спросила Анна Алексеевна. — Ходила, ходила…

— Мама! — сказала Зойка и положила ей руку на плечо. Но Анна Алексеевна продолжала, голос у нее срывался от ненависти:

— Пять лет ходила. Что ж перестала? Когда нам хорошо — она здесь, а когда…

Быстрыми движениями она мотала шерсть и светлым, яростно разгорающимся взором вонзалась в лицо Севастьянова, подавшись вперед, — он даже отступил на шаг перед этой ненавистью, которую так неприкрыто выражала ему тихая женщина, прежде спокойная и приветливая. «Ясно — ее ненависть вытекает из заблуждения насчет Зойкиных чувств ко мне», — подумал Севастьянов. Ему стало тяжело от этого заблуждения, тяжело за ничего не подозревающую Зойку и за Анну Алексеевну, что она мучается, что она придумала себе еще это горе… Все же он тогда не мог угадать подлинных размеров ее ненависти. До конца своих дней ненавидела его Анна Алексеевна; до гроба не простила ему того разговора в клинике, у постели умирающего; и Зои ему не простила. Беды, постигавшие его впоследствии, она воспринимала как расплату; и все ей было мало, все, казалось ей, он недоплатил. И любовь к дочери никогда не могла заставить ее, исступленную мать, говорить с Севастьяновым по-доброму и смотреть на него иначе, как этим пронзительно светлым колющим взглядом.

— …а когда плохо нам — ее нет, — выговаривала она с болью.

— Мама! Мамочка! — укоризненно повторила Зойка, а Севастьянову сделала властный знак — молчи, не отвечай.

— Зойка! — заорали во дворе. — Зойка!

Зойка выглянула в открытое окно, крикнула: «Сейчас приду!» — и вернулась.

— А через несколько дней, — сказала она, гладя мать по спине, — мы с мамой уезжаем в Ейск. Договорюсь окончательно насчет работы, и сейчас же мы уедем. На все лето.

Это прозвучало предупреждением: не трудись приходить, меня здесь не будет.

«Такие обстоятельства», — подтвердила бабушка, покивав головой.

«Я им ни к чему; уходить надо». Трудно было стоять столбом посреди комнаты — «сядь» никто не сказал. Он виноват, конечно, он тоже, как Зоя, не был с ними в их черные дни, Зойка маленькая разочаровалась в его дружбе и хочет, чтоб он ушел. Раньше она этого не хотела. Но мало ли что было раньше, отношения разладились, у каждого теперь своя жизнь, они не находят, что сказать друг другу... Зойка умолкла, у нее усталый вид. Она от него устала, от его немоты, неуклюжести, ненужности. Ей хочется к тем, под черешнями, она им крикнула: «Сейчас приду».

— Значит, так.

— Значит, так.

— Помочь чего-нибудь не надо? С поездкой. Упаковать, проводить...

— Спасибо, ничего не надо.

— Ну, до свиданья. Будьте здоровы. Хорошо съездить вам.

— Будь здоров, — покровительственно сказала бабушка.

Через тихие чистые комнатки, полные зеленоватого — от жалюзи — аквариумного света, Зойка проводила его до парадной двери. Он шел, радуясь, что уходит из дома, где не знаешь что говорить, где одни тебя ненавидят, а другие к тебе равнодушны... Но когда прощались в передней, вдруг ощущение утраты охватило его, такое тревожное, что он не сразу выпустил ее руку, хотя она и глядела на него далекими глазами.

— Зойка! Слушай! Я страшно хочу, чтоб ты скорей успокоилась. Чтоб тебе было хорошо. Ты знаешь, правда же — я по-настоящему хочу, чтоб тебе было очень хорошо! Слушай, пожелай и ты мне... Ты даже не сказала, что ты об этом думаешь.

— Да, я хотела сказать, — торопливо произнесла она, — я забыла сказать — я рада, что Зоя ушла наконец из семьи, сколько раз я говорила — уходи. Мы звали ее жить к нам, но они не позволили... Я рада... Она веселая?

— Да.

— Ты ее любишь.

— Да.

— Она прекрасная.

— Правда?! Правда?! — переспросил Севастьянов в восторге от ее одобрения.

Бледные губы бледно улыбнулись его восторгу.

— Ты так счастлив, — сказала Зойка маленькая, — что тебе прибавят мои пожелания? Будь счастлив всегда, как ты счастлив сейчас.

И он переступил этот порог и захлопнул за собой дверь. И зеленые жалюзи, сощурясь, смотрели искоса, как он уходит по солнечной улице.

40

Ведьмы стали очень прилично обращаться с Севастьяновым после того, как Семка Городницкий переселился к брату. «Кто же его брат?» — спросили они; ответ подействовал волнующе. Каким-то образом ведьмы узнали и о квартире с казенной обстановкой, и о Семкиной поездке на курорт (не иначе — подслушивали под севастьяновской дверью); и, кажется, им вообразилось, что Севастьянов тоже этакий заколдованный принц, что ли, живет-живет в полупустой комнатушке, умывается над кухонной раковиной, а потом и за ним вдруг явятся короли и королевы и уведут в шикарную квартиру с казенной обстановкой... Они даже стали говорить Севастьянову «здравствуйте», и он им отвечал благодушно, он был парень уживчивый.

Но стала приходить Зоя, и они опять выпустили свои когти. Севастьянов терпел. Когда же Зоя совсем к нему переселилась, он вышел в их бушующий курятник и произнес небольшую речь:

— Это моя жена. Прошу нам выделить место, чтобы мы могли поставить наш столик и примус. Нападки прошу прекратить, чтоб мы их больше не слышали.

Его ведь не было дома почти целый день, он должен был обеспечить Зое спокойное существование.

И ведьмы присмирели, они поняли, что он уже не мальчик, но муж, на них произвела впечатление его уверенность. Окончательно же приручила их Зоя. Кого угодно умела она очаровать! Не прошло и недели, как ведьмы ей уже улыбались и угощали пирожками.

— Вот черт. Как ты добилась?

— Я не добивалась. Я не понимаю, что вы нашли в них страшного. У нас на Первой линии куда скандальней были тетки. Эти мне рассказывают свою жизнь...

— Может быть, дело в том, что мы с Семкой их не просили рассказать нам свою жизнь?

— Очень может быть, — ответила она убежденно. — Им же надо кому-то рассказывать. А друг другу они давно рассказали и спели.

— Спели?

— Да. Эта, которая носит валик на голове, Ольга Кирилловна, — она мне поет романсы, которые пела в молодости.

— А инвалиды тебе тоже поют? — спросил он смеясь.

Она и с инвалидами подружилась, и они с ней раскланивались и заговаривали приятельски, и играла и бегала по двору с Дианой, собакой Кучерявого.

Собака прижималась к ее ногам и заглядывала ей в лицо.

Люди и собаки льнули к ней.

Севастьянов был здорово загружен. Акопян отнесся к его просьбе чутко — завалил его работой выше головы; в ячейке приходилось замещать секретаря, молодого печатника, ушедшего в отпуск. Но, несмотря ни на что, раз-другой в день Севастьянов забегал домой проведать — как там Зоя; увидеть ее, услышать, увериться, что все обстоит так же, как три часа назад… Все обстояло так же и даже еще лучше. И полно событий было начало лета.

Он вел ее на базар, чтобы накормить. Вел за руку, как ребенка. Над степью пролетала в это время гроза, краем зацепила город; докатывались ее раскаты, дождь шел, а солнце продолжало сиять. Они не спеша беззаботно шли под теплым дождем. Ее темные кудри намокли и стали почти черными. Платье облепило плечи. И на губах была влага дождя, когда он поцеловал эти губы. Навстречу шли с базара молочницы, гремя пустыми бидонами, и смотрели на них с негодованием, которое их смешило.

Пришли на базар, он ее кормил своими любимыми кушаньями. После всего купили клубники и ели ее на ходу, такое было удовольствие — выбирать для Зои самые крупные ягоды. Почему-то им необходимо было наточить нож. Лакомясь клубникой, промокшие до нитки, они искали точильщика. Тот стоял под навесом рыбного ларька, где гирляндой висели на веревке копченые рыбцы такого цвета, как начищенный самовар. Точильщик точил нож, бенгальскими звездами слетали с точила искры. В соседнем ряду торговали свежей рыбой: длинным валом было навалено животрепещущее мокрое серебро. Серебро дождя поливало эти груды сулы, чебака и сазанов, перламутровые глаза и дышащие жабры на малиновой подкладке…

В другой раз их настигла настоящая гроза, они пережидали ее, вместе с другими прохожими, в чьем-то темном парадном. Когда грохот ливня и грома утих, вышли на добела умытую улицу. По мостовой, в гребнях пены, скакал поток. Пришлось разуться. Севастьянов засучил брюки. Босиком перешли они бурный поток, неся обувь в руках. И смеялись, все им было смешно.

Тем ножом она порезала палец. Как он испугался! — до холода в спине при виде крови. От испуга накричал на Зою: голова садовая, надо же помнить, что нож наточен! Он видел кулачные бои, сам, пацаном, в кровь бился с пацанами; но здесь была ее кровь, бегущая струйкой из ее пальца, из продолговатой, как виноградина, подушечки ее пальца...

Покупали материю на платье. Она вошла в магазин с благоговейным выражением. Тихим взволнованным голосом сказала продавцу: «Покажите, пожалуйста, маркизет», — старик продавец понял, что случай чрезвычайный, огромный, и отнесся к ней так внимательно... Осторожно щупала, перебирала, поглаживала ткань ласковыми руками, — один палец был перевязан белой тряпочкой...

Ходили в кино (тогда оно называлось «биограф»); смотрели «На крыльях ввысь», и «Банду батьки Кныша», и американские картины с ковбоями и погонями, и старые картины с Верой Холодной — неправдоподобная жизнь в особняках и виллах, любовные измены, адская ревность с смертельным исходом. Что бы они ни смотрели, они ежеминутно целовались, словно им больше негде было целоваться, кроме как в биографе, в сумраке сеанса. И руку ее он крепко держал в своей, кто бы там на экране за кем ни гнался и кто бы ни травился.

Бывали в театре и на концертах, она все это любила еще больше, чем он. «А куда мы пойдем сегодня? — спрашивала. — А куда пойдем завтра?» В молодежный летний клуб пошли два раза и перестали ходить: там мелькало желтое больное лицо Спирьки Савчука и на всех аллеях, куда ни сверни, болтал, резвился, вертелся перед девчатами нарядный, пропахший кожевенным запахом, розовый и миловидный, как девочка, Ленька Эгерштром. Савчук отворачивался, а Ленька позволял себе как-то очень странно посматривать на Севастьянова, очень обидно, с сожалением, — этот пижон! И что еще странней и обидней: Севастьянов не отваживался подойти и спросить — «ты почему так смотришь?» Его щеки тяжко горячели от Ленькиных взглядов, он слышал, как Зоя, идя рядом, начинает хохотать без причины нервным хохотом, который ему не нравился и был непохож на ее настоящий смех, — и он говорил: «Уйдем». Зоя, видя его настроение, сказала, что в молодежном клубе скучно и ей надоели мальчишки.

И без молодежного клуба можно было хорошо провести вечер. В гостеприимный теплый город приезжали из Москвы на гастроли театры, певцы, музыканты. Контрамарки всегда удавалось достать через редакцию.

Был один концерт… По глупости и серости Севастьянов не поинтересовался фамилией певицы. Когда объявляли, не слушал, а после не догадался заглянуть в программку — узнать, как звали человека, который, явившись ему однажды и мимолетно, запомнился на всю жизнь. Немолодая, сухая, высокая, острые локти, большие руки. Большой рот становился удивительно красивым, когда она пела. А пела она о любви Севастьянова, только о любви Севастьянова, ни о чем другом; и пристально, казалось ему, глядела на него близко посаженными темными глазами, и он ей улыбался смущенно-благодарно, тронутый ее сочувствием, ее совершенным пониманием того, что в нем делается. «Мой голос для тебя и ласковый, и томный… — торжествующе пела она, это было молодое, первое торжество Севастьянова, — во тьме твои глаза блистают предо мною»… «Я чего-то так робко, так трепетно жду», — пела она потом иначе, медленно, пригашенно, как сквозь дымку, это Севастьянов рассказывал о нынешнем своем постоянном ожидании нового и нового потрясения счастьем. Темные, близко посаженные глаза глядели на него умно и задумчиво. «Она знает! — думал он, полный ответного понимания. — У нее это было тоже!» И хотя, например, слова романса «Редеет облаков летучая гряда» не подходили к его состоянию, но дело ведь не обязательно в словах, дело в том, как спеть в музыке, усиливающей тревогу, порыв ожидания. И словно подытоживая то, что носил в себе Севастьянов, женщина пропела негромко: «Открылася душа, как цветок на заре», — и началась ария Далилы, ария, которую с тех пор и навсегда не может услышать Севастьянов без того, чтоб не дрогнуло в нем что-то и не увиделся зал, рояль высоко на эстраде, и белое платье певицы, и сам он, напряженно слушающий повесть своей любви. «От счастья замираю! От счастья замираю!» — пел, заполняя зал, распахнутый ликующий голос, — Севастьянов замер и закрыл глаза.

Потом думал: что за контакт с незнакомым человеком, что за нитка вдруг натянулась между ними.

Конечно, она не на него смотрела, у нее глаза такие, немного скошенные, кажется, что смотрят на тебя. А нитка все-таки натянулась.

До чего хорошо, что есть на свете музыка, стихи, рояли, залы, человеческое тяготение друг к другу, человеческое бескорыстное взаимопонимание.

Много добра накопили люди, думал Севастьянов. Зданиями, словами, чувствами обстроили и заселили землю. И как прекрасно — к тому, что накоплено, приложить свою часть, думал он.

Не просто быть и исчезнуть, а оставить после себя что-нибудь достойное, быть сбереженным. Достойное — быть унесенным в перспективу веков! Какая высокая судьба!..

…А пения такого он больше уже не слыхал, хоть и переслушал за свой век несчетное число певцов и певиц.

41

Севастьянов писал в редакции. Вошел Кушля. С порога уважительно оглянув пишущих репортеров, прошел к севастьяновскому столу, сел и развернул газету.

— Я сейчас! — сказал Севастьянов. — Заканчиваю!

Они по телефону уговорились, что Кушля зайдет за ним в редакцию и поведет показать сына.

Кушля сидел, важно хмурясь, и делал вид, что читает. Но он не мог скрыть свое праздничное настроение, оно разглаживало складки между его бровями, расправляло все его мятое лицо и разливалось вокруг него сиянием. Он был побрит и густо присыпан пудрой — парикмахер Иван Яковлевич пудры не жалел.

— Замечательная вещь! — сказал он мечтательно, когда они шли по улице. — Ты не поверишь: ручки, ножки, — дорогой товарищ: копия моих! Ну, не поверишь: ноготки моего фасона! — Он любовно посмотрел на свои ногти и показал их Севастьянову. — Такой ноготок, что его почти и не видно, а отлит по этой самой форме, в точности. Глазки голубые: тоже мои; у Лизы серые. Одним словом: мы с ним как две капли воды. Смотрю на него — и веришь: реву. Я, как ты знаешь, крепкой породы, а тут реву и реву. Самому смешно. Ей-богу. Вообще, скажу я тебе: жизнь — хорошая штука!

— Спрашиваешь.

— Хорошая штука. Она тебе, конечно, иной раз такую пакость преподнесет, что даже удивляешься — откуда столько на твою голову… но и награждать умеет. Умеет! И я заметил — уж когда она возьмется награждать, то награждает щедро, надо ей отдать справедливость, — на тебе одно, на другое, на тебе третье!.. Я сына хотел: родился сын. Десять фунтов с четвертью — не каждый, учти, ребенок имеет при рождении такой вес… Теперь — ты послушай — предстоит мне наконец желательная перемена, ну ты знаешь.

— Да что ты! Поздравляю!

— Да. Мне эта петрушка, понимаешь, надоела, что я пишу, они читают, а дело ни с места. Я пошел к Дробышеву. Говорю ему — товарищ Дробышев, у меня желание работать в прессе. Вот, говорю, я тебе почитаю. Он говорит — оставьте, я сам прочту. Нет, говорю, читай тогда при мне. Немножко с ним поспорили. Но потом я оставил, и вот сейчас был у него за ответом. Я тебе скажу — он партиец настоящий. Акопяну что главное? Ему главное — как написано. Каждое слово перебирает и придирается. Можно лучше написать, можно хуже. У одного большой талант, он, ясно, лучше напишет, у другого талант немножко меньше — он напишет немножко хуже. А Дробышев смотрит в самую суть, он смотрит: кто писал.

— И что он сказал тебе?

— Он привел мудрую пословицу: терпенье, говорит, и труд все перетрут. В данный, говорит, момент не могу вам ничего предложить, но вот с осени будет у нас сельская газета, по типу центральной «Крестьянской газеты», мы вас туда устроим. Я, говорю, хочу такую должность, чтоб меня печатали. Ну что ж, говорит, будете разъездным корреспондентом, селькоровское движение будете организовывать, это одно с другим связано. Поскольку, говорит, вижу я, вы знаете деревню. А то мне не знать деревню!.. «Советский хлебороб» будет называться газета.

— По-моему, Андрей, это очень тебе подойдет!

— Что значит подойдет — можно сказать, превосходит самые смелые фантазии. Разъездной корреспондент!

— А насчет жилплощади не говорил с ним?

— Говорил. Обещает. Не сразу, но до зимы обещал устроить что-нибудь. Уж это точно, заметь: если начнет получаться, то подряд все получается. Как по щучьему веленью... Обязательно, сказал, что-нибудь вам с семьей устроим. С семьей! Слышишь? — сияя, спросил Кушля и ткнул Севастьянова локтем. И вдруг глубоко помрачнел. — Да, а с Ксаней-то не решена проблема. И покамест я эту проблему не решу, будь уверен, пусть мне Дробышев хоть всю редакцию, понимаешь, под жилье дает, я из своего угла не выйду и с семьей не объединюсь, потому что это будет с моей стороны очень и очень нехорошо!

Он утер глаза.

— Жалко ее — не можешь себе представить, до чего. Как вспомню о ней сердце кровью обливается. Так вот идешь человеку навстречу в его чувствах и не думаешь, каково обоим это будет расхлебывать! А голова, между прочим, дана, чтоб думать, верно?

— И что же ты теперь думаешь?

— Мы вместе думали, — ответил Кушля, сморкаясь, — ей тоже ясно, что как-то надо же выходить из положения. Поскольку Андрюшка налицо. Прежде не было, понимаешь, определенности. Она вполне имела право надеяться, что, возможно, в ее пользу обернется дело. Обе они надеялись и такое, ты знаешь, кругом меня развели... Мы с ней беседовали откровенно. Ты, говорю, пойми, что такое сын. Он меня своими ручками и глазками вот так взял и уже никогда не отпустит. Она говорит — я понимаю. Я ее спрашиваю: можешь перестать страдать? Можешь ты переключиться на какую-либо деятельность? Она говорит: ничего я не могу. Ты, говорит, меня куда-нибудь девай. Обсудили мы вопрос всесторонне, и написал я, знаешь ли, на родину, в Маргаритовку.

— Хочешь отправить ее в Маргаритовку?

— Да, хочу ее туда отправить.

— Считаешь, что это выход?

— Единственный выход, дорогой товарищ, и неплохой выход! — убежденно ответил Кушля. — Либо нам уезжать с Андрюшкой и Лизой, либо ей. А то она возле отделения как нанятая ходит и отчаивается, и может кончиться тем, что она со своим упадочным настроением под трамвай ляжет: тогда что?.. Не зря, нет, не зря она просит: девай меня куда-нибудь. Ей и самой уж хочется просвет найти и жизнь свою нескладную переменить, да не знает как. Теперь: что мы имеем в Маргаритовке? В Маргаритовке, считай, половина жителей носит фамилию Кушля. И наряду с кулаками Кушлями и сволочами Кушлями есть и пролетарский элемент под той же фамилией. Двоюродный брат мой, например, Кушля Роман — председатель сельсовета, бедняк по социальной сущности. И тетка есть беднячка, — слушай, — незамужняя, хворая, живет одна. Лежит который год, летом на лавке, зимой на печи, напиться подать некому, а хлеб пекут ей обществом, в очередь, чтоб с голоду не померла. А хата у тетки своя, и ничего еще хата, жить можно. Я как вспомнил про эту тетку — да вот же оно, спасение, думаю! Написал брату Роману: мол, болеет у меня супруга — «супруга» написал, нельзя иначе, а то как на уличную будут смотреть, хотя какое бы их дело, а?.. Болеет, написал, супруга сердечной болезнью — насчет болезни истинная правда, — и прошу, чтоб она у тети Ефросиньи Михайловны пожила на лоне природы. Деньги буду высылать сколько могу, а она за тетей Ефросиньей Михайловной присмотрит по правилам, имея медицинское образование; и хозяйство будет вести своей женской рукой.

— И Ксаня согласилась?

— Согласилась. Поплакала сильно, но согласилась. Куда-то деваться надо же. А куда, кроме Маргаритовки?.. Не говори! — попросил Кушля, видя, что Севастьянов что-то хочет возразить. — Вот посмотришь: если это дело выгорит — замечательно будет! Ксаня успокоится, это одно: места новые, воздух великолепный.

Сейчас там жердел полно, скоро вишня поспеет. Море… Море, правда, такое, что на версту от берега уйдешь и все по щиколотку, а все ж таки море. Она и здоровье свое поправит, и меня забудет, чего и ей желаю и себе. Второе. И главное. Надеюсь я от всей души, чтоб она воскресла как активная личность. Я Роману описал, какую она имеет квалификацию. Ведь она и перевязки, и банки, и нарыв разрезать, все умела как нельзя лучше. Как нельзя лучше! И вот я думаю. Больница там за шестьдесят верст. Да захоти только Ксаня — к ней валом народ повалит! У нас знаешь как любят лечиться? Спасу нет до чего любят! Валом повалят и все ей понесут, первым человеком она может стать, если захочет. И мужа найдет, и дети будут, и с меня эта ошибка снимется. Дорогой товарищ, я разобрался и признаю: моя это ошибка, нечего на бабью дурную голову валить. Личная моя ошибка, и чувствую я ее — не поверишь, как больно!

Но он уже опять сиял, так утешила его картина Ксаниной будущности. Лучезарная эта картина позволяла ему с чистой совестью упиваться собственными радостями, сегодняшними и предстоящими. Обычно степенный, внимательно выслушивающий собеседника, он был в этот раз возбужден, взмахивал руками, говорил без передышки, не давая Севастьянову вставить слово.

— Еще одну вещь хочу тебе сообщить очень важную. Не знаю, ты помнишь ли нашу беседу насчет твоих знакомых девчат, не помнишь? Я высказывался, как меня обделила судьба, что за всю мою жизнь я не знал, что оно такое дорогая и чистая женская дружба! Вспомнил? Ну так вот: она ко мне заходила.

— Кто?

— Зойка маленькая. Лично ко мне. Сижу, понимаешь, вечером один, Гришка домой ушел (Гришка был новый помощник, взятый на место Севастьянова). Отворяется дверь — она. Здравствуйте, говорит, мимо шла и зашла, давно вас не видала, как поживаете? И здороваемся за руку. Мне неудобно выкладывать мои мужские новости, что, мол, Лиза в родильном доме, рожает и так далее, — я спрашиваю уклончиво, как вы-то живете-можете? У меня, она отвечает, большое несчастье: умер мой папа. Смотрю — она худенькая, бледненькая, я поначалу так очумел, что не заметил. И всегда она была не шумная, а сейчас вовсе тихая стала, и шагов не слыхать, будто по воздуху ходит. Говорю — боже мой; я и не знал; когда же, спрашиваю, от какой причины? И ты не поверишь: сели мы с ней на подоконнике рядышком! Рассказала, как отец болел, как она у него в больнице бывала каждый день, а последние дни они с матерью от него не отступали, разрешили им, — и как отец с ней разговаривал и беспокоился, чтоб она не горевала и на могилу к нему чтоб поменьше ходила, — нечего тебе, сказал, на кладбище делать, делай свое дело молодое! Видать, любил ее. Сказала, что в железнодорожной школе будет работать с осени. Все, в общем, свои новости изложила мне как другу. Как другу! — повторил Кушля, блестя глазами.

«Это я, — думал Севастьянов, — должен бы сидеть с ней рядом, и мне она должна была все это рассказать. А я пришел бесчувственный, как деревянный чурбан, боясь, как бы не опечалиться ее печалью, она мою боязнь моментально увидела и выставила меня в два счета, — правильно сделала...»

— И понимаешь, — продолжал Кушля, — так мы с ней дружески рядом сидели, так она хорошо на свои колени облокотилась и голову ко мне повернула, что я сам не заметил, с чего начал, но слышу — уже делюсь с ней напропалую: и про Ксаню, понимаешь, и про Лизу, и что Лиза рожает в данный момент, и всей своей автобиографии коснулся слегка, чтобы пояснить ей мою драму. Спросил: что вы мне посоветуете. Она поддержала, что моя мысль правильная: ребенок — главное. Взрослый, говорит, может перенесть разочарование и крушение... что-то в этом духе сказала... А ребенку, говорит, нужен отец, чтоб воспитывать и защищать. Именно! Именно защищать, понимаешь, я обязан Андрюшку, я так же само понимаю! Защищать его от империалистов и ихних пособников, от всей мировой гидры! И воспитывать как борца за всемирную революцию!.. Великолепно, дорогой товарищ, побеседовали, культурно и душевно! Говорю тебе: уж если повезет, то везет во всем!

Неиссякаемо юно было это сердце. Неудачи не ложились на него грубыми рубцами, оно оставалось открытым для высоких и нежных впечатлений, и ярко-голубые глаза лучились.

— Ну, музыка недолго играла: пришла Ксаня. Села напротив нас, семечки лускает и смотрит — представляешь, как смотрит!.. Зойка встала и говорит: я попрощаться, собственно, зашла, мы с мамой завтра уезжаем на лето к знакомым в Ейск. Оглядела помещение — а у вас, говорит, ничего не изменилось, те же столы и стулья, даже паутина на потолке, пошутила, та же самая... Попрощалась и ушла, как сон!

Они приближались к цели своего похода. Севастьянов завидел стоящую у ворот толстуху Лизу в розовой блузке, с белым свертком в руках. Притопывая каблучком, проворно двигая пышными плечами, она качала сверток и улыбалась навстречу Кушле.

— А мы папочку встречаем, встречаем! — тонким голосом не то пропела, не то прокричала она, когда Кушля и Севастьянов подошли поближе. — А мы за папочкой соскучились, соскучились!

Кушля сделал строгое лицо и осторожно раздвинул кружевца на свертке. Среди кружевной белизны показалось крохотное темно-красное спящее личико.

— Спит Андрей Андреич, — сказал Кушля, сверху важно глядя на ребенка. — Двенадцать суток исполнилось Андрею Андреичу.

— Двенадцать суток с половиной! — живо уточнила Лиза и, качая, поднесла ребенка Севастьянову. — Похожи мы на папочку?

— Страшно похож! — ответил Севастьянов. — Изумительно!

Кушля не принял шутки.

— То-то, брат! — сказал он с достоинством.

В присутствии Лизы к нему вернулась его степенность. Словно не он, размахивая руками, ребячески восторженно изливал сейчас Севастьянову свои планы и новости. При Лизе и Ксане он всегда держался внушительно, слегка загадочно.

— Дай-ка его сюда, — сказал он и, взяв сына из Лизиных рук, понес в дом. Лиза мелким бегом побежала за ним на каблучках.

Она жила с двумя сестрами и Андрюшкой в маленькой комнате, заставленной вещами. Первым долгом бросался в глаза высокий черный манекен; он стоял против двери, воинственно выкатив грудь. Была тут ножная швейная машина, за нею сидела и шила одна из Лизиных сестер. Была гладильная доска; другая сестра на ней что-то гладила паровым утюгом. Две кровати с множеством подушек в кружевных и вышитых наволочках, комод с множеством флаконов, коробочек и фотографических карточек и стол, на одной половине которого было накрыто к обеду, а на другой лежали куски раскроенной ткани. На стене висело какое-то рукоделье, изображавшее Пьеро в черной бархатной шапочке и тюлевом воротничке, а рядом — детская цинковая ванночка. Пол засыпан был обрезками материи.

Как Севастьянов ни отказывался, его заставили пообедать, пристали: «Уж покушайте с Андреем Никитичем!» Прежде чем усадить их, Лиза сняла со спинок стульев развешанные пеленки и смахнула с сидений лоскутки. Обедали Севастьянов и Кушля вдвоем. Одна из сестер не переставая шила, то на машине, то иглой, и иногда, подняв голову, взглядывала на обедающих мужчин, и по лицу ее разливалось удовольствие. Другая сестра подавала и принимала со стола. А Лиза то пеленала ребенка, то нянчила его, крутясь на свободном от мебели и людей местечке между Кушлей и манекеном, пристукивая каблучком и приговаривая:

— А теперь наш папочка селедочки скушает! Скушай селедочки, папочка! А теперь нашему папочке пивка принесут! Выпей, папочка, пивка!

— А вы пиво остудили? — спросила, поднимая голову, та, что шила. — Андрей Никитич не любит, когда теплое.

— Остудили, остудили! — в два голоса ответили Лиза и другая сестра. — Конечно, как можно теплое!

Обед был сытный, обильный. К пиву были поданы раки. Кушля сидел за столом как глава семейства, окруженный почтением и заботой. Видно было, что так его здесь приучили. Он принимал это как должное, но поглядывал на Севастьянова, спрашивая без слов: «Замечаешь, как меня ценят? Замечаешь, какая у меня уважительная и дружная семья?» И, вспомнив его рассказы о Тихорецкой и Велико-княжеской, Севастьянов порадовался, что ему хорошо.

После обеда Севастьянова пригласили подойти к кровати и полюбоваться Андрюшкой, которого специально развернули для обозрения. Вид невыносимо беспомощного маленького тельца с дрожащими ручками и ножками скорее ужаснул Севастьянова, чем умилил; но чтобы не расстраивать родителей, он почмокал над дрожащим тельцем губами; пощелкал пальцами и подтвердил, что ребенок первый сорт, что глазки у него Кушлины, ноготки Кушлины и носик тоже Кушлин. Ему казалось, что он врет без стыда и совести. Но через шесть лет, приехав из Москвы в командировку, он видел маленького Андрюшу — вылитый был Кушля, только шестилетний, беленький и свеженький, в трикотажном костюмчике; со свеженького детского лица два ярко-голубых глаза невинно и лучисто посмотрели на Севастьянова — глаза отца, старшего Андрея Кушли.

42

Зоя не захотела ребенка.

— Ну что ты, — сказала она, — куда нам. С ума сойти.

Он смущенно промолчал. «Действительно, — подумал, — как она управлялась бы, такая молодая и ничего не умеет, самой еще хочется побегать и побаловаться на воле, и бабушки у нас нет присмотреть за маленьким, как у людей присматривают». Женщина с злым лицом и мешками под глазами, что швырнула ему Зоин узелок, в счет не шла — бабушки такие не бывают, и у Зои там все кончено.

Он взял аванс — тридцать рублей, заплатить доктору, и проводил Зою, вернее она его проводила, потому что она знала адрес, а он не знал. В темной передней они простились, неловко и наспех, шепотом, как заговорщики. Зою доктор увел в комнаты, а Севастьянову велел прийти за ней вечером. Севастьянов медленно шел прочь от дома, где она осталась, и думал — не оговорился ли доктор: не может быть, чтоб вечером она была уже настолько здорова, чтобы идти домой. Он слышал, что это дело опасное и кровавое; и она была бледна, когда, уходя в докторские комнаты, закрытые для Севастьянова, оглянулась и принудила себя улыбнуться. Ему эта обреченная улыбка причинила прямо-таки физическую боль. Причиняло боль и то, что доктор, видимо, раньше был знаком с Зоей и обращался с ней приятельски и небрежно…

Эту мысль Севастьянов отгонял, как привык отгонять все мысли, оскорбительные для Зои. Но что ей больно, что она лежит с этой болью одна в какой-то неизвестной ему страшной комнате, — этим не мог не мучиться весь бесконечный день… Сбегал домой, прибрал немножко, положил на стол плитку шоколада — она любила. Потом застал себя на той улице, перед тем домом. Докторская квартира была на втором этаже. Задрав голову, Севастьянов разглядывал окна второго этажа. Вышел на середину мостовой, чтобы лучше видеть. Окон было много, на одних висели тюлевые гардины, на других полотняные, невозможно было определить, за которой из гардин ее прячут, что с ней делается…

Вечером звонил у отвратительной этой двери на втором этаже. На этот раз его и в переднюю не впустили, велели ждать на площадке. Но при этом сказали: «Сейчас она выйдет»; гора с плеч… Она вышла очень бледная, ступая осторожно, не спеша. Волосы ее зачесаны были гладко, и это вместе с бледностью делало ее лицо по-новому трогательным, страдальческим. В руках у нее был маленький сверток в газетной бумаге — ее одежки. «Возьми», — ласково-покровительственно, как взрослая мальчику, сказала она и отдала сверток Севастьянову. Дверь за ней захлопнулась. Молча, тихо, чуть-чуть притронулся он губами к ее прохладному лбу; взял за руку и повел вниз по лестнице…

Дома она легла в постель и ела шоколад, отдыхая от пережитого, и он поил ее чаем. И стерег, сидя возле кровати, пока она не уснула. В бережной тишине кончался вечер. Смуглел прямоугольник окна; света Севастьянов не зажигал. Как там во дворе разговаривали, свистели, ходили — их не касалось и потому не существовало. В их комнатке темнело и стемнело, в темноте царило молчание покоя, глубокого мира после тревоги. Позвякиванье ложечки в стакане, нечаянный скрип стула — и безмолвие снова, и в безмолвии очертания ее головы на отсвечивающей белизне подушки, ее рука, покоящаяся под его рукой…

Дня через два она бегала с Дианой как ни в чем не бывало. Жизнь пошла по-прежнему. Но Зоя стала жаловаться на скуку:

— Я без тебя просто умираю!

Клуб, где она танцевала, на лето закрылся, да она уж и охладела к танцам, к тому же в этом клубе служил ее брат, ей не хотелось встречаться с ним. Она читала книги, которые брала в библиотеке и у ведьм, — читала быстро, глотая книгу за книгой, но без особенного интереса, будто даже свысока, не придавая значения тому, что там написано, — прошло время, когда она благоговела перед пишущими и их творениями... Она играла в мяч с детьми, болтала с инвалидами, с Кучерявым, но это не могло заполнить ее день.

— Скуча-а-ла! Умира-а-ла! — наивно подняв брови, жаловалась она, когда он спрашивал, что она без него делала.

Он понимал: кому угодно в конце концов осточертеет праздность. Очень приятно заставать ее дома, когда ни забежишь; но это — собственнические, буржуазные инстинкты; человек должен трудиться. Стал советоваться с товарищами в редакции и в типографии, как бы пристроить ее на работу. Но ничего еще не успел придумать и ни от кого получить совета, как она ему сказала с воодушевлением:

— Знаешь, я устроилась!

Ее пригласили к себе инвалиды — буфетчицей. Как буфетчицей, у них и буфета нет? Ну, ради нее, Зои, организуют. Ну, не ради нее, конечно; просто жизнь им подсказывает. Ведь не все посетители хотят непременно пить за столиком кофе или есть мороженое, некоторым желательно просто купить пару пирожков, или даже один пирожок, и унести с собой, для ребенка или чтобы съесть в обеденный перерыв. И таких посетителей гораздо больше даже. Вот для них-то и организуется буфет, и Зоя будет буфетчицей. Она кружилась и веселилась, сообщая все это.

— Ты подумай, какая работа: чистенькая! Прелесть! Я стою в шелковом фартучке! Вся в ароматах! С маникюром!.. Теперь мне обязательно придется сделать маникюр!

— Ты, значит, будешь занята днем и вечером, — сказал Севастьянов, мы никуда не сможем пойти вместе.

«У инвалидов дела обстоят неважно, — подумал он, — они берут ее за красоту, как та балетная группа».

Зоя не дала ему говорить:

— Ты подумай! Ни на трамвае не нужно! Ни пешком! Перебежать двор, и я на работе! Никакая погода не страшна! И ты представляешь, как мне пойдет маникюр! Ты представляешь: ногти — как розовые миндалины!

Что он мог ей предложить вместо этих радостей? Ровным счетом ничего. Разве — и то предположительно — что-то вроде памятной ему работы на картонажной фабричке... Зоя кружилась перед ним, раздувая свое светлое новое платье. Он перестал возражать.

Главный инвалид, сине-черный, усатый, с очень толстыми бровями, остановил его во дворе.

— Товарищ Севастьянов, ваша супруга любезно согласилась поработать у нас в кафе. Если вы, может быть, имеете насчет этого какие-нибудь мысли, то я вам вот что скажу: я сам отец, имею дочь, и ни я, никто в «Реноме» не допустит даже тени чего-нибудь! Даже тени, товарищ Севастьянов!

— Она согласилась, — сказал Севастьянов, — значит, она тоже так считает. — Он поспешил уйти, этот разговор его смущал.

А после главного инвалида поймал его Кучерявый.

Он вышел из своей пещеры — темных больших сеней, где смутно виднелись куда-то ведущие двери, — и захромал к Севастьянову, окликая невнятно:

— Эгей! Эй! А ну!

В белой куртке нараспашку, карандаш за ухом, блокнот в нагрудном кармане. Волосы — матрацные пружины. Белое лицо — ком сырого теста, и на нем маленькие, темные, подвижные, рассеянные, соображающие глаза. В первый раз (и последний) стоял он так близко от Севастьянова.

— Вы что же, — негромко и как-то пренебрежительно спросил Кучерявый и, склонив голову, устремил свой подвижной взгляд на севастьяновские сандалии, — вы, значит, ничего не имеете против, чтобы Зоя поступила в кафе?

«Это уже безобразие, — подумал Севастьянов, — еще и этот будет вмешиваться? Ему-то что?»

— Почему я должен быть против? — спросил он.

Кучерявый раздумчиво вскинул голову и смотрел ему на лоб с выражением отвлеченного интереса, словно решал в уме задачу, — казалось, сейчас вынет из-за уха карандаш, из кармана блокнот и запишет решение.

— Так ведь с улицы придет кто хочешь, — сказал он все так же пренебрежительно-безразлично.

— Ну придет, — нетерпеливо сказал Севастьянов, — соскучась ждать, когда он решит свою задачу, — и что из этого следует?

— Придет и будет ходить, ему не воспретишь.

— Не понимаю.

— Наговорит сорок бочек арестантов, — уронил Кучерявый.

— Не понимаю! — повторил Севастьянов, хотя уже понимал и начинал пылать гневным пламенем.

— И уведет, только ты ее и видел, — вздохнул Кучерявый, от вздоха колыхнулись его бабьи покатые плечи.

— Иди ты знаешь куда! — сказал Севастьянов.

— Постой! — негромко вскрикнул Кучерявый вслед. — Эгей! Да ну! Погоди!..

Севастьянов не оглянулся. Он не сказал об этом разговоре Зое. (Первый и последний его разговор с Кучерявым.) Эти пересуды за ее спиной — черт знает что.

Инвалиды сшили Зое шелковый фартучек и наколку. Зоя побывала в парикмахерской и сделала маникюр. С ногтями как розовые миндалины, с белой наколкой на темных волосах, встала она за прилавком в «Реноме», забавляясь так же беззаботно, как забавлялась полгода назад клубной сценой и пачками из марли.

43

Дни и недели, которые за этим следовали, Севастьянов никак не может восстановить подробно и стройно. За далью, за тогдашним смятением, слишком многое сместилось в памяти, одни события распались на куски, на не связанные между собой сцены, лица, голоса, а другие события выросли несоразмерно своему значению…

Когда на страницах «Серпа и молота» стало мелькать имя Марии Петриченко?.. Это была селькорка, писала о работе делегаток женотдела, о рыбацкой артели, еще о чем-то. Заметки были подписаны: хутор Погорелый, Маргаритовского сельсовета.

Севастьянов как-то спросил Кушлю — что за хутор и не знает ли он, Кушля, Марию Петриченко, поскольку сам он тамошний. Никаких Петриченок Кушля не знал.

— Приезжая, — сказал он, — либо какая-нибудь наша дивчина взяла приезжего в приймаки…

Про хутор же Погорелый выразился, что, невзирая на его такое сиротское название, это есть самое вредное контрреволюционное гнездо на всем земном шаре.

О Петриченко упоминал однажды Дробышев на рабкоровском собрании, хвалил за то, что пишет серьезно и принципиально.

Деревне «Серп и молот» уделял не много места, больше занимался городом. Для деревни предназначалась газета «Советский хлебороб», в которой Дробышев обещал Кушле должность разъездного корреспондента; она должна была выходить с нового хозяйственного года*. Петриченко писала часто, но большая часть ее заметок оставалась в серых папках отдела «Сельская жизнь».

---

* Хозяйственный год начинался 1 октября.

В одно утро Севастьянов пришел в редакцию — там все говорили о Петриченко, об ее письме. Оно было получено, оказывается, еще вчера, а эти моржи в «Сельской жизни» вскрыли только сегодня… Севастьянову дали прочесть. Начиналось письмо обыкновенно: «Здравствуйте, дорогая редакция! Пишет вам Петриченко Мария с хутора Погорелого». А дальше на нескольких листах, вырванных из старой бухгалтерской книги, с голубыми и красными линейками и жирно напечатанными словами «Дебет» и «Кредит», Петриченко в прозе и в стихах прощалась «со всеми уважаемыми сотрудниками», желала им дождаться полного коммунистического счастья и жалобилась горько, что в молодых годах, имея малых детей, «ничего не успевши повидать на нашем красном свете», должна она расстаться с жизнью и общественной работой через врагов советской власти. В конце — просьба устроить детей после ее смерти «куда хочете, абы не пришлось им на моих же убийц батрачить». Письмо было литературное и в то же время искреннее. Писал человек тщательно, но в расстройстве, в предвидении беды. Некоторые усомнились, говорили: «Нервы, кто-то ее пугнул, она и запсиховала». Но большинство поняло смысл письма правильно: покуда здесь в редакции заметки Петриченко регистрировали, почитывали, похваливали, кое-что печатали, кое-что мариновали, сдавали в набор, пускали в котел, — на хуторе Погорелом, в степных кукурузных, подсолнечных джунглях, у Марии Петриченко с разоблаченными ею врагами дошло до черты, вопрос стал ребром: кто кого.

Акопян, узнав, что письмо пустили по рукам и таскают из комнаты в комнату, забрал его и запер. По его распоряжению из папок срочно выбирали неопубликованные заметки Петриченко и несли к нему, и он их читал. Всегда выдержанный и вежливый, он при всех сказал заведующему «Сельской жизнью», акцентируя от волнения и сверкая черными глазами:

— Чем бы эта история ни кончилась, тебя в редакции не будет, или я не Акопян!

Почему-то после этих слов даже легкодумам, даже сомневающимся стала до конца ясной трагедийная правда письма. В редакции тихо, каждый уткнулся в свою работу. Совсем замерла, невидимой и неслышимой стала «Сельская жизнь» — грубый, толстый, губастый парень с маленьким пенсне на большом красном лице; Коля Игумнов про него говорил, что Харлампиев врет, будто он сын сельского учителя, на самом деле он сын лавочника, Коля Игумнов это чувствует как художник.

Пришел Дробышев, они заперлись с Акопяном и Харлампиевым. Потом вдруг вызвали Севастьянова. Едва он переступил порог, Дробышев спросил:

— Вы работали с Кушлей, вы хорошо его знаете?

— Хорошо, — ответил Севастьянов.

— Толковый товарищ? Если послать его на этот самый хутор Погорелый сумеет выяснить обстановку?

— Безусловно. Тем более что он оттуда родом.

— Вот-вот, из Маргаритовки, — сказал Дробышев, глянув в лежащий перед ним листок. — У нас впечатление — боевой товарищ, вы как считаете?

— Боевой, — подтвердил Севастьянов.

Харлампиева в кабинете уже не было. Сидел Акопян, Дробышев стоял за своим столом, держа руку на вилке телефонного аппарата.

— Осветить не сможет как следует, — сказал Акопян. — Пишет плохо.

— А вы помогите, напишите хорошо, — возразил Дробышев. — Главное, должен быть человек, чтоб быстро разобрался в отношениях и мобилизовал местные силы. С классовым чутьем должен быть человек, — заключил он и снял трубку с вилки…

— …Уж везет, так везет! — сказал Кушля Севастьянову. — Дорогой товарищ, я, как тебе известно, ни в бога, ни в черта, ни, понимаешь, в святых угодников… Но что ты скажешь в данном конкретном случае? Скажешь — судьба. Не скажешь, нет? И ведь верно: нам, марксистам, не подобает это говорить. Верно: стечение обстоятельств. А я Ксане сказал по-простецки: судьба! Ехать, сказал, тебе в Маргаритовку, и никаких гвоздей, видишь же — помимо нас с тобой так сложилось, что я имею возможность лично отвезть тебя и устроить. От двоюродного брата Романа до сих пор ответа нет. У нас там по два года чешутся, пока соберутся письмо написать. Ладно. Нехай они чешутся, а мы вот они с Ксаней.

Он был совершенно удовлетворен: его признали, позвали, поручили ему важное дело.

— Конечно, такого материала никто не соберет, как я. Во будет материал! Дробышев спрашивает: как вы думаете, она не преувеличивает, Петриченко?.. Будь уверен, говорю, ничего она не преувеличивает. Я письма ее прочитал — так и вижу эту картину кулацкого засилья и в кооперации, и в сельсовете, через слабость характера двоюродного брата Романа, и на всех, понимаешь, ключевых позициях, у всех истоков, понимаешь, откуда только проистекают барыши и власть! Это истинная картина, я все фамилии знаю, что она указывает. И в морды многих сукиных сынов помню. Они так же и мной мечтали пользоваться, как братом Романом. Моей непорочной автобиографией мечтали огородиться, как проволочным заграждением! Я все там, говорю, уточню и доведу до революционной законности, будь уверен! И он мне протягивает руку и говорит — дадим вам, говорит, если потребуется, вплоть до двух подвалов... Двух подвалов!

— Ты напишешь здорово, — сказал Севастьянов, — я по тому сужу, как ты рассказываешь.

— Я тоже полагаю, что здорово, — сказал Кушля. — А если, возможно, произойдет заминка в литературном отношении, — подлежащие-сказуемые, пособишь оформить, ладно?.. Удостоверение выдали (он показал) и письмо в уком. И, в общем, через два часа отбываем. Для Ксани, конечно, гораздо легче, что так получилось: то бы, понимаешь, сборы, да прощанья, да откладыванья — оба мы измучились бы. А тут — раз-два, недолго думая, сели вместе и поехали, я ее с родней знакомлю, местность показываю, где я родился и рос, все по-хорошему и не так ей, бедной, обидно... Черт, хотел забежать, купить Андрею Андреичу какую-нибудь погремушку... Замотался и не поспел, магазины уже закрыты. Ну, бегу с ним проститься! Будь здоров, всего тебе!

— И тебе! — от души пожелал Севастьянов.

— ...Игумнов поедет с тобой, — сказал Севастьянову Акопян, — сделает зарисовки. Место не ограничиваем. Ехать надо вечером, завтра будете в Т., оттуда лошадьми.

Акопян говорил, глядя в стол, ровным голосом, в правой руке перо, в левой папироса... Севастьянов слушал и не понимал, как он может курить и говорить так спокойно.

В горле у Севастьянова перехватило, и он поскорей достал папиросы, чувствуя, что должен закурить немедленно. Акопян поднял суровые глаза и протянул ему зажженную спичку.

...Телеграмма была получена утром. Дробышев со следователем ГПУ сейчас же выехал на дрезине в Т., приказав Акопяну направить туда Севастьянова и Игумнова ближайшим поездом. Будь Железный в городе, поехал бы он, а не Севастьянов. Но Железный был в отпуску, и печальная эта честь выпала на долю Севастьянова.

День был заполнен звонками, толчеей, разговорами. Приходили из типографии, из районных отделений «Серпа и молота», из редакции «Юного пролетария». Всем сразу стал интересен Кушля, и все расспрашивали Севастьянова, потому что он ближе всех был к Кушле. До отъезда Севастьянов должен был сдать хронику, собранную в последние дни, и дописать очерк о макаронной фабрике. Надо было, кроме того, получить командировочные, а в кассе не было ни копейки, кассир ушел в банк, и неизвестно было, с деньгами он вернется или без денег. Севастьянов дописывал очерк, подсчитывал строчки в хронике, чтоб было ровно восемьдесят и ни строчки больше, в очередь с Колей Игумновым бегал в бухгалтерию узнавать, не пришел ли кассир, отвечал на расспросы о Кушле, объяснял месткомовцам, где живет Лиза, чтобы они могли пойти к ней известить. Одно дело кончалось, начиналось другое, и хотя отвлечься от события было невозможно, оно еще стояло комом в горле, — но к нему привыкал, его резкая острота проходила, и больше не казалось, что этого не может быть.

Коля Игумнов сказал:

— Жаль, конечно, что такой грустный повод… Но, говоря откровенно, я рад проехаться! Куда-то мы с тобой перенесемся, что-то увидим новое… Что может быть лучше? Вам хорошо, репортерам, вы гоняете по городу, а я сижу взаперти и мажу серые фотографии тушью и белилами…

Уже кончался день, когда Севастьянов прибежал к Зое. В кафе «Реноме инвалида» начиналась вечерняя жизнь, почти все столики были заняты. Зоя стояла за прилавком. Севастьянов сказал ей:

— Кушлю убили.

Она вздрогнула и вскрикнула: «Ой!»

— Как, сегодня едешь?! — переспросила она, пораженная, и взялась за лоб, Севастьянов подумал: «Она боится, что меня тоже убьют». — А вернешься когда же?

— Акопян считает, мы пробудем дня три. И дорога…

Они разговаривали, разделенные прилавком. Посетители оглядывались на красавицу буфетчицу, взволнованно шептавшуюся с парнем. Инвалиды улыбались отечески… Севастьянов сказал:

— Но ты меня проводишь!

— Да, — сказала она, — конечно!

И, отпросившись у инвалидов, сняла свой фартук и наколку и ушла с Севастьяновым в их комнатушку. Они укладывали в дорогу его портфель и нежно прощались. Кирпичная стена напротив была как печь, накаленная докрасна, огненный день уходил по кирпичам, выбираясь со двора на крышу. Бухал мяч. Кричали, играя, дети.

Вышли из дому, держась за руки. Темнело, много было людей на улице. Где-то была смерть, а здесь в саду играла музыка. Под музыку шли навстречу мужчины и женщины, и все они смотрели на Зою. Мужчины приковывались к ней долгими взглядами, женщины взглядывали бегло, а потом и те и другие переводили взор на Севастьянова. По-особенному смотрели подростки. Изумленные глаза мальчиков, напряженно-испытующие глаза девочек спрашивали: «Значит, вот как это бывает?» А Зоя улыбалась в ответ. Ее страх прошел, излился в коротеньком вскрике «ой», снова она упоена была своими чарами и успехом… Смерть существовала, отвратительная, несправедливая и жестокая, но она была далеко-далеко, а здесь шла Зоя, играла музыка и у входа в сад продавали розы.

Она сказала:

— Купи мне розочку.

Они остановились, чтобы купить роз. Казалось, вся улица приняла участие в этом происшествии — столько народа следило за ним и с таким сочувствием. Цветочницы наперебой протягивали Севастьянову лучшие розы, лучшие из лучших. И кому же полагались эти розы, если не Зое, кому бы еще они были так к лицу?

Пришли в редакцию. По забросанной бумажками и окурками лестнице спускался Залесский. Даже этот старик, все перевидавший, даже он споткнулся и остолбенел на секунду, когда из-за лестничного поворота появилась перед ним Зоя с розами… В своем кабинете, под зеленой лампой, Акопян читал полосу. Севастьянов зашел за пакетом для Дробышева, он не мог не показать Зою Акопяну.

— Это Зоя, — сказал он неловко.

Акопян поднял голову, его лицо выразило удивление, сердечность и интерес.

— Очень рад, — ответил он. — Акопян.

И, встав, поздоровался.

— Вы очень хорошо влияете на Шуру, — сказал он добродушно. — Благодаря вам он достиг небывалой работоспособности, последнее время он трудится за четверых…

С Колей Игумновым они встретились, как было условлено, на вокзале под часами. При виде Зои Коля сказал:

— Боже!

Он держал ее руку, наклонялся и спрашивал:

— Что же это? Почему я этого раньше не видел? Когда я буду это рисовать?

Они пошли искать свой поезд. Коля вел Зою под руку, не переставая наклоняться и говорить. Зоя смеялась. Севастьянов сперва — по инерции гордился, потом почувствовал против Коли возмущение. Коля осмелился поцеловать Зою в локоть, в ее точеный смуглый локоть, над которым узенькая оборка и перехват широкого пышного рукава. Коля не должен был так поступать: она ведь ничем не дала ему права думать, что ей это будет приятно. Особенно же было возмутительно, что, когда Коля наклонялся, его длинные волосы падали Зое чуть ли не на лицо, и он их отмахивал залихватским жестом — дескать, сам черт ему не брат! Но вдруг в темноте, на путях, пронзительно и горестно закричал паровоз, другой отозвался вдали так же тревожно и горько, и Севастьянов вспомнил, что сейчас они с Колей поедут туда, где смерть, что смерть чудовищна и непоправима, что навеки закрылись Кушлины ярко-голубые глаза… «С ней забываешь обо всем! — подумал он. — Нельзя быть с ней и думать о смерти, с ней думаешь только о ней… И что для нее значат пустяковые Колины маневры по сравнению с той нежностью и преданностью, какую она знает!» И он шел за ними, не ревнуя больше, мудро снисходительный, очень взрослый по сравнению с ними.

Полазав под составами, они нашли свой поезд. Он стоял у дальней платформы, перед черными строениями, впотьмах. Его открытые окна еле светились, выдыхая на платформу запах мешковины, кислого теста, поездной уборной. Посадка уже прошла, последние пассажиры впихивали в вагоны свои мешки.

— Как, уже расставаться? — спросил Коля. — Это выше моих сил, поехали с нами, мадонна.

А Севастьянов обнял Зою и поцеловал и потом окунул лицо в ее букет, в последний раз вдохнув его чистую свежесть, перед тем как войти в набитый людьми и мешками вагон. Зоя подняла руки, розы упали. Обеими руками она обняла Севастьянова за шею, ее поцелуй был бесконечен. Это было жаркой черной ночью, вокзальной, железной, угольной, единственный фонарь не мигая светил на это из-под навеса.

— Ах, так? — сказал Коля. — Значит, никакой надежды? Но почему же мне не сказали сразу? Это жестоко.

44

Много езжено по родной стране, много хожено. Среди бесчисленных человеческих поселений, больших и малых, память хранит и Маргаритовку. Сотня беленых хат, насыпанных на берегу лимана; низенькие фруктовые садики, красные точки вишен на деревьях — последние вишни, их пора кончалась; на плетнях развешаны рыболовные сети, натыканы горшки и кувшины…

В полуверсте от слободы находилось бывшее помещичье имение: неогороженный разросшийся сад и в нем большой старый дом. В доме разместились сельсовет, школа, изба-читальня, квартира учителя. Вход в дом был через обширную открытую террасу. Ее доски и столбы от старости стали пепельно-серыми. Под знойным солнцем иссохшее дерево, разомлев, источало слабый запах не то смолы, не то краски, хотя и та и другая давно из него выветрились. Такою же серой, обветшалой была входная дверь: когда ее отворяли или затворяли, с нее осыпался какой-то порошок и дребезжали остатки цветных стекол вверху... Убийца сходил по ступеням как бы задумавшись, глядя на свои сапоги и надвинув картуз на брови. Желтая щетина росла на его щеках; в каменных складках сапог лежала пыль. «Что он должен сейчас чувствовать?» — подумал Севастьянов и отвернулся от угрюмого мрака, представившегося ему... За убийцей шел милиционер. Подвода ждала их, они сели и уехали. Мужики и бабы, стоя поодаль, молча глядели вслед.

Лужайка перед террасой вся поросла травой, называемой у нас калачиками. Местами земля под травой вздувалась: там, верно, были когда-то клумбы. Эту запущенную лужайку со всех сторон обступал густой зеленый сад. В его сплошной стене светло и серебристо обозначалось начало тополевой аллеи. Аллея сужалась как бесконечный коридор, полный света и сверканья; в конце ее бледно голубел лиман. Обильная серебряная листва, не умолкая, не угомоняясь, легко и радостно лепетала под ветерком, вся устремленная ввысь, и каждый лист был как маленькое зеркальце, отражающее солнце. Этой аллеей ходили купаться. У берега — правду говорил покойный Кушля — было по щиколотку, приходилось идти далеко, чтобы окунуться и поплавать.

...Марию Петриченко Севастьянов увидел в первый раз на собрании. Она стояла и говорила, когда Севастьянов с Игумновым, только что приехавшие, в дорожной пыли, вошли в полную людей комнату. Услышав горячий, убежденный, молодой женский голос, Севастьянов подумал: «Это она!» — было что-то общее между этим голосом и письмами Петриченко в редакцию... Две девочки, крошечные, трех-четырехлетние, держались за ее подол; мальчик постарше стоял рядом. «Мария Петриченко и ее дети». Возле председателя сидел человек с странно знакомым лицом, ярко-голубыми глазами посмотрел он на вошедших, — Кушлин двоюродный брат Роман.

— И где ж те люди? — спрашивала Петриченко. — Где они тех людей подевали, что имели дух защищать бедняцкий интерес? Того споили, того купили. Кушля Роман — от он перед вами сидит как стенка белый, еще бы: с злодеями, душегубами дружбу водил... Кушля Игнат в город подался через ихнюю ненависть.

— Игната выдвинули, — небрежно сказал чисто одетый человек, нестарый и красивый, хотя почти совсем лысый, с оборочкой мягких темных волос на голом черепе. — Выдвинули Игната, зачем зря говорить.

— Меня довели, что я детей без своего присмотра и на одну минуточку покинуть боюсь, — продолжала Петриченко (лысый усмехнулся и снисходительно повел плечом…). — А теперь пускай ответят: кто получил ту ссуду, что на безлошадных была отпущена? Покажите ведомость. Покажите расписки. Всем покажите, а не только друг дружке, — у вас рука руку моет… Еще такой вопрос: как у нас подобрано правление кооперации?

— Товарищ председатель, — яростно закричал кто-то, — другие граждане получат слово или одна Петриченко будет говорить до скончания веков?!

Поднялся шум… Мария озиралась, прижав к себе детей. Она была плечистая, чернобровая. На загорелом до каштанового цвета лице уже прорезались морщинки: резко-белые, они расходились жаркими лучами на висках и скулах; казалось, лучи эти исходят из зеленовато-карих, глубоко посаженных глаз…

Когда Коля Игумнов ее рисовал, она сидела деревянно и озабоченно, положив на колени загорелые сильные руки.

…Она вела Севастьянова и Игумнова на хутор и рассказывала про лысого:

— Больше всех нажился, родичи на него батрачат, и ни договоров, ни соцстраха, и не подступиться к нему. А послушать его — самый сознательный, все новые слова знает… Ох, — сказала Мария, — до того ж хитрая порода, проклятые куркули!

Они шли, разговаривая, и детишки проворно семенили рядом, взбивая пыль маленькими босыми ногами.

Солнце спускалось у них за спиной. По обе стороны неширокой дороги были поля подсолнуха. Подсолнечники стояли обернувшись все в одну сторону: сомкнутые ряды, полки, полчища огромных темных ликов, окруженных желтыми нимбами… Первой с краю была на хуторе хата убийцы, они зашли на нее взглянуть.

Калитка была настежь, и дверь настежь, и хозяйка сидела на крыльце, свесив руки меж колен. На цепи рвалась, бесновалась собака, но женщина слегка только повернула к вошедшим голову, не спросила — чего им надо, не пошла за ними. Севастьянов взошел мимо нее на крыльцо вслед за Марией, вдвоем они прошли по комнатам; Коля войти не захотел. Комнаты были обставлены как в городе: зеркальный шкаф, хорошие стулья, кровати с блестящими шарами. «В голодуху за пшено да постное масло у городских повыменяли!» — объяснила Мария. Хата была под железом, во дворе крепкие постройки.

А Мариина хата крыта была соломой, и была в ней одна комната — почти пустая — да сени. Во весь двор — огород, наполовину уже оголенный, закиданный увядшей картофельной ботвой. Так и дохнула навстречу жизнь нищая, немилосердная, едва ступили на порог.

Коля Игумнов огляделся и спросил сочувственно:

— Такая молодая, и что же, одна живете, без никого?

— Как без никого? От, дети есть, — строго усмехнулась Мария. — Полная хата народу, как же без никого?

— А муж?..

— Муж? Пришел и ушел, и нет его, — сказала она жестко. — В семнадцатом пришел калекой с фронта, мы поженились. Три пальца у него отрезаны, но работать мог. Хату мы с ним построили. — Подняв голову, она оглядела беленый низкий потолок, и глаза ее налились слезами. — В долг вошли, отрабатывали... а потом надоела ему эта бедность, он и уехал, ничего о нем не знаю. Нюська — последняя — без него уж родилась.

Она вытерла глаза воротничком кофточки и закончила неожиданно нежным, воркующим голосом:

— Очень от бедности мучился. Он сильно грамотный был, ему совсем другая требовалась жизнь. Он, например, таракана видеть не мог.

— Как будто другая жизнь сама собой построится, — заметил Севастьянов.

— От именно! — горячо подхватила Мария, и слез ее как не бывало. — И я ему говорила: если не сами мы, то кто же, правда? Не бог, не царь и не герой, правда?.. Но, конечно, трудно одной.

— У вас еще все впереди! — сказал Коля.

— Так видите, — сказала Мария, — жениться на мне никто не женится, с таким-то приданым? — Она кивнула на детей. — А другое что-нибудь я не могу себе позволить. Я если себе позволю, так будет крик и лай на всю Маргаритовку и с хуторами. Другой — простят, а мне не простят от столько. И про меня будет лай, и про бедняцкий наш класс, и про всю советскую власть, — сказала она гордо. Ясно было, что в ее сознании советская власть, бедняцкий класс и она сама, Мария Петриченко, — неразделимое целое, и этим диктуются все ее поступки.

Она кормила детей, укладывала их и рассказывала, как хитростями, взятками, угрозами зажиточные пытаются все прибрать к рукам, а она против этого борется. Они и ее хотели подкупить, кашемиру на платье набрали, как же, так она и взяла ихний кашемир! Детям сдобные коржики пхали: она запретила детям у них брать! — Некрашеный стол был в хате, лавка, две табуретки; между печью и стеной настланы нары для спанья. Кормила детей Мария деревянной ложкой, из чугунка с отбитым краем. Неровно оструганные, побеленные мелом столбы — дерево просвечивало сквозь мел — подпирали потолок. Сухо пахло глиной от земляного мазаного пола.

— Я знаю одно, — сказала Мария, — или им на свете быть, или мне с моими детьми на свете быть. Я с ними никогда не помирюсь!

Стало темно. Младшие дети спали. Старший мальчик, лет шести, вылез к краю нар, лежал на животе среди тряпья, — подперев кулачками щеки, слушал, как разговаривают взрослые. Мария зажгла лампу и сказала:

— Я вам мои стихи почитаю.

Легко вскочив на нары, достала с лежанки аккуратно сложенные листы (вырванные из бухгалтерской книги, с печатными словами «Дебет» и «Кредит») и развернула под лампой.

— От послушайте, — сказала она доверчиво.

Она читала, сжимая руки, вздыхая глубокими вздохами. Маленькая лампа дымно светила сквозь закопченное стекло. Лицо Марии в этом свете было коричневым, белыми черточками выделялись морщинки на висках, угольной чернотой — брови и ресницы. Другого конца комнаты свет лампы едва достигал. Оттуда блестели внимательные, разумные глаза слушающего мальчика.

Стихи, которые читала Мария, были отчасти знакомы Севастьянову. От сильно грамотного мужа ли, бросившего ее с детьми на эту нужду и борьбу, или из книг и песен, но она нахваталась стихов и, беря чужие строчки, приписывала к ним свои; и от чистого сердца, радуясь и любуясь, признавала то, что получалось, за собственное свое сочинение. Севастьянов и Коля ее не разубеждали… «Тучки небесные, вечные странники», — читала она с чувством:

Огненной молнией,

Громом грохочете.

Что же вы ищете?

Что же вы хочете?..

Когда Севастьянов с Игумновым уходили, ночь уже совсем накрыла степь и хутор. Лаяли собаки на ближних и на дальних дворах.

— Изо дня в день, — сказал Коля, оглянувшись, — представляешь, изо дня в день она так живет.

Севастьянов тоже оглянулся — за черным переплетом дырявого тына дымно-коричнево краснелось Мариино окошко. Тьма кругом шуршала, беспокоилась… «Вот так шуршало вокруг ее дома, — подумал Севастьянов, когда она сидела и писала то письмо, прощаясь с нами и поручая нам детей. И так же краснелось ее окно, и уже был заряжен обрез той пулей, которую готовили ей, а всадили в Кушлю…» Они молча шли мягкой пыльной дорогой, и шорох и мрак сопутствовал им до самой Маргаритовки.

45

Позже поднимается белая спокойная луна. Она стоит за крышей сельсоветского дома, ее не видно, но от нее светло на небе и на земле, и тень дома ложится на лужайку, заросшую калачиками.

На расшатанных ступеньках террасы сидят люди, курят: хлеборобы и рыбаки, их одежда пахнет рыбой, — и среди них школьный учитель, щуплый человечек с коротко остриженной седой головой, в тени она белеет, как громадный пушистый одуванчик. Тревога, раздражение вечных неудач в голосе и движениях учителя. Тонкий лягушечий рот в разговоре брызжет слюной и сжимается трагически. Учитель спорит с Дробышевым, который ходит перед крыльцом, иногда останавливаясь (Дробышев и в редакции редко сидит, ходит, разговаривая, по кабинету или стоит у стола, опершись на стул коленом).

— Вы здесь три дня, — говорит учитель, — а я четыре года, кому из нас видней?

— Вы за четыре года ничего не увидели! — отвечает Дробышев своей начальственной скороговоркой. — За четыре года вы ничего не поняли!

Дробышев — деловитый, с быстрым взглядом, с повелительной посадкой головы. И речь у него быстрая и повелительная. В деревне, в командировке, он несравненно доступней, чем в редакции, где к нему нельзя войти, не спросив разрешения, где он вечно спешит и где только покойный Кушля обращался с ним запросто, чуть ли не похлопывал его по плечу.

— Вы мне не докажете, — строптиво твердит учитель, — что это политическое убийство. Старая семейная ссора. Еще до революции чего-то не поделили.

«Неужели не понимает, — думает Севастьянов, — не может быть, чтоб не понимал, он же дядька образованный; притворяется из упрямства».

— Выпили, — небрежно замечает чисто одетый человек с темной оборочкой волос вокруг лысины, тот, о котором рассказывала Петриченко, что на него батрачат родичи, — выпили, поспорили, ну и — под горячую руку, спьяна…

— Андрей выпивши не был! — сурово поправляет кто-то из тени. — Вскрытие показало — не был он выпивши!

— Спорили-то о чем, — говорит Дробышев, — спор шел, как выяснилось, о советской власти.

— Человек убил человека, — возбужденно говорит учитель. — Со времен Авеля и Каина человек убивает человека и придумывает разные причины убийства. — Он встает, уходит по лунной лужайке, маленький тщедушный упрямец из тех закоренелых упрямцев, что готовы лучше умереть, чем отказаться от своего заблуждения и признать истину; голова его уплывает в ясную ночь, как светящийся шар. А на ступенях террасы продолжается беседа, и текут дымы самосада, то жгуче-едкие, то медовые.

(Это ночь перед похоронами Кушли, Кушля еще не погребен, лежит в сарае, принадлежащем сельпо.)

Зовут ужинать: уборщица наварила картошки, нажарила сала… Потом приезжие (их порядочно) укладываются спать в комнате верхнего этажа. На полу постлано сено, на сене — рядна и подушки. Подушка в синей ситцевой наволочке пахнет кислым молоком… Начальственность, повелительность сходит с Дробышева, когда он разувается, сидя на полу. Тогда можно вообразить его на войне, в лагере военнопленных (он побывал в германском плену), в любом состоянии, а не только ответственным работником, поучающим, как строить газету и что думать по тому и по другому поводу.

Разуваясь, он расспрашивает председателя укома об уездных делах, и тот отвечает, тоже сидя на полу и разматывая свои портянки. Разговор все отрывочней: устали. Засыпают. На темных подушках белеют лица.

В недрах бывшего помещичьего дома то тут, то там слышатся глухие постукивания, поскрипыванья, шаги. Это, должно быть, уборщица моет пол, передвигает столы и скамьи. А это, должно быть, старый учитель бродит, как домовой. Непостижимо, думает Севастьянов, что такой человек, явно неудачливый и несчастливый, явно проживший жизнь трудовую и трудную, с враждебностью отталкивает от себя классовую правду, которая все озаряет и объясняет, — легче ему, что ли, доживать свой век в потемках? Придется-таки нам попариться, думает Севастьянов, покуда вложим нашу классовую правду во все головы, седые и молодые… В распахнутые окна на засыпающих людей заглядывает луна, закатываясь за темную гущу сада.

46

В сарае слева были навалены бочки и ящики, а справа из пустоты тянуло холодом — от ледника, широкой ямы, где под слоем соломы хранили лед.

Снаружи пылал полдень, тут были сумерки.

Пахло сырой землей, рогожами.

Севастьянов постоял у края ямы, простился мысленно с Кушлей… С кем он прощался? В загробную жизнь он не верил. Лежавший в ледяной яме не мог его услышать.

Но в памяти Севастьянова Кушля жил, вот он выпустил изо рта ленточку дыма, посмотрел весело и задумчиво, сказал: «Замечательная вещь, дорогой товарищ, не поверишь: ноготки моего фасона!» — с этим живым Кушлей простился Севастьянов.

И вдруг почувствовал, что он не один тут: кто-то вздохнул у него за спиной. Оглянулся, — неплотно притворенная дверь была как огненная щель; в сумраке возле бочек стояла, понурившись, серая фигура: Ксаня. Он к ней шагнул — подняла руки, закрыла лицо, застонала сквозь стиснутые пальцы длинными глухими стонами…

47

После похорон Коля пошел бродить по кладбищу, и Севастьянов, от печали и неприкаянности, бродил за ним.

Они плутали между крестами и холмиками, холмиками и крестами. Надписей на крестах не было. Безымянно, безвестно спали здесь поколения.

В сторону лимана все реже становились кресты и бесформенней холмики, местами земля только чуть-чуть вздувалась там, где когда-то были погребены люди.

Трава в этой части кладбища была некошеная, лютая, грубая, как кустарник. Одни растения рассыпали семена, а другие такие же рядом цвели, и множество мелких бабочек, лазоревых и красных, вспархивало с цветов.

Коля обрадованно позвал Севастьянова: он наткнулся на старую каменную плиту. Она лежала криво, уйдя боком в землю; травы переплелись над нею. Коля стал гнуть и ломать траву, расчистил камень и прочел надпись. Они нашли вторую плиту, и третью, и целую колонию осевших в землю, разбитых на куски старинных надгробий.

Нетрудно было угадать, что это могилы помещиков, которым в прежние времена принадлежала Маргаритовка. Севастьянов не слыхал, чтобы существовало мужское имя Маргарит; и Коля тоже. Но тут лежали: Маргарит Феодорович и Феодор Маргаритович, и Григорий, Венедикт, и Варфоломеи Маргаритовичи, и Маргарит Григорьевич. На одной плите были вырезаны звезды, круглоликое солнце и месяц в профиль, и стих:

> Здѣсь землей покрыта
> Лицемѣ душею Маргарита.
> Такая ей цѣна
> Отъ общества дана.

Маргарита Варфоломѣева дочь Блазова.
1758—1775

Присели покурить. Коля высказал предположение, что, может быть, Маргарит — греческое имя; может быть, эти помещики были греки по происхождению. Он интересно рассказал о греческих поселениях на Черноморье и о том, как князь Владимир ходил на Корсунь. Потом Коля открыл свою папку и стал рисовать, а Севастьянов прилег в траве. Сквозь зонтики соцветий видно было, как мельтешат, танцуют маленькие яркие бабочки… Севастьянов проснулся, — неподалеку между могилами Маргаритов сладко спал Коля, его разгоревшееся лицо было в бусинках пота, крохотный паучок на паутинке осторожно спускался с цветка ему на бровь. Севастьянов разбудил Колю, они отряхнулись, перешагнули через остатки кладбищенской ограды и пошли купаться. В слободе бесчисленные Кушлины родичи справляли поминки…

(Отдельно от всех гуляли старухи, сидя в холодке под вишнями вокруг вбитого в землю стола. Они скинули кофты и сидели в рубашках и юбках, та простоволосая, та в платке, лихо повязанном концами назад; на шее у них, на шнурках и цепочках, болтались крестики. Под сквозной, золотой, лениво шевелящейся тенью сидели старухи, пили и закусывали.)

…Ночью Севастьянов и Коля на рыбацком баркасе плыли в Т. Подувал ветер, белые гребешки бежали по лиману, луна ныряла в быстрых облаках. Скрылся из виду берег, — тогда не думалось: я был там, буду ли еще? Я ходил там, мой голос раздавался там, мой товарищ похоронен там, — вернусь ли туда?.. Не думалось: сколько еще уголков мира покажется мне и скроется?..

Думалось другое. Ты чувствуешь или нет — я к тебе приближаюсь, кончается наша разлука; если поспею к утреннему поезду — столько-то осталось часов до встречи. — Бесшумно проходили босиком рыбаки. Поскрипывала мачта. — Возвращаюсь к тебе и буду возвращаться несчетно раз. Несчетно, как эти бегущие гребни… Опять с волнением и удивлением, будто о чуде и тайне, вспоминал, как долго она для него почти ничего не значила, хоть он и знал ее; словно бы у входа стояла она, и вдруг вошла и все заслонила. Ты счастье без края, думал он; как эти вечные волны, думал он…

48

…Вот и осень, дождь льет и льет. По черным стеклам окон бегут, блестя, кривые струйки и струится отражение зеленой лампы. Севастьянов задержался в редакции. Старик Залесский рассказывает о своих путешествиях, достает из портфеля снимки. Пространная жизнь, прожитая в передвижении, есть что поглядеть и послушать. Залесский с его пенсне и пышными усами является Севастьянову в диких степях, на снежных склонах гор, у пенных водопадов. На одном снимке он двадцатипятилетний, на следующем пятидесятилетний, еще на следующем — совсем юный, это чередуется много раз; словно свойство такое у Залесского — состарившись, вновь молодеть; словно и теперешняя его седина и шумная одышка — явления временные, и в один прекрасный день, скинув груз годов и немощей, он снова будет стоять у водопада, в фейерверочном ореоле брызг, — молодой, подтянутый, стройный, ухарски отставив руку с альпенштоком...

Говорит Залесский много, но делает передышку через три-четыре слова. Его толстовка, похожая на распашонку, расстегнута. Видно облачко волос на груди. Дымчатое облачко на белой нежной коже, напоминание о былом мужестве. Свисает тесемка пенсне; и в пенсне отражается зеленая лампа. Пришла жена Залесского, прозрачно-белолицая, в тонких морщинах, важная; села поодаль. Днем она приносит Залесскому завтрак в корзиночке с круглой крышкой, по вечерам заходит, чтобы отвести Залесского домой, — что-то у него с сердцем, она боится пускать его одного по улице.

— А ее, — говорит Залесский, — я нашел в России. В Обояни. Городишко Обоянь... Дел у меня там не было, случайно забрел, захотелось посмотреть: что за город с таким привораживающим названием. Забрел и нашел ее... Я всегда вверялся моим желаниям. Желать — хорошо. Желание есть жизнь. У вас много желаний?

— Порядочно.

— Чего вы хотите?

— В отношении чего?

— В отношении себя лично.

— В отношении себя лично, — говорит Севастьянов, — очень нужно получить образование.

Он только что поступил на рабфак и учился старательно.

— Надоело ничего не знать.

— Еще.

— Хочу съездить посмотреть Москву. Кавказ хочу посмотреть. Хочу везде побывать, как вы.

— Еще.

— Хочу... Хотел бы написать одну вещь.

— Какую?

— Так, одну вещь.

— Не для газеты?

— Нет. В газету не вмещается.

— Отлично! — уважительно говорит Залесский. — Отлично, что вы уже не вмещаетесь в газету. Большая вещь?

Севастьянов задумывается.

— Не знаю!

Невозможно ответить на этот вопрос, когда первые строчки едва написаны и все только клубится в воображении, как дым.

Залесский говорит о любви.

— Я много любил… — бросает он сквозь одышку, — и меня любили. Я остывал, и ко мне остывали. Меня покидали — еще как: рвал и метал, стрелялся, и это было. И все было великолепно. Оглядываюсь — перебираю эти дни, восходы, закаты. Цветут сады; и вообще происходит бог знает что, бог знает что…

«Дни, восходы, закаты», — повторяет Севастьянов мысленно, и ему представляются чередой — его восходы и закаты, эти разряженные, праздничные небеса; под розовым высоким рассветом он видит спящую фигурку на железной лестнице, над пустым двором… Жена Залесского улыбается длинными бледными губами, куда-то засмотрелась старуха, прищурясь, верно, в свои, ей одной видимые цветущие сады.

— Ничего, кроме благодарности! — говорит Залесский. — За эти взрывы, за то, что пережил их сполна! За то, что ждал на жаре и на морозе, за то, что плакал, за то, что стрелялся, и за то, что промахнулся! Той, которую проклинал самым театральным образом… которую считал преступницей, предательницей… палачом своим считал, — теперь говорю ей: «Ты в поля отошла без возврата, да святится имя Твое!»

Это слишком. Стариковский идеалистический лепет. Залесский забыл, как это происходит.

…Они разошлись на углу. Одной рукой Залесский опирается на палку не альпеншток, обыкновенная стариковская палка; в другой руке портфель с фотографиями. Жена держит раскрытый зонтик. «А что он сделал для людей? Что у него в итоге? Собрание собственных фотокарточек? Жена? Кот?» (Дома у них сибирский кот, он им за сына, и за дочку, и за внуков…)

Севастьянов идет под дождем по улице. Еще не очень поздно, свет во многих окнах. Окна подвалов и полуподвалов — у ног Севастьянова. Видно, как люди ужинают, двигают, разговаривая, губами, смеются, сердятся. Дряхлый старик набивает папиросы при помощи машинки, и с усилием движутся, просыпая табак, его трясущиеся худые руки, — женщина плачет, мужчина ее утешает, — мужчина колет кухонным ножом лучину, — женщина примеряет перед зеркалом платье с одним рукавом, — крошечную девочку укладывают спать, а девочка не хочет, прыгает и веселится в кроватке с высокой сеткой. Бесчисленность существований! Сколько всякой всячины на свете!.. Дождь барабанит по кожаному шлему, как по крыше. Холодно, и рядом шагает неприязненный, нахохленный, с прилипшим к виску мокрым чубом Спирька Савчук.

— И ничего не знаешь?

— Нет, — отвечает Севастьянов.

Изменился Савчук; меньше чем за год повзрослел — не узнать. Бросил свое бузотерство; образец дисциплины и выдержанности, не хуже Яковенко, с которым он дружит по-прежнему. С комсомольской работы его перевели на партийную, на заводе о нем говорят: вот как у нас растут молодые коммунисты.

И раньше он не был склонен к зубоскальству, у него всегда был возвышенный настрой мыслей, он и бузил-то, собственно, от исступленной требовательности ко всем и ко всему; теперь же вовсе стал мрачен. Маленький рот сжат железно. Круглые глаза светло и неумолимо смотрят из-под чуба. Расскажут смешное, ребята покатятся со смеху — у Савчука только мускул дрогнет на желтой щеке да веки отяжелеют от презрения к этому бессмысленному веселью. Он носит Зою в крови как малярию, как хинную горечь во рту.

— Так-таки ничего не слышно: где, что?

— Нет.

Не любит Савчук Севастьянова. Терпеть не может — но даже впотьмах, сквозь дождь, узнал, окликнул, догнал. В его голосе нотка хмуро-торжествующего превосходства. «Ты ее разве так любил, как я, — будто хочет сказать и не говорит Спирька, — ты ее не уберег; я бы уберег!..» В длинный-длинный вечер, косо заштрихованный дождем, слилась в воспоминании та осень. В вереницы луж, покрытых рябью, у подножья фонарей… Пропал в косых струях Савчук — идет с Севастьяновым, насунув кепчонку на нос, Семка Городницкий. Медлительно бубнит глухим басом, чихает, кашляет. Отроду сутулый и узкоплечий до жалости — нет-нет, спохватясь, возьмет и выпрямится, и выпятит грудь, чтобы казаться бравым здоровяком, бедный Семка. И через два слова на третье Севастьянов слышит имя Марианны.

— Она получает марксистскую закалку под моим просвещенным руководством. Прочла «Происхождение семьи, частной собственности и государства». Начали «Капитал». Она читает вслух, а я даю квалифицированные комментарии.

— Опять кашляешь, Семка, простудился?

— Слегка. Пустяки. После санатория все обстоит блистательно. Беда Марианны в том, что ею никто не занимался как следует.

Профессорская дочка, с гувернантками росла, откуда быть широте кругозора? Сплошная мещанская кисейность. Илье некогда ее воспитывать...

И вдруг говорит:

— Такой вопрос, Шурка. Если бы мне вздумалось восстановить статус-кво...

— Что?

— Если бы мои книги и я перекочевали обратно — что бы ты сказал?

— Ничего, конечно.

— Не очень возражал бы?

— Что мне возражать? Мы так и думали, что ты не уживешься. Чересчур там роскошно, не по тебе.

— Дело не в роскоши. Этот вопрос я проанализировал еще раз — без вульгаризации, абстрагировавшись от личных антипатий, и пришел к выводу, что это, во-первых, не роскошь, а элементарный комфорт, на который имеют право все трудящиеся, а во-вторых, в свете наших колоссальных задач не все ли равно, согласись, на какой кровати спать и на каком стуле сидеть, не в том суть.

Ни вода, ни холод, никакие стихии не заставят Семку говорить порезвей и округлять фразы менее тщательно, когда он впадает в лекторский тон.

— Илья валялся в тюрьме на голых нарах, а теперь у него пружинный матрац, и ни то ни другое для него не предмет эмоций, он живет другими проблемами. Разумеется, если товарищ разложился и за барахло готов, что называется, продать душу дьяволу, — но в данном случае это не имеет места. Если я восстановлю статус-кво, это произойдет по другим принципиальным причинам. Должен тебе сказать — Илья, при всем своем уме, недооценивает пионерское движение.

— Из-за этого уйдешь? Стоит ли? Ты уйдешь, а он вдруг передумает и дооценит.

— Не будем шутить. Я несколько устал от шуток на эту тему. Создается впечатление, что Илья Городницкий в нашем возрасте уже имел выдающиеся заслуги, а я учу детей бить в барабан и петь «Картошку». Невероятно, но факт, — он недооценивает и значение антирелигиозной пропаганды.

— Да что ты говоришь, — сочувственно замечает Севастьянов. — Дело ясное — Илья, легкий человек, любящий улыбку, разок-другой неосторожно пошутил над Семкиными занятиями, и Семка полез в бутылку, ему невыносимы эти шуточки в присутствии Марианны, он желает быть в ее глазах деятелем, несущим груз ответственнейших забот.

— Это, наверно, мнительность твоя. С чего бы ему плохо относиться к антирелигиозной пропаганде? Но раз контакт не получился — смывайся, и все.

— Смоюсь, если станет невтерпеж, — глухо отвечает Семка, и они трясут друг другу озябшие руки.

— Пока.

— Пока.

«Скрутило Семку, он и делает из мухи слона, — думает Севастьянов, шагая дальше по лужам, — Илье надо бы отнестись более тактично и не шутить над ним, когда такое дело».

Севастьянов дома. Снимает и развешивает мокрую амуницию. На столе тетрадки. Севастьянов открывает тетрадь в клеточку, садится решать уравнения. Совсем с азов начал, уравнения с одним неизвестным для него открытие.

Решил, а ложиться не хочет. Он вообще мало стал спать.

Сперва потому не спал, что подкатывало к горлу, не продохнуть было от ерунды этой, которую она натворила. Лежал и разговаривал с ней: «Несчастная моя дура. Набитая моя дура. Что это ты сделала, зачем ты так сделала!»

Тогда комнатушка еще полна была ею, ее движением, мельканием ее рук. Сейчас выветрилось. Комната как комната. Ничего никогда в ней не происходило особенного. Жили-были вдвоем с Семкой, теперь Севастьянов живет один, может быть — опять будет жить с Семкой. Не спит он оттого, что пытается записать на бумагу лица и картины, которые привязались и не отвязываются.

Люди — много, разные. Говорят всякий свое.

Звенят трамваи. Кричит паровоз. Хлопают паруса и флаги.

Люди и вещи кружат вокруг солнца и требуют, чтобы о них рассказали.

Он пишет медленно, нащупывая связи, фразы, имена.

Расставляя все по местам и переставляя. Каждый раз оказывается — не так.

Пробует описать женщину, как стоит она против убийц и дети цепляются за ее подол.

Еще недавно сочинялось так лихо, на ходу.

Он не верит Залесскому, что тот стрелялся. Если и стрелялся, то несерьезно: недаром промахнулся. Севастьянов ни разу не хотел умереть; как ни подступало к горлу — умереть он не хотел. Даже когда думал: «Лучше смерть!» — он лгал самому себе, он хотел жить.

49

Тогда, на паруснике, они с Колей опоздали к утреннему поезду, только вечером уехали из Т. Севастьянов вернулся домой ранним утром. Первым трамваем ехал с вокзала.

Зои не было. Кровать была застелена по-дневному.

На столе, белея, лежало письмо.

Он разорвал конверт, прочел. Подумал: что за номера.

Подоконник был пуст. Она свои вещички держала на подоконнике: зеркало, гребенку, одеколон, коробочку со всякой дребеденью — все исчезло. В жестянке от какао стояли засохшие розы, свесив некрасивые сморщенные головки; Севастьянов не сразу догадался, что это те самые розы. Платьев не было на стене, одна деревянная распялка для платья.

Уехала. Куда?.. Разъяснится, приказал он себе подумать, шутит. Понадобилось ей куда-то съездить, приказал он себе подумать, вернется.

Не все она взяла: вот же ее серый платок. Старые туфли брошены возле кровати. Ворох чулок на стуле.

Но кроме старых туфель, старого платка и нештопаных чулок он ничего не обнаружил.

Письмо…

Уже он знал эти строчки наизусть, уже правда пронзила его своим холодом и уродством, а он продолжал изучать письмо, цепляясь за слова, которые укрепили бы его в вере и опровергли правду.

«Я тебя очень люблю». И куда же тебя понесло, если ты меня любишь?

«Не ищи меня», — это из фильма, там она уходила от него и так же писала: «Не ищи меня».

«Умоляю, не ищи». «Умоляю» подчеркнуто.

В кухне уже возились. Шумела вода, пущенная из крана. Примус шумел.

Солнце вошло в комнату и светило на пустую кровать, прибранную по-дневному. Он вспомнил, что надо идти в редакцию писать полосу, к вечеру полоса должна быть у Акопяна.

Сумрачный сарай с огненной щелью увиделся ему, ледник, укрытый соломой, щетинистая морда убийцы. «У нас сражение, мы хороним товарищей, а она!..» Он больше не желал отворачиваться от правды, дело яснее ясного, недаром эти ничтожные, трусливые слова — «умоляю, не ищи». В кафе с кем-нибудь познакомилась или решила выйти за того фруктовщика, мерзость, — с нее станется, с нее все станется, он ехал хоронить товарища, а она позволяла целовать себя Игумнову, которого видела первый раз! Искать?! Будь покойна.

Если ты из-за угла... Если ты ничего, ровным счетом ничего не поняла — что у нас с тобой было и что ты разрушаешь!..

Он взял с гвоздя полотенце и вышел в кухню.

— Здравствуйте! — грозно сказал он ведьмам.

— Здравствуйте, — пискнули они испуганно.

И не проронили слова, пока он умывался, стояли смирно у своих примусов, и спины у них были удрученные...

Два инвалида в белых курточках смотрели со своего порога, как Севастьянов спускается по железной лестнице. Третий выбежал из кладовой, что-то сказал тем двум и убежал обратно, озираясь на Севастьянова.

Главный инвалид, сине-черный, усатый, с грустно-недоуменными складками над поднятыми толстыми бровями, решительно захромал Севастьянову навстречу.

— С приездом, товарищ Севастьянов. Очень спешите?

— Есть дело?

— Да. Есть дело. К сожалению. К очень, очень большому нашему сожалению. Будьте любезны зайти к нам. Пойдемте в кладовую, там никто не помешает.

Он был солидно деловит и в то же время всячески старался выразить сочувствие, даже придерживал Севастьянова под руку, когда тот переступал порог кучерявинской пещеры.

— Сюда попрошу.

Из темной пещеры — сеней — вошли в комнату с беленой печкой, с канцелярским столом и парой стульев. Счеты, бумаги, наколотые на железный прут, на плите кастрюля, на табуретке ведро воды и кружка — не то кухня, не то контора.

— Присядьте, будьте любезны.

Главный инвалид истекал сочувствием, он уже обеими руками держал Севастьянова, пока тот опускался на стул.

— Я слушаю, — сказал Севастьянов.

— Товарищ Севастьянов, мы бы вас не беспокоили, мы понимаем, что посторонние люди меньше всего должны путаться под ногами. Вы поверите без лишних слов, скажу одно: мы вам желаем от души не чересчур расстраиваться. Может быть, вы знаете, и совсем не стоит расстраиваться. Даже, может быть, впоследствии скажете спасибо, что это случилось, я бы сказал, своевременно. Пока у вас не зашло в смысле семьи чересчур далеко. Насколько это лучше во всех отношениях. Во всех отношениях.

Севастьянов ждал, глядя в кофейно-коричневые грустные глаза под толстыми поднятыми бровями. Главный инвалид к нему больше не прикасался, но у Севастьянова точное было ощущение, будто его ведут за руку, ведут, ласково уговаривая, к новой неизвестной беде.

— Да, товарищ Севастьянов. Мы вас очень уважаем, вас и товарища Городницкого. Если бы мы вас не уважали, мы с вами не имели бы этого разговора, а дело сразу перекинулось бы куда надо и шло себе как полагается. Но, уважая вас, мы, члены правления, поговорили — вам же это будет такая громадная неприятность…

Кто-то приоткрыл дверь, главный инвалид махнул — дверь захлопнулась.

— Наше предприятие у вас как на ладони. Вы знаете или нет — с этого маленького «Реноме» кормится рота людей, и при каждом семья. И если бы мы настоящую имели клиентуру, как «Эльбрус» или «Чашка кофе», а то из-за нашего невыигрышного местоположения… Конечно, можно сказать: а! бог с ними, с деньгами, что такое деньги, чтобы из-за них ущемлять молодую судьбу! Но мы люди подотчетные, мы не в состоянии…

Инвалид отвел глаза, пожимал плечами, тон у него был виноватый:

— Сумма не такая большая, хотя и не такая маленькая. Последнее время у нас дела шли получше…

— Сколько? — спросил Севастьянов. И, услышав цифру: — Господи! — сказал невольно от горького недоумения. — Из-за этого?..

— Нет, не из-за этого, конечно, — сказал инвалид, — это прихвачено попутно, между прочим, как карманная мелочь. Это, вы понимаете, не та сумма, из-за которой…

Севастьянов перебил:

— Если я уплачу, вы не станете возбуждать дело, так я понял?

— Против нее — безусловно. Зачем нам тогда против нее возбуждать? И я вам советую, как искренний друг…

— Рассрочку дадите? — спросил Севастьянов, обдумывая. Он был много должен в кассу взаимопомощи.

— Какой может быть разговор! Что, мы вас не знаем?

— На два месяца.

— На полгода! — преданно воскликнул инвалид. — На год!

— На два месяца, — повторил Севастьянов.

Теперь он мог идти в редакцию. Полосу о Маргаритовке необходимо было сдать к вечеру. «Коля Игумнов уже на месте, и Акопян пришел и смотрит на часы, они меня ждут, надо отобрать рисунки, а то не поспеют клише». И надо было убежать поскорей от этого тягостного сочувствия.

Но он не убегал, сидел в странной комнате, которая и кухня и контора, рассматривал ее и задавал себе странные вопросы. То, что он здесь услышал, и то, что кого-то он здесь не видел, кто должен бы тут находиться, влекло за собой эти вопросы, притягивало воспоминания и сопоставления, и в круг сопоставлений включалась комната с беленой печкой, бухгалтерскими счетами и ведерком из оцинкованного железа. Однажды было: он днем забежал домой; вошел во двор, а Зоя выходила из пещеры Кучерявого. До мельчайших подробностей он вспомнил, как, положив руку на ошейник собаки, она преступила низкий порог, зажмурилась от солнца и улыбнулась ему, идущему по двору. Теперь он воображал, как она входит в эту комнату. Положив руку на ошейник собаки, входит она и улыбается находящемуся в комнате. Севастьянов все видел до того наглядно, что в комнате стало тесно: Зоя, улыбаясь, стояла между столом и дверью, и рядом с Зоей — длинное, сильное, холеное, весело дышащее животное.

— Где ваш кладовщик, — спросил Севастьянов у инвалида, — и где его собака? — Он не думал, в каких выражениях спросить: спросил, как спросилось.

Есть у человека спасительные навыки, множество превосходных механических навыков, они, оказалось, здорово помогают в таких случаях. С тебя кожу сдирают с кровью, а ты достаешь папиросу, постукиваешь мундштуком о коробку, дуешь в мундштук, чиркаешь спичкой, — поступки совершенно механические и пустяковые, а все же поступки, действия, и от них вроде легче… Пока инвалид шептал, подняв добрые брови, Севастьянов предложил ему папиросу и сам закурил. Проделывая это, принимал последние удары, которые ей заблагорассудилось обрушить на него.

— Вы понимаете, что Кучерявого мы ищем через угро.

— Но она не пострадает.

— Нет, нет. Она бы не особенно пострадала, товарищ Севастьянов, и в том случае, если бы мы на нее заявили: за ней небольшая сумма, и очень легко отвести обвинение. Она бы пострадала морально, в глазах своих товарищей. Но зачем это нужно, говорили мы, члены правления. Зачем наказывать молоденькую девочку за первую глупейшую ошибку, говорили мы…

Севастьянов ушел. Он пришел в редакцию. Как он и полагал, Акопян и Игумнов ждали и уже беспокоились, что его нет. Оба они сидели у Акопяна за столом, заброшанным Колиными рисунками, и пристально смотрели на приближающегося Севастьянова.

— Что с тобой? — спросил Акопян. — Нездоров?

— Нет, почему, здоров, — ответил Севастьянов.

— На тебе лица нет. Замотался, что ли?

— Замотался, наверно, — сказал Севастьянов.

Под предлогом, что все ему мешает, он затворился в архиве и провел этот горячечный день в одиночестве среди пожелтевших газетных сшивов. Писал, бросал писать, ложился лицом на стол, шепча: «Что ты делаешь!» Принуждал себя снова браться за работу и снова кусал себе руки от душевной боли, омерзенья, бессилия, безобразной бессмыслицы свершившегося... Что ты делаешь, что ты делаешь!

Позднее, в зрелом возрасте, он никогда не проявлял своих чувств таким детским и отчаянным образом. Но тогда ему было всего девятнадцать лет, он еще пел песни собственного сочинения!

50

Он не собственник. Разлюби она — тут уж ничего не поделаешь.

Но не разлюбила же! «Я тебя люблю», написано ее рукой, — это правда! Что правда, то правда! Ее любовь была откровенная, ликующая. Так лгать нельзя.

Кто умеет так лгать, тот не человек.

Если такой свет удивительный вспыхнул от того, что двое вверились друг другу и соединили свои существования, — как можно было погасить свет, взять и все уничтожить в минуту!

Как она его поцеловала на вокзале...

Или можно лгать и так?

51

Во сне забывал; открывались глаза — наизусть знакомое расположение дыр в штукатурке, скрип кровати, грохот чьих-то шагов по железной лестнице равнодушно напоминали, что произошло. Каждое утро напоминали заново. Каждый раз — как по живому мясу...

Хуже всего были утренние открытия заново.

Он схватывался и мчался, будто на поезд опаздывал. Мчался в редакцию.

«Дорогая и уважаемая редакция», как писали рабселькоры в письмах, дорогая и уважаемая редакция, твердыня, крепость, самые стены твои помогали.

Гул печатной машины был слышен издали. Важная уверенность была в этих однообразно-плавных раскатах: «Что касается нас, мы заняты своим делом. Оттого, что тебе изменили, здесь не изменилось ровно ничего!»

Осенними мглистыми утрами в окнах типографии горели висячие лампы. Наборщики в черных халатах, с верстатками в руках, стояли у реалов.

В конторе и в редакции лампы были настольные, зеленые.

У запертой конторы дожидались граждане, принесшие объявления — о продаже роялей, о сбежавших собаках и утерянных документах, документы терялись в таком количестве, что ими должны бы быть усеяны все улицы.

Акопян сидел за своим столом, в правой руке перо, в левой папироса.

— Доброе утро.

— Доброе утро.

На столах был разложен «Серп и молот». Он успевал устареть за ночь номер, датированный сегодняшним числом, выходил накануне, потому так странно кричали по вечерам газетчики: «Серп и молот на завтра», сегодняшний номер был в сущности вчерашним, и вчера же сотрудники редакции его прочитывали. Тем не менее, приходя утром, они разворачивали газету, чтобы еще раз взглянуть, как она выглядит, и еще раз бросить ревнивый взор на собственный опубликованный материал, и комнаты наполняло прохладное шуршанье, успокоительное, как бром.

Являлся Коля Игумнов, томный, с мокрыми после умывания волосами.

— Доброе утро.

— Доброе утро.

С Колей Игумновым в свободные часы играли в шахматы. Коля насвистывал арии из оперетт. Арии легкомысленные, а глаза у Коли были строго опущены на доску, играл он сосредоточенно и хорошо.

Летом, после возвращения из Маргаритовки, он оглушил Севастьянова вопросом:

— Как поживает твоя мадонна?

Севастьянов ответил:

— У меня нет мадонны.

Больше об этом не говорили.

Славный был парень, способный карикатурист, много читал, знал историю, и не донжуан вовсе, как представлялся, просто нравилось ему делать вид, будто он не может пропустить ни одной юбки, почему нравилось неизвестно.

…Часть своих комнат «Серп и молот» уступил редакции новой газеты «Советский хлебороб». (Кушля там собирался работать разъездным корреспондентом.) В первых номерах этой газеты был освещен процесс об убийстве Кушли. Общественным обвинителем на суде выступал Дробышев. Он доказал, что убийство классовое, политическое, и потребовал для убийцы высшей меры наказания.

В новой редакции, в проходной комнате, сидела Ксаня, регистрировала письма. Дробышев ее устроил, а его жена (маленькая кругленькая женщина в мужском пиджаке, с круглым гребешком в коротких волосах, Дробышев обращался к ней по фамилии: Иванова) приаккуратила Ксаню по своему образу и подобию. На Ксане было платье свекольного цвета, черный пиджак, волосы коротко подстрижены и заколоты круглым гребешком; только обута была, как помнится, все в те же заплатанные сапоги. Сидела Ксаня, медленно водила пером и провожала проходящих мимо ее стола медленным диковатым взглядом исподлобья.

— Добрый день, Ксаня.

— Добрый день…

52

Вадим Железный спросил напрямик:

— Я узнал — от тебя ушла женщина? Жестокий нокаут? Говорят, она была красива?

— Да.

Нелепо: ведь не он ушел — от него ушли; откуда же был у Севастьянова стыд перед людьми, словно это он надругался над чем-то, какой-то погасил драгоценный свет?

— Она была умна?

— Почему «была», — сказал Севастьянов, — она не умерла, она есть.

— Но писал бы ты о ней в прошедшем времени, — возразил Железный, значит — «была». Ты бродишь среди развалин?.. Тот, кто взялся за перо, обязан ограждать себя от страстей, пережигающих разум. Мозг пишущего должен быть подобен отрегулированной и смазанной машине, всегда готовой принять сырье и переработать его быстро и без брака. Бодрость, ясность, собранность — наши профессиональные качества. Всему, что на них посягает, мы говорим: сгинь. Разве не так?

Сам себе ответил:

— Да, это так! Собранность! Свойство сильных! Плодотворнейшее самочувствие из всех возможных!.. Никакой разболтанности. Боксеры тренируются, чтобы сохранить и умножить свои профессиональные качества. Обуздание желаний для них закон. Я разработаю режим для пишущих. По жанрам: режим публициста, режим поэта, режим сочинителя текстов для массовых действ.

Несомненно, это пришло ему в голову только что. И, несомненно, он тут же уверовал, что это одна из первоочередных его задач, осуществления которой ждут все публицисты, поэты и сочинители текстов для массовых действ. Весь в скрипучей коже, он был воплощением активности и целеустремленности, это внушало почтение. Все же Севастьянов не мог не запротестовать против такой безапелляционной постановки вопроса.

— Беречься, значит, от беспокойств, — спросил он, — не волноваться? Ходить с блокнотом и протоколировать?

— Сколько нам с тобой отмерено бытия? — спросил Железный. Выражение его раздобревшего лица стало элегическим. — Ты об этом думал? Голубоокая заря детства не в счет. Старость — мы не знаем, какая она будет. Много ли остается для свершения? Не удастся сделать десятой доли того, что задумано.

— Все равно не знаю, кто так может, — сказал Севастьянов, — быть машиной для переработки. Попробуй, желаю успеха, раз тебе этого хочется.

— Претворять жизнь в слово, — сказал Железный, — важней и увлекательней чего бы ни было. Что любовь по сравнению с словом, пускающим побеги в вечность? Признай: разве слово, напечатанное черной краской на белой бумаге, не реальней того, что с тобой было? Оно имеет смысл. К нему можно вернуться, в нем нет эфемерности. Оно — экстракт мироздания. Через слово мы, быстротечные, подаем свой голос в громады пространства и времени.

В ту осень Севастьянов много стал читать, читал за обедом и в трамвае, записался в библиотеку и чуть не каждый день менял книги.

Он усердно заполнял делами свой день, чтоб меньше чувствовать пустоту, меньше думать о том, что так быстротечно пронеслось, — об эфемерности, да, страшной эфемерности того, что с ним было. Скоро пристрастился к чтению, с удивлением и неодобрением вспоминал, что еще недавно мог по нескольку дней не брать книгу в руки.

Районная библиотека помещалась в старом барском особняке. Два каменных льва с источенными, изуродованными старостью мордами скалили зубы по сторонам крыльца. Прохожие совали им в пасти окурки. Особняк отапливался плохо, книги сырели, библиотекарша стояла за стойкой в пальто с поднятым меховым воротником. Если она уходила в читальню затопить буржуйку, у стойки скапливалась очередь. Но по большей части топили буржуйку члены кружка друзей книги.

Библиотекарша была грустная женщина с сильной проседью в волосах, небрежно причесанных на прямой пробор. На ее худых руках остро выделялись суставы. В ногти въелась угольная пыль.

Любимым своим читателям — любила она тех, кто часто менял книги, она позволяла рыться на полках.

Ломаными линиями уходили в глубь зала шеренги книг, одни книги стояли прямо и тесно, как солдаты, другие — привалясь друг к другу. Была сладость в том, чтобы, выбрав наугад, вынуть томик, полистать, пробежать начало, страничку из середины… Покажется интересно — сказать библиотекарше: «Запишите мне это»; не покажется — поставить на место и открыть другой томик.

Было из чего выбирать, не то что в детском шкафчике Зойки маленькой. Глаза разбегались, хотелось взять то и это, целые вороха забрать с собой и прочесть не откладывая.

Тонкие книжки он, увлекшись, прочитывал тут же у полок.

К чистым, щеголеватым томам приближался недоверчиво, с предубеждением: не манило то, что годами и десятилетиями никому не оказалось нужным. Хватался за истрепанные книжки, читаные-перечитаные, распадающиеся на листки, с оборванными корешками. Нередко наружность обманывала.

Вообще, читатель он был неквалифицированный, детишки из кружка друзей книги сто очков ему давали вперед. Эти мальчики и девочки, похоже, так и жили в библиотеке. Они были серьезны, полны достоинства, разговаривали вполголоса. В читальне, в уголку, они переплетали книги, пришедшие в негодность; там стояли их переплетные станки и пахло столярным клеем, который варили на буржуйке. Когда нечем было топить, они приносили топливо из дому — кто полено, кто горсть угля в газетном кульке.

Однажды Севастьянов взял с полки толстую книгу, заглянул в середину описание церковной службы; заглянул в конец — тоже божественное, религиозные поучения. Не интересуясь, кто автор, он пренебрежительно задвинул книгу обратно. Рядом спускалась по стремянке девочка-подросток из числа друзей книги, Севастьянов постоянно видел ее тут — некрасивая, очень бедно одетая, косицы закручены на ушах, и скручивались жгутиками концы пионерского галстука. Бесшумно спускалась она, и вдруг ее ноги в детских заштопанных чулках и худых ботинках остановились у севастьяновского плеча, и, рассеянно глянув вверх, он заметил, что она смотрит на него, вернее на книгу, которую он ставит на место. Она робко сказала:

— Это, знаете, — это интересная книга.

«Рассказывай», — подумал он. Но так как она была такая некрасивенькая, с испуганными глазами, он благодарно кивнул ей и сказал приветливо:

— Я уже читал.

В дальнейшем библиотекарша руководила его чтением. Грустно-небрежно, будто между прочим, подсказывала названия, а то просто доставала книгу и записывала в его карточку, говоря: «Это надо прочесть».

Скольким людям обязан он, сколько рук потрудилось, чтобы сделать его человеком.

Книга, которой он тогда пренебрег, была «Воскресение».

Но хоть и неквалифицированно, а читал он запоем, прозу и стихи, любить стихи научился уже давно от Семки и Зойки маленькой. Библиотекарша приохочивала его и к пьесам, он читал Мольера, Островского, Ибсена.

Чем больше читал, тем больше тянуло к чтению. Радовался, что книг так много, — на всю жизнь хватит, и еще с избытком!

Смешно сказать: ему нравились и оглавления еще не читанных книг, и рекламные списки, которые печатались на последней странице, там, где повествование окончено и за ним как бы закрывались ворота. Перечни книг зажигали фантазию, он пытался этими ключами открыть запертые ларцы.

«Того же автора, — читал он с удовольствием. — "Вольтерьянец". "Сергей Горбатов". "Старый дом"».

Наименования, сочетаясь, дополняя друг друга, рисовали узоры различных историй. Представлялись лица и события — потом оказывалось: не те; но было заманчиво — повоображать самому, прежде чем тебе все расскажут. Что происходило в старом доме (он, конечно, был точно такой, как этот, со львами), и что происходило в доме с мезонином, и что в доме Телье? Что за люди, именами которых названы книги?.. Воображение строило и заселяло дома; заселяло и наполняло действием тома, к которым еще и не прикасался. Вскользь думалось — когда-нибудь таким же столбиком будут печататься названия моих книг, интересно, какие это будут названия…

Он знал, что это ребяческое развлечение; но любил поиграть мимоходом в свою игру, становясь лицом к лицу с библиотечными полками.

Любил забраться на самый верх стремянки, под закопченный потолок, и побыть там, перебирая старые, в пылище, книги. Под потолком было тепло. Старые книги пахли особенным, крепким запахом. Некоторые были в бурых пятнах, как от йода. Было спокойно — то, что угнетало и мучило, не поднималось сюда наверх; оставалось у подножья стремянки…

53

Иногда он заходил в детдом, находившийся неподалеку от редакции.

Запах борща и карболки. Двор как плац, мощенный булыжником, в глубине двора — два столба с качелями. Стекла в окнах разбитые и склеенные бумажными полосками.

Летом Севастьянов туда наведывался и написал в «Серп и молот», как там грязно и скверно, воспитатели неопытные, дети разбегаются. Дети (все мальчишки) были маленькие: семи, восьми лет, но уже прожили бурную жизнь, полную бедствий всякого рода. В бега пускались отважно, готовые к любым приключениям. Одни, нагулявшись, возвращались сами, других водворяла обратно милиция, третьи исчезали совсем. Те, кто не бегал, все лето с утра до вечера качали друг друга на качелях. С их маленьких лиц нездоровых, нечистых, в болячках, смотрели взрослые настороженные глаза. Стригли в детдоме редко, на головах у ребят было что-то вроде соломенной крыши.

Севастьянов написал о них и забыл — тут как раз свалились на него собственные беды. Осенью вспомнил, пошел посмотреть: какое же действие оказала его заметка. Никакого особенного действия она не оказала. Сменили заведующую и одного из воспитателей, а прочее осталось по-прежнему — темные спальни без лампочек, ломаные койки, рваное белье, дурной запах, болячки. Чтобы заставить детей сидеть дома, у них отбирали верхнюю одежду и обувь; и они бегали под дождем босые, в рубашонках, в том числе больные, удравшие из изолятора. За стол садились — как крепость брали: бросались на лавки с разбойным криком, лезли друг через дружку. Во время еды затевали драки. Даже по балобановским, не очень-то строгим правилам такого не допускалось — живо тетя Маня надавала бы ложкой по лбу, подерись они с Нелькой за столом. Тетя Маня уважала трапезу, уважала трудовой кусок и их с Нелькой учила уважать.

Кормили в детдоме дрянно, грязно. И не то чтобы по чьей-то злой воле так делалось. Бедность, а к бедности — неумение, нерадивость, непривычка к хорошей жизни как у детдомовцев, так и у воспитателей. Трудно ли как следует вымыть посуду? Трудно ли положить заплату на простыню? Труда большого нет; да ведь и так съест; и без заплаты переспит; и воспитатели спали не лучше и ели ту же кашу из таких же плохо помытых мисок. А сам Севастьянов — давно ли стал обращать внимание на эти вещи? Его-то когда-нибудь нежили, что ли?

Не нежили, и он от этого не страдал — рос себе и рос, не помышляя, что мог бы расти в более благоприятных условиях, и извлекая из выпавшей на его долю обстановки множество мальчишеских радостей. Правда, у него всегда было тяготение к пристойности: не любил хулиганов, пьяниц, бессмысленного гама, циничной ругани; но прихотей не знал никаких. Почему, став взрослым, он так близко принял к сердцу неустроенность этих малопривлекательных мальчишек? Прямо-таки совестно было глядеть на детдомовские беспорядки, словно сам был в них виноват: «Куда это годится. Не должно быть такого детства. Не должен человек созревать среди безобразия... в запахе карболки». Ревниво думал об обеспеченном, богатом светлыми впечатлениями детстве людей из чуждых классов, — сколько книг написано об этом обласканном детстве: «Они на все готовое приходили». (Еще не знал, что у каждого поколения, как бы заботливо ни были приготовлены ему пути, — у каждого поколения свои трудности; каждое поколение берет новую высоту, прежде чем выйти на поле большой деятельности.)

Он стал хлопотать, чтобы какая-нибудь солидная организация взяла шефство над захудалым детдомом. Пока ничего не получалось из его хлопот, он шефствовал единолично. Пытался воспитывать воспитателей — удивительно, что они его не выгнали и не пожаловались на него; но они относились к нему добродушно, хотя и не слушались. Узнал случайно, что после ликвидации Послдгола остались кровати и другое госпитальное барахло, лежит на складе; заручился запиской Дробышева и добыл ордер на шестьдесят кроватей и шестьдесят тумбочек... Шефство над детдомом взял «Серп и молот». Типография отработала воскресник и приодела мальчишек, а на Седьмое ноября устроили им хорошее угощение. Бутерброды с колбасой и сыром лежали грудами, и все брали сколько хотели.

Эти мальчишки первый раз в жизни ели сколько хотели, а не по порциям. Только конфеты были розданы поровну, чтобы не вышло несправедливости.

Они, мальчишки, тоже использовали для своего увеселения все, что им перепадало в их скудном житье-бытье; и вот какую забаву они придумали. Когда заходил Севастьянов, они налетали на него со всех сторон и турманами кидались ему в ноги. На оба его ботинка усаживалось по мальчишке. Они обхватывали его колени, и он шагал по коридору, высоко поднимая ноги, а мальчишки визжали от восторга; а остальные бесновались кругом, крича: «И я! И я!» Неизвестно, откуда они взяли, что с ним можно так обходиться; разговаривал он с ними довольно сурово... Он шагал и чувствовал себя очень большим, очень сильным, могущим кого-нибудь ушибить и потому обязанным быть внимательным и осторожным с этими маленькими, толпящимися у его ног.

Впоследствии в таком детдоме росли герои одной его книги. К ним приходил молодой великан и играл с ними. Великан был светловолосый, неудачливый в любви, ботинки носил сорок четвертого размера; зная, что сейчас на них усядутся, он у входа старательно вытирал их о тряпку.

Случалась с ним одна вещь. Вдруг, среди людей и шума, накатывала тишина, глубокая, до звона в ушах; и в тишине он оставался один

со своим недоумением, своим вопросом: «Послушай! Зачем?..» —
и такая тоска иной раз, будто умер кто-то дорогой, без кого жизнь не
в жизнь... Решительно пресекая эти штуки, вырывался из тишины:
хватит, сколько можно думать о том, чего не переделать.

54

В редакцию входит горбун. Идет к севастьяновскому столу бойко,
проворно выбрасывая короткие ноги, но при этом пристально и ис-
пытующе смотрит Севастьянову в глаза — трусит и из амбиции не
хочет показать, что трусит.

«Что ей может быть еще нужно?» — думает Севастьянов.

С первого взгляда он знает, что горбун пришел не сам по себе — она
послала, ее существование опять становится непреложным и грозным
фактом, снова она, от которой себя отбивал, отучал, которую запрещал
себе все эти месяцы, — снова она приближается, она приближается
с каждым шагом горбуна, — что она на этот раз замыслила?

Что бы ни замыслила, Севастьянов испытывает протест при виде
приплюснутой к полу фигуры, шагающей к нему. Он предпочитает,
чтобы его оставили жить как он живет. Кончена история, и ладно,
и не надо его больше трогать.

— Но-но! — развязно говорит горбун скрипучим голосом, вы-
двинув, как щит, длинную ладонь, — выяснять, кто перед кем виноват, после будем, сейчас некогда. (Севастьянов ничего не собирается
выяснять.) Сейчас нужно в срочном порядке выручать сестренку, попала сестренка в неважный переплет.

Он торопится со своими сенсациями, желая обеспечить себе не-
прикосновенность. Но, уязвленный молчанием Севастьянова, не может удержаться, чтобы не лягнуть мимоходом:

— Не нравится, что я зашел? Мильон напоминаний, мильон тер-
заний? Потерпи, ничего; я по делу. Не будь дела, не стал бы беспоко-
ить; и не вспомнил бы, между нами говоря, что ты на свете есть. Так
у вас скоропалительно все началось и кончилось, что я с тобой даже
не успел более-менее познакомиться.

Придвигает стул и усаживается по ту сторону стола.

— Даже, как известно, не успели чокнуться за ваше семейное
счастье... Ладно, это ерунда, давай по существу. Я говорил, чтоб она
тебе записку написала, но она велела передать на словах.

Странно в чужом, недобром лице узнавать черты Зои. Карие глаза
под темными тонкими бровями, это у них общее. Профиль схожий.
Маленькая, с гречишное семечко, родинка на скуле. Брат и сестра.
«Я жду брата», — сказала она, стоя на площадке, девочка в пальтиш-

ке с короткими рукавами, а по заплеванной лестнице шел к ней горбун и вел Щипакина.

— Она в предварилке.

Вот что. А почему бы и нет? Почему не быть и предварилке, и чему угодно? С ней все может быть.

— Прыгала-прыгала и допрыгалась до предварилки.

И непонятно: досадует горбун или злорадствует.

— Ах, теперь в молчанку играть?! Из семьи сманил, а придержать за хвост, чтоб не путалась с кем не надо, — не хватило силенки? Обязан был держать! А не умеешь — какого черта сманивал?! Семья бы ее определила — ты зачем ввязался?.. Светлую жизнь обещал? Ты знаешь, как устроить, что светлей не надо! Сманил, так изволь присмотреть, а то вон какая петрушка... Тип-то этот, оказывается, на заметке, в особых каких-то списках. По белогвардейской лавочке: в осваге, что ли, служил. Идиот, ему в кладовщиках сидеть и сидеть с липовыми документами тише мыши, не рыпаться, а он такой дым пустил; любви понадобилось! Как пить дать, к стенке станет, болван, а она...

— Она знала?

— О чем? Что белогвардеец? Откуда? Полный он, что ли, псих довериться девчонке? Он ее подговаривал уехать вместе; какой ему расчет был ее пугать?

«Это так. Она легкая, веселая, она бы шарахнулась и от прошлого его, и от будущего».

— Ничего не знала, ясно. И ничего бы ее и краем не зацепило, если б от большого ума не побежала расписываться. В Новороссийск приехали, он первым долгом в загс. Рассчитывал в Одессе венчаться в церкви. Черт его душу знает, что думал: закрепить мечтал?.. Уже фату купил на барахолке.

Он ее затаптывает в грязь каждым своим словом!

— ...Она его не любила, так только... Он-то врезался до потери сознания.

— ...Вместо венца в кутузку. В арестантском вагоне две недели ехала со всякой шпаной. Рассчитывала, привезут — выпустят, а его здесь как раз опознали и засадили накрепко, и ее держат. Получаю письмо, зовет на свидание, — слезай, приехали...

— ...Он ее чем поманил — котиковым манто.

— ...Влипла. Надо выручать. Ты если постараешься — тебе пустяк, она говорит, — завтра же она может быть свободна. Ей предъявить ничего нельзя, в чем дело? Юрист ручается, ее раньше, позже — обязательно выпустят; так чего ради ей волыниться за решеткой...

Горбун навалился на стол локтями и плечами, стол ему до подмышек, голова горбуна лежит на плечах, как на тарелке.

— Через Городницкого! — говорит горбун и, совсем осмелев, заговорщицки и повелительно поталкивает Севастьянова в грудь белым костлявым пальцем. — Городницкий, прокурор, если вмешается — ее в два счета... Она говорит — вы корешки с его братом...

Оставшись один, Севастьянов сидит оцепенелый, вялый, водит пером, машинально что-то рисуя. Мысли кружат по периферии события, только что произошедшего. Он не мешает им кружить по периферии; предается им без лихорадочности, с прохладцей; прямо сказать — цепляется за эти периферийные мысли.

О горбуне. Такая вот мелкота, нуль, а сколько может пакости натворить в мире. Продать, растлить, погубить. Неуловимо, безнаказанно. И что ты с ним сделаешь, как обезвредишь? Лишился папы — содержателя притона, лишился доходов от притона, все возненавидел и пошел, огрызаясь, что-то себе налаживать, крутиться по-своему. Как ее обезвредишь, неисчислимую мелкую дрянь? Топчет землю короткими ногами, обмозговывает, хлопочет...

Учил Севастьянова, что сказать Илье Городницкому; все слова — одно другого противней: холуйство и злобное лязганье зубами, бесстыдное хныканье и тут же какая-то юридическая юркость, бедовость, тьфу! Доведись на самом деле до разговора — «товарищ Городницкий, — сказал бы Севастьянов, — она не виновата. Ее покалечили, но перед советской властью она не виновата, она не знала, кто он такой, верь мне. Он пообещал ей дорогие игрушки, она побежала за игрушками».

Кучерявый, обреченная, темная судьба. Как он в белой куртке — вылитый кладовщик — снимал и навешивал замки... Севастьянов вспоминает его логово; и как он кормил и ласкал свою Диану. Все стало мрачно-значительным после того, что рассказал горбун.

Вот тебе и кладовщик, сырое тесто, матрацные пружины. Враг ходил, прихрамывая, по людному двору. Отвешивал инвалидам повидло для пончиков... Должно быть, и прическу нарочно себе соорудил дурацкую, и косноязычную речь.

Здорово было сыграно. Сиди он в своей щели, может, до него и не добрались бы.

Могучее страха и расчета оказалось тяготение к Зое. Придачей к тряпкам, которые он дарил ей, была его жизнь...

«...А ты о ней все знал, скажи, что нет, — обращается Севастьянов к себе. — Никаких для тебя секретов не было в ее прошлом. Какие, собственно, у тебя к ней могут быть претензии, раз ты с самого начала все знал?» Надо же так о себе возомнить, ведь он, честное слово, был убежден в свое время, что прошлое прошлым, а отныне только и будет ей свету в очах, что он, Севастьянов.

А если бы она захотела вернуться. Если бы она захотела по-прежнему... Нельзя! Чтобы после всего она опять вошла в комнатушку за кухней? Как же он будет говорить с ней? Отводя глаза? Никогда больше не возьмет он ее за руку с той радостной верой!

И вдруг стукнуло: ты что? о чем? Она со шпаной за решеткой. Сидишь? Оттягиваешь? Сопротивляешься? Очень сейчас важно, будешь ты отводить глаза или не будешь, проблема, действительно... Она помощи твоей ждет! Вот что произошло, громадное, великое — она вернулась, уже вернулась, сообразил наконец?! Она рядом! Прислала к тебе за помощью! Считает — ты тут горы для нее своротил, придешь, скажешь «сезам, отворись», и она на воле. А ты сидишь домики рисуешь, сволочь.

Ужаснулся: как грубо — без миндальничанья! — наказывает ее жизнь. Как ей плохо. Две недели в арестантском вагоне... Да отнесли ли ей еду какую-нибудь? Есть у нее рубашка, платье — сменить? Даже не спросил, эгоист, животное.

Да, и в комнату вернется, безусловно. Куда ей деваться, не к горбуну же. Она ведь такая же беспризорная, как те детдомовские пацаны, а то нет? Войдет похудевшая, измученная, тихая и положит узелок на стул. И опять просияет паршивая комнатушка. А ты разожжешь примус и поставишь чайник. И будешь кормить ее молча, потому что если заговоришь, то можешь заплакать, и она заплачет, получится чувствительная сцена, зачем.

А когда она ляжет отдохнуть, ты укроешь ей ноги и выйдешь на цыпочках, тогда можешь пореветь незаметно где-нибудь в коридоре, раз уж у тебя глаза на мокром месте!

Поздно вечером — нет, это ночь уже, до ночи проканителился, — он стоит посредине мостовой (как стоял когда-то перед другим домом, при других событиях) и смотрит, закинув голову. За высоким забором крыша. Над крышей два фонаря. Резко в их свете белеют трубы на чугунном фоне неба. Она спит под этой крышей. Севастьянов отходит дальше, становятся видны фрамуги верхних окон, ряд светящихся фрамуг, — там спит она. Ее спящее лицо увидел он, ресницы ее, шелковые губы в морщинках-лучиках. Обижают ее, наверно, все эти бандитки и проститутки, это народ известный.

На улице ни души (что за улица? Какая-нибудь третья Георгиевская, вторая Софиевская, там и люди-то почти не жили, то было царство сенных складов, свалок, дворов, где стояли бочки золотарей).

Ни души, кроме Севастьянова. От его шагов звенит земля. (Зима? Снега нет. Но и дождя нет, и земля звенит.)

Щелкает задвижка, в воротах открывается фортка. Невидимый кто-то спрашивает:

— Чего ходишь, эй! Что надо?

— Из «Серпа и молота»! — громко отвечает Севастьянов, спеша к воротам; по всей улице разносится его голос… Он протягивает удостоверение, но фортка захлопывается. Человек в буденовке выходит на улицу, зевая и натягивая тулуп. Буденовкой, манерой говорить, неторопливостью, беспечностью он напоминает Кушлю.

— Из «Серпа и молота»? А чего ночью здесь шатаешься? Ваши документы.

Стоя под фонарем, вертит и рассматривает красивую книжечку красной кожи.

— Севастьянов? Я тебя читал, товарищ. Читал твои статейки. Ничего пишешь. Учили тебя или сам?

— И учили и сам.

— Можно даже сказать — здорово пишешь. Правильно берешь под ноготь все что следует. Молодец.

Не видно, какого цвета у него глаза. Но так и кажется, что они должны быть ярко-голубыми.

— А чего ты тут?

— Тут человек у меня один.

— Ну-у? Кто ж? Из родни кто?

— Сестра.

— Скажи ты! — ужасно почему-то удивляется человек в буденовке. — Ай-ай-ай. Родная сестра?

— Я думал — может, можно повидаться.

— А как же. Возьмешь разрешение и придешь повидаться, и передачку забросишь, строгости особенной нет. Даже на побывку домой отпускают, кто посмирней и не чуждый социально. Ведь это в основном простой народ. Через свою темноту и бедность совершают разные нарушения, и на ихнее пролетарское происхождение делается справедливая скидка. Справедливая-то она справедливая, но я тебе скажу, знаешь ли, пора бы им возыметь совесть и перестать нарушать. Такое мое мнение. Восьмой уж год идет революции, можно бы осознать, кажется. Можно бы проникнуться, в какую ты существуешь эпоху и куда идут массы, а свой шкурный интерес отложить в сторону. Грабят, понимаешь, убивают, ну что такое… Закури, товарищ.

Он протягивает Севастьянову папиросы. Подносит в больших ладонях зажженную спичку.

Глупость какая — вообразить хоть на минуту, что тебя впустят ночью в такое место по редакционному удостоверению…

— Спасибо. Пока.

— Будь здоров, товарищ.

Трамвай уже не ходит. На Сенной площади Севастьянову удается вскочить в проносящийся что есть духу грузовой вагончик. Стоя на подножке, без остановок мчится он по ночным улицам к Илье Городницкому.

55

Семка сидит под молочно-белой лампой и пишет.

— Илья, должно быть, спит, — говорит он, глядя рассеянно и расчесывая тонкими пальцами встрепанный чуб. — Что тебе так срочно? Я ему пишу письмо.

Он не удивлен поздним вторжением Севастьянова; у него у самого бушуют бури.

И Севастьянов не удивляется, что Семка пишет письмо брату, спящему в соседней комнате, — не до того Севастьянову.

Ковер уставлен кипами книг, связанных веревками, как в тот день, когда Семка сюда переехал.

Семка спохватывается:

— Что случилось?

И, выслушав краткую информацию, мучительно щурится:

— Он спит, по всей вероятности… Не знаю, захочет ли он… А впрочем…

Он выходит. Севастьянову слышно, как он осторожно стучится в дверь рядом; слышно, как он в коридоре с кем-то переговаривается сдержанным басом… Возвращается он с Марианной. Она говорит, входя:

— Нет, ну как можно, он только что заснул, — здравствуйте (это Севастьянову), он только что заснул, неужели нельзя подождать до утра?

Она кутается во что-то голубое и длинное, с длинными висячими рукавами, золотые волосы заплетены в косу, она сонная и сердитая, и, когда Семка пытается замолвить слово за Севастьянова, она перебивает:

— Ну да, ну да. Все это очень грустно, но будить я не разрешу. Он устал. Ему нужен покой. Никаких ужасов не происходит, как я поняла? Вашу знакомую просто задержали, не правда ли?

Севастьянов помнил ее нежной, ко всем расположенной, предлагающей им, ребятам, конфеты и дружбу.

— Не вижу повода заставлять его вскакивать среди ночи.

Семка щурится и говорит:

— Повод есть, Марианна.

— Ах, конечно, это ужасно неприятно! — восклицает Марианна. — Кто же спорит! Бедняжка! Конечно, Илья сделает все... но что можно сделать сейчас?

Должно быть, устыдилась своего раздражения; тон смягчается.

— Извините меня, — она берет Севастьянова за руку, — вы расстроены, вы не подумали: ведь он должен разобраться в этом деле, так же сразу он не может, не правда ли?

Лицо светлеет, становится таким, как помнит Севастьянов, — милым, немного беспомощным.

— Ошибка, вы говорите? Увы, это иногда случается, к сожалению... Ошибку исправят! Не горюйте! Ошибки всегда исправляются!

Белыми руками в голубых рукавах она ласково держит Севастьянова за руку.

— Я понимаю: вам хотелось поскорей излить ему свое горе! Да, да, я понимаю! Но вы знаете: он хрупкий, у него слабое здоровье! — Умоляющая улыбка. — Его надо беречь! Пусть он поспит! Вы ему все расскажете завтра!

Севастьянов глядит на нее сверху. Что он делает? Глупость за глупостью... Какого черта вломился? Что могло получиться из этого набега? Неудивительно, что Марианна рассердилась... А зачем она держит его за руку? Он не знает, как высвободить свою руку. Не умеет он отвечать на эти улыбки! Зачем ему ее сочувствие? Ей же дела нет до Зои и до него, как бы она ни улыбалась и какие бы ни говорила слова, профессорская дочка в голубом шелку! Он не к ней пришел, а к Илье Городницкому, коммунисту; при чем она?..

Но так или иначе, он перед ней виноват. И он что-то бормочет признает свою вину.

Марианна заверяет, что он ее нисколько не обеспокоил, да нет, нисколько, что вы! Его уговаривают остаться ночевать...

Семка провожает его по коридору. Говорит глухо:

— Ляжет ради него под поезд и взойдет на эшафот.

Севастьянов догадывается, что это о Марианне и ее любви к Илье.

Догадывается и о том, что означают стопы книг у Семки на полу и письмо, которое писал Семка. И откровенно просит:

— Обожди переезжать, ладно?

— Я могу устроиться иначе как-нибудь, — отвечает Семка. — Ты об этом не заботься.

А женщина в голубом одеянии с висячими рукавами — представлял себе впоследствии Севастьянов, — вернулась к своему мужу.

Довольная, что уберегла его покой, что она такая хорошая ему охранительница, — взглянула на него, спящего, и, может быть, перекрестила его, вполне возможно, что она это сделала: не потому, что была религиозной, а от избытка любви. Потом легла осторожно, счастливая, уверенная в своем счастье, в своей силе; и золотая ее коса свесилась с подушки.

56

К Илье Городницкому Севастьянов на следующий день ходил в прокуратуру, говорил с ним и заручился его обещанием срочно ознакомиться с обстоятельствами Зоиного ареста.

Совсем молодой прокурор был Илья Городницкий.

Уж одно то, как он вошел… Его пришлось подождать. «Прокурор в суде», — сказала секретарша. Севастьянов довольно долго просидел в приемной. Кажется, при старом режиме в этом здании тоже помещалось что-то относившееся к юстиции. Старая юстиция построила эти толстые стены и полукруглые, торжественные, как в соборе, глубокие окна. И деревянные диваны каменной прочности, с полированными покатыми спинками.

Через торжественную приемную Илья прошел — пролетел — широким быстрым шагом, взмахивая портфелем, — оживленный, стройный… Севастьянов не узнал его в первую секунду: Илья был без бороды; Севастьянову показалось, что мелькнувшее красивое лицо он видит впервые… Секретарша, проворно поднявшись, английским ключом открыла дверь кабинета. Прием начался. Первой, крестясь, прошла к прокурору старуха в черном платке.

И в кабинете были окна церковного типа, в полукруглых глубоких нишах, и чрезмерно высокий потолок, под ним сгущались сумерки, — внизу еще было светло. Озеро натертого паркета, стол — остров среди озера.

Илья сидел у стола боком, небрежно, узкоплечий, странно тонкий, не заботясь о том, чтобы приосаниться, принять более солидный вид, больше соответствовать этой комнате, построенной строгой старой юстицией. У него улыбались глаза.

И до чего же молодо выглядел, много моложе даже своих молодых лет.

Впечатление было такое: залетел мимолетно в комнату с церковными окнами — занесенный ветром — некто юный, полный бесстрашных надежд, не собирающийся здесь засиживаться; сейчас снимется с места и понесется дальше куда-то, как перекати-поле.

Правильное впечатление; вскоре оправдалось — меньше года он проработал в нашем городе.

С чего бы он стал приводить себя в соответствие с зданием, куда занес его ветер? Не в его характере было приспосабливать себя к чему бы ни было; неволить себя без нужды. Ему поручали трудные дела, и все у него выходило, это наполняло его безграничной самоуверенностью.

Марианна выдумала, будто он слаб здоровьем; может — для себя выдумала, чтобы еще больше получать отрады, окружая его попечением и лаской. Ни слабости, ни усталости не было в его лице, бледноватом, без румянца, но словно бы изнутри освещенном, словно только что ему рассказали что-то обрадовавшее его и окрылившее, — хотя что радостного могли рассказать старухи, входившие сюда крестясь…

Ни капли усталости! Он жил активно и упоенно и собирался жить так без конца.

А встреча их была короткая. Кратчайшая. Встреча, которой Севастьянов добивался и которая была так важна, — сколько минут она длилась? Восемь? Пять?

Илья произнес несколько считанных слов; ровно столько, чтобы начать разговор и завершить его и чтобы разговор этот, несмотря на краткость, получился все же человеческим и бодрящим, а не бюрократическим.

— Мне о вас говорили мои домашние. Мы, говорят, встречались, — сказал он мягко и дружелюбно, когда Севастьянов назвал себя. Дружелюбие и мягкость проистекали из довольства собой; из сознания своего значения; из масштабов надежд и планов. Что стоило Илье Городницкому излить на человека частицу своего превосходного настроения?

— Я не очень понял, что у вас стряслось. Рассказывайте. — И стал слушать, делая по временам заметки в блокноте. Слушал терпеливо, с оттенком снисходительного пренебрежения к ничтожности тревог, приведших к нему Севастьянова. Как ни был вежлив, скрыть пренебрежение не удавалось. В приемной ждало еще душ двадцать, вполне возможно, что севастьяновская беда невелика была по сравнению с их бедами, — но не испытывал ли Илья Городницкий такого же пренебрежения и к тем двадцати, превратности их судеб не были ли в его глазах так же мизерны и убоги…

Но он был терпелив, только раз взглянул на часы. Даже вставил великодушно пару реплик, давая понять, что рассказ Севастьянова для него небезынтересен:

— Ах, это тот осваговец... Он порядочно погулял на воле, а? Вот видите, как мы еще скверно работаем.

— Однако! Ради нее пустился на такой риск? Она так его пленила? Занятно.

И сразу прервал, вставая:

— Хорошо. Я займусь ее делом в ближайшие дни.

— Да у нее и дела никакого нет, — возразил Севастьянов, считавший, что не все договорил, — она...

— В ближайшие два-три дня, вот так, — сказал Илья с той же мягкостью. — И если она хоть вполовину так невиновна, как в вашем изложении...

Он располагающе улыбнулся. Прокурор улыбнулся добродушно и шаловливо.

Севастьянов собирался добавить что-то, но Илья нажал кнопку на столе — сейчас же в двери царапнул ключ, вошла секретарша. Илья бросил, уже не глядя на Севастьянова:

— Следующий.

И все. И, в сущности, этого было вполне достаточно. К чему бы этой встрече быть продолжительной, а тем более взволнованной?.. Илья сдержал обещание, через три дня Зоя вышла на свободу.

Говорят, он вообще был в работе точен и исполнителен.

Он был талантлив, считал Семка; память исключительная. Ухитрился одолеть несколько языков, свободно говорил на них и читал. Ходил по комнате и наизусть шпарил «Фауста» по-немецки. У Марианны от благоговения закатывались глаза.

Ее благоговение благодаря Семке приняло гиперболические размеры. Прежде Илья был просто мужчина, для которого она покинула любимого папу-профессора, и любимую старую гувернантку, и весь круг своих друзей и своих уютных привычек; но ознакомившись по Семкиному настоянию с творениями, формирующими нашу идеологию, она себе составила болезненно преувеличенное понятие об Илье, об его роли и подвигах; окружила его неслыханным ореолом, — таковы были результаты ее чтений с Семкой, долженствовавших сделать из нее передовую женщину и борца. Так уж преломились эти чтения в ее неподготовленном мозгу. Семка иронизировал над результатами своих стараний, щуря глаза, полные слез.

Бороду Илья отрастил, оказывается, в знак траура, когда не вышло с большим назначением в наркомат, — он же мог дурачиться по любому поводу. Потом борода надоела, возни много; сбрил... Он рвался в Москву. Горел нетерпением, ожидая, чтобы его отозвали обратно. Только в центре по-настоящему чувствуешь пульс жизни, говорил он. Не то чтобы он скучал в родном городе; вряд ли он и умел скучать; просто, вот именно, тянулся к пульсу — где громче, где горячей.

57

Из письма Семки Городницкого к Илье Городницкому:

«…возишься с растратчиками, взяточниками и тому подобным исчадьем старорежимного ада. И, говоря объективно, весьма похвальная черта, что вечером запираешь все эту дьявольщину в сейф и приходишь домой с шуткой…

Ближайшая мишень — младший брат. Застрявший в детстве, как ты многократно и недвусмысленно давал ему чувствовать.

Приветствую шутку как орудие критики, как проявление высокой умственной организации homo sapiens'a, как отдохновение, наконец… Ты шутишь — мы все трое бодро смеемся. Но нельзя жить, когда на каждом шагу подчеркивают, что ты нуль.

Шуточка, повторенная десять раз, прилипает как мушиная липучка. Человек ложится и встает с ощущением своей неполноценности. Его социальное самосознание отравлено этим ощущением. Работа валится у него из рук.

То, что тебе посчастливилось в гимназической шинели, желторотым птенцом, влететь прямо в пекло боя — это, согласись, случайная удача. Дар эпохи.

Югай тоже мальчишкой пошел воевать, и тоже комиссарил, и тяжело ранен под Ростовом, и награжден именным оружием, однако Югай не смотрит сверху вниз на нас грешных — тех, на чью долю достались не столь громкие деяния.

Илья, но разве то, что делают мои сверстники, я в их числе, — не есть борьба?

У тебя повернулся язык спросить — как я ухитрился на этой ерунде нажить чахотку.

Предлагаешь меня "устроить". Тебе нравится "устраивать", удостоверяться в своем влиянии — что достаточно твоего пожелания, и брата твоего "устроят", как "устроили" отца. Спасибо, я не хочу ходить на помочах. У меня свои ноги. Я люблю мою работу. Я вижу, как из многих усилий, таких же малозаметных твоему взгляду, как мои усилия, складывается результат, нужный советской власти и партии, — в этом смысл и счастье моего существования. Инструктор чего-то, что Илье Городницкому кажется игрой в куклы, — я отдам этой работе всю мою кровь до капли.

Если это смешно — смейся!

Мы с тобой ни разу не поговорили на равных основаниях, как товарищи по борьбе. Ни разу ты не спросил, что я думаю по основным вопросам политической жизни. О серьезных вещах беседуешь только со своими друзьями. Стоит мне вставить слово, у тебя веселое удивление в глазах: как, Семка что-то произнес? Выразил свое мнение? Что же значит его мнение, если сам он ничего не значит? Вслух ты этого не говоришь, ну еще бы. Но однажды, в ответ на некое мое замечание (оно касалось, ты безусловно не помнишь, специфических особенностей классовой борьбы в Англии), ты погладил меня по голове как маленького и спросил: "Что, детка?"

Илья, разница в возрасте у нас не такова, чтобы ты меня мог гладить по голове! Вообще не знаю, кому бы я разрешил подобную вещь. Позволь тебе сказать, что по ряду вопросов я мыслю более зрело и глубоко, чем ты. (Сужу по отдельным твоим высказываниям.) Начиная с 1921 года меня постоянно включают в комиссии по проверке политических знаний членов комсомола. Но тебя это не интересует, как все, что составляет собственно мою жизнь как комсомольца. Ты комнату, в которой я живу, называешь детской…

…Зачем нам жить вместе, скажи на милость?

Родство? Пережиток…

Я ухожу, Илья, из моей детской».

Так, или в этом роде, писал Семка брату.

Письмо не было отправлено. Во-первых, Семка, перечитав, обнаружил в нем ужасающий индивидуализм. Невозможно, сказал он, сплошь личные местоимения.

Во-вторых, он задумался: на все ли сто процентов он принципиален? Не продиктовано ли письмо его, Семкиным, отношением к Марианне, это было бы недостойно. И, задумавшись, он решал этот вопрос много лет. Но из детской ушел, не дожидаясь решения.

58

Зоя не вернулась в комнатушку за кухней.

Севастьянов приходил и рывком отворял дверь: пуста была комнатушка и никаких перемен в ней, все так, как он, уходя, оставил.

Ночью не ложился: может быть, думал, она стыдится людей после всей этой истории; придет, когда ни одной души нельзя встретить.

Бодрствовал, прислушиваясь к стукам и шорохам, и засыпал у стола, опустив голову на руки. Света не выключал — до утра светилось окно, призывая ее.

Сколько-то ночей прошло и дней. Он перестал ждать.

Уже перестав ждать, услышал это сочетание имен: Зоя и Илья Городницкий…

Пусть так. Он ведь все равно перестал ждать.

59

Когда-то Семкина койка стала лишней в комнате, и Севастьянов отволок ее на чердак.

Теперь он притащил ее обратно и поставил на прежнем месте.

Семка вошел и окинул взглядом дырявые стенки. Его горбоносое, без щек, лицо выразило, что он тронут. Но он сказал юмористически-напыщенно, подняв руку с тонкими, как карандаши, пальцами:

— Привет тебе, приют священный!

За Семкой пионеры, войдя гуськом, внесли книги, увязанные аккуратными стопками. (Сколько еще предстояло этим книгам странствовать! Сколько раз их увязывали и развязывали, втаскивали на верхние этажи, расставляли на полках, заколачивали в ящики, возили по железной дороге большой и малой скоростью! И от странствия к странствию их становилось все больше…)

Электрификация и Баррикада в этот раз не сопровождали Семку. Они повыходили замуж. Из них вышли жены добрые и домовитые — насколько домовитость была достижима в их неустроенном бытии.

Севастьянов и Семка сосуществовали в комнатушке за кухней так же мирно, по-товарищески, как и прежде. Принося домой хлеб и пакетик с колбасой, один лаконично предлагал другому:

— Питайся. Краковская.

Они не мешали друг другу читать, писать, размышлять, уходить, приходить… Так было до отъезда Севастьянова. Близилось время новых больших событий в его жизни, время, когда ЦК комсомола заберет его в новую, молодую, боевую газету — «Комсомольскую правду», и станет Севастьянов разъездным корреспондентом «Комсомолки» и пойдет колесить по стране…

Илья Городницкий уехал раньше.

Влиятельные доброжелатели отозвали его; он вторично покидал родной город.

Севастьянов видел, как уезжала Зоя.

(Последнее проявление слабости. В Москве он ее не искал. Ни у кого никогда не спросил — не знаете ли, где такая-то…)

Он стоял в зале для ожидающих, возле бака с кипяченой водой, и смотрел через большое зеркало. По стеклу мороз набросал пунктиром листья и звезды; сквозь эту узорчатую кисею Севастьянов смотрел как на сцену. А его снаружи увидеть было нельзя.

Зеленый вагон был прямо перед окном, и между окном и вагоном большая группа людей и в центре Зоя.

Она уезжала с Ильей Городницким и Марианной. Много народу пришло провожать — приятели Ильи, в том числе толстяк Фима, заведующий губздравом, — но никого не было из Зоиных друзей, ни Зойки маленькой, ни Спирьки Савчука, ни одного человека: всех она расшвыряла, не дорожила никем; верно, видела перед собой бесконечный путь и несчетно встреч… Рядом с ней стояла рослая женщина в пуховом платке, с отекшим напудренным лицом и длинными бровями: ее мать. Горбуна не было…

Поодаль сутуло стоял Семка, уставив на Марианну сурово-безнадежный взор. Был и старик Городницкий — примирившийся со своими разочарованиями, по-прежнему франтом, с тростью, в котиковой шапочке. Близости с многообещающим сыном так и не получилось. Илья только устроил отца на должность товароведа, чтобы старик не портил ему настроение и анкету своим социальным неблагообразием.

— …И роман с этой девочкой! — говорил впоследствии старик Городницкий, вздергивая плечи. — Как может человек такого положения, как Илья, заводить подобные романы! Девочка из домзака! Что за вздорная бравада! Я ему сразу сказал: ты с ума сошел!.. Считаю, — не без яда заключал старик свои восклицания, — что Илье при отъезде следовало отпустить бороду вдвое длинней, чем та, с которой он приехал.

Илья отрастил на этот раз не бороду — крохотные усики, с темными усиками вид у него был донжуанский, усики выдавали его томление, поглощенность собой, разброд его мыслей… Он говорил и вертелся, перебрасываясь от собеседника к собеседнику и нервно смеясь. Вдруг выключался, взгляд застывал, рука беспокойно пощипывала ниточку усов…

Среди мужских фигур Зоя была как Царь-девица из сказки в своей меховой шубке, в островерхой шапочке вроде тюбетейки, расшитой пушистой шерстью ярких цветов, румяная от мороза. По-новому причесана: пробор впереди и волосы туго затянуты от висков назад и немного вверх, от этого глаза казались еще более удлиненными, японскими, необыкновенно прекрасными. Ни страданья, ни раздумья не наложили пережитые треволнения на это лицо. Беспечная, стояла она, пританцовывая на каблуках высоких фетровых бот… Марианна в ее блеске меркла, исчезала. Но она не сдавалась, Марианна, держалась храбро и всем товарищам Ильи по очереди давала свое объяснение текущих событий, как рассказывал потом Семка.

— Да, — говорила профессорская дочка, — мы привязались к Зое. Зоя привязалась к нам. Мы берем ее с собой, чтобы она посмотрела Москву и московскую жизнь, она, бедняжка, ничего не видела… У Зои блестящие способности, но ей, к сожалению, почти не пришлось учиться, это нешлифованный алмаз, мы хотим дать ей образование.

Так пыталась она удержаться на гребне вала, который вдруг поднял и понес ее, Илью, ее немудреное комнатное счастье. Она осунулась, линии губ и подбородка стали жесткими; поблекли даже ее золотые волосы. Зоя смотрела на нее и улыбалась ласково и беспощадно.

Иногда эти ласковые лукавые глаза встречались с глазами Ильи... Как они мерялись взглядом, эти двое! Какой жар, какая бесшабашность! Кому из них предстояло сгореть в этом жару? «Ты сгоришь, — обещали нежно улыбающиеся глаза и губы Зои, — ты сгоришь, я уйду целехонькая...»

Раздался второй звонок. На перроне засуетились, прощаясь. Зоя поцеловалась с матерью, потом всем подала руку. Детская, чуточку неуклюжая и радостная была у нее манера — как-то издалека протягивать руку и при этом делать движение, словно вся она устремлялась к тому, с кем собиралась обменяться рукопожатием... Прощаясь с Семкой, что-то проговорила, Семка рассказал потом — велела передать привет всем ребятам; а Шуре, сказала, отдельно и очень большой...

Марианна вошла в вагон. За ней, весело оглядываясь через плечо, поднялась Зоя, потом Илья... Третий ударил звонок, тронулся поезд; рядом с ним пошли — замахали, закричали — провожающие. На площадке среди голов Севастьянов видел пеструю шапочку. Вагон проплыл мимо окна, площадка с пестрой шапочкой — как оборвалась... Севастьянов пошел с вокзала.

60

На этом вокзале он вышел из вагона спустя тридцать с лишком лет взглянуть на места, где родился и рос.

Вокзал был новый. И площадь за вокзалом новая, чистая и нарядная, окаймленная пышными деревьями (те самые деревца, что сажали когда-то на субботнике?..), с целым полем астр и фонтаном посредине. На площади было просторно: пока Севастьянов сдавал на хранение чемодан и брал плацкарту на вечерний поезд, большая часть приехавших с ним уже схлынула. Можно было без труда сесть в автобус или взять такси, подождав несколько минут на стоянке. Но он пошел пешком — по неузнаваемой площади пошел в знакомом направлении на Коммунистическую.

На всем печать новизны; как во всех городах — новизна начиналась с неба и крыш. Крыши дыбились антеннами, а небо перечеркнуто было длинным, жемчужно-светящимся, неправдоподобно ровным и узким, как лента узким облаком, его сотворил человек, который в этой утренней высоте пролетел на самолете.

Машина поливала улицу, и, огибая медлительную машину, по мокрому асфальту прошелестел троллейбус. Прежде на Коммунистической была трамвайная линия, трамвай поднимался в гору от вокзала так медленно, что его можно было нагнать шагом, а к вокзалу, с горы, мчался что было духу, звоня и подвывая.

И вся Коммунистическая была новая, послевоенной постройки. Новые дома были красивы. Очень много стало зелени: деревьев, газонов. Полосы цветов вдоль тротуаров. За тополями, акациями, кленами белели балконы и колоннады.

Где находился «Серп и молот», теперь был скверик. Дети играли на песке.

Так же новы и светлы были улицы, вливающиеся в Коммунистическую. Они носили все те же названия; с невольной нежностью Севастьянов читал: Лермонтовская улица, Мариупольский проспект, переулок Семашко…

И как толчок в грудь: переулок имени Югая. Синяя с белым дощечка на стене. Югай погиб в Отечественную войну. За два дома от этого угла в двадцатые годы было общежитие ответработников…

…Этот чистый, красивый город не был похож на город севастьяновской юности. Но чертеж города — сплетение его улиц, пусть асфальтированных, не булыжных, — был тот же наизусть известный чертеж, по-прежнему Севастьянов мог бы с закрытыми глазами прийти с вокзала в дальний Пролетарский район, туда, где между парикмахерской и баптистской молельней была темноватая узкая комната, где они работали с Кушлей. Это был родной город, и сердце у Севастьянова билось.

Он подумал: в скольких книгах описано, как человек возвращается на старые места, и все ему кажется маленьким. А я вернулся и все нашел таким большим, несмотря на разрушения и утраты, какие были.

…Увидел вывеску: «Серп и молот» — на богатом доме, ничем не напоминающем тот ветхий трехэтажный дом… Почти машинально вошел в просторный, как в гостинице, вестибюль. Бархатные дорожки, лифт, дубовые вешалки… На стеклянной доске прочитал, что тут помещаются редакции четырех газет и журнала: в том числе указана была вечерняя газета. Множество отделов, редакторов, замов, завов.

Севастьянов поднялся на второй этаж, заглянул в три-четыре комнаты. Незнакомые люди оборачивались к нему; он тихо прикрывал дверь. В одной из комнат молодой человек с живостью сказал, увидя его:

— Вы не Протопопова ищете? Он просил подождать.

— Нет, — ответил Севастьянов. — Я не ищу Протопопова.

…Он не обнаружил квартала, где они жили с Семкой, где было «Реноме»: там несколько кварталов слили и все застроили однотипными жилыми корпусами, корпус к корпусу…

…Прошелся по новой щеголеватой набережной. Ни рельсов, ни штыба на ней не было, а была автотрасса и аллея для пешеходов. К его услугам имелся речной трамвай, но Севастьянов только издали, с набережной, бросил взгляд на тот берег: бледной полосой, плохо различимой среди сверканья воды и небес, выглядел тот берег… Затем на автобусной остановке долго пришлось расспрашивать — никто из ожидавших там людей не мог сказать, какой номер автобуса идет в бывшую Балобановку. Наконец одна пожилая женщина сказала:

— Это вам надо в Дзержинский район.

Севастьянов послушался и поехал в Дзержинский район.

Автобус вез его сперва по улицам, узнавание которых волновало узнавание сквозь черты, наложенные новизной. Некоторые улицы, подальше от центра, изменились мало… Потом произошла такая вещь: напоминание о прошлом исчезло, а узнавание осталось; даже усилилось, стало ярче. Этих улиц здесь не было. Этих заводов здесь не было. Этих парков здесь не было. И в то же время он все это видел много раз, в разных концах страны — это был до мельчайших деталей привычный глазу пейзаж новой нашей окраины. Привычный каждым фасадом, краном, ларьком, каждой вывеской и рисунком каждой буквы на вывесках.

«Да ведь я давно проехал и Балобановку, и Дикий хутор, — догадался Севастьянов, — если это действительно те места!» Автобус остановился: дальше была степь. Сразу за свежеоштукатуренным светло-розовым домом начиналась степь. Севастьянов вышел. Постоял, поискал глазами: нет ли признака, что тут где-то были на лице земли селения Балобановка и Дикий хутор? Ни одного признака. Степь, запах полыни. Безмятежное покачиванье бессмертников. За спиной — наступающая громада, поглотившая кусок степи с рощами, балками и селениями.

Обратно он опять шел пешком, чтобы хорошенько осмотреть все, чего не было раньше. Шел и смотрел, и не заметил в своем подробном и требовательном осмотре, как отгорел день.

Спускалось солнце, когда он добрался наконец до Первой линии. Он заранее задумал, что Первая линия будет завершением этого дня.

Издали, от угла, увидел дом Зойки маленькой и улыбнулся ему. Дом был цел, и жалюзи выкрашены ярко-зеленой краской.

Того подворья рядом — с залитым помоями двором — не существовало. Его не существовало уже в тридцатом году, когда Севастьянов приезжал из Москвы в командировку. А дом Зойки маленькой стоял тогда и стоит теперь между новыми домами.

Белые занавески на окнах. Звонок — белая пуговка. Те же камни крыльца, не знающие износу. Правда, стал этот дом совсем маленьким, таким маленьким, что кажется — можно его поставить на ладонь…

И, подходя к нему, Севастьянов вспоминал, как в тридцатом году, приехав в командировку, он поздно ночью пришел на Первую линию и сидел один на этом крыльце.

Он сначала навел справки в управлении дороги и ездил на станцию Н-скую, в железнодорожную школу. Нагрянул туда в разгар уроков и был уверен, что застанет ее, а ему сказали, что она в отъезде, на селе, под Воронежем, работает по коллективизации. И хотя этого можно было ожидать — в тридцатом году много народу было мобилизовано на село, — но Севастьянов был обескуражен, даже поражен, он готовился к встрече и приготовился, и ждал этой встречи — хотя что, казалось бы, значила забытая детская дружба… Он шагнул от нее прочь и стал мужчиной, когда она была девочкой и жила в тишайшем, аквариумном мире. Они стали разными; гораздо более разными, вероятно, чем были. И наверно же, у нее муж, ребенок. Зачем вообще встречаться, что они друг другу скажут после того расставанья. После шестилетней разлуки. Дома с зелеными жалюзи все равно что нет на свете…

Но он пришел к дому с зелеными жалюзи и присел на крыльцо выкурить папиросу. В тридцатом году было дело, в конце лета, поздней ночью. В ночь на третье сентября; утром он должен был уехать. Первая линия спала. Севастьянов курил и думал, как хорошо ему было в этом доме; и это кончилось. Никогда никого не было роднее и теплее, чем она; и это кончилось.

Как они ходили вчетвером по этой мостовой и рассуждали о поэзии… и это кончилось, все разлетелись, и он здесь случайно, вот рассвет — его тоже не будет…

«И тут случилось чудо, маленькая. Много в моей жизни было чудес, и даже чудеса тускнеют от времени, а этому потускнеть не суждено… Я сидел на крыльце, и бог знает как далеко ты была, и я услышал шаги. Шесть лет не виделись и стали другими, а я издалека услышал твои шаги, ясный перестук твоих каблуков в тишине, поступь легких ног Зойки маленькой. Я слушал, как приближаешься ты, и видел, как ты появилась, с чемоданчиком в руке, из черной тени акаций, и споткнулась, и все медленней, медленней подходила, и остановилась, и прижала руку к груди…»

… — Нет, не жил, — сказал Севастьянов, — просто мне хотелось бы пройти по комнатам, если вы позволите.

Старуха в платочке, отворившая ему, все еще глядела на него с сомнением.

— Так, может, ваши близкие здесь жили?

— Да. Здесь жили мои близкие.

Она впустила его.

Было тесно от кроватей. Исчез прежний уют и прежние вещи. Исчезла дверь из столовой в Зойкину комнату, вместо двери стена с обоями, — но и тут сквозь все проступал знакомый чертеж, и было приятно, что эти стены стоят на месте. Пусть они стоят на месте.

— У вас большая семья, — заметил Севастьянов, идя между кроватями.

— Семья небольшая, — сказала хозяйка. — Мы пускаем абитуриентов. — Она произнесла ученое слово гордо и отчетливо. — Абитуриентов, знаете, которые приезжают держать в институт.

О доме заботились: со двора была пристроена терраса, обвитая диким виноградом. На террасе сидели трапезничали девушки со стрижеными и завитыми головами разных мастей.

— Это абитуриенты, — сказала хозяйка.

Два парня лежали во дворе под черешнями, обложившись книгами.

— Благодарю вас, — сказал Севастьянов хозяйке. — Простите, что побеспокоил.

— Пожалуйста, пожалуйста, — радушно сказала она. — Конечно, интересно бывает повспоминать свои молодые годы.

Он простился и пошел на вокзал.

Вечерняя жизнь закипала на улицах. Шла молодежь, одетая легко и светло, по-южному. В кино «Гигант» окончился сеанс, разгоряченные толпы выливались из распахнутых дверей. Мужчины стояли в очереди у газетного ларька — ждали вечерку. В городском саду играла музыка, и у входа в сад продавали розы.

— Купите розочку! — сказала продавщица и протянула букет. Севастьянов приостановился, он явственно услышал голос, сказавший когда-то: «Купи мне розочку!» Представилось — в этой молодой толпе идет и Зоя с розами в руках. Остыла его страсть к ней и зажила обида; может быть, Зои уже нет в живых; но он еще раз увидел ее в цветении и ликовании, с розами в руках…

На вокзале зашел на телеграф и в толчее, у почтовой конторки, написал телеграмму жене.

«Был на Первой линии, — написал он, — видел твой дом».

Послезавтра утром он будет обо всем ей рассказывать, и глаза у нее будут влажные, ее зеленые милые глаза.

Он написал номер поезда и вагона, чтобы она его встретила. Отправив телеграмму, взял из камеры хранения свой чемодан, сел в поезд и поехал в Москву.

1958

СЕРЕЖА

*Несколько историй из жизни
очень маленького мальчика*

Повесть

*Моим детям —
Наталии, Борису и Юрию*

Кто такой Сережа и где он живет

Выдумали, будто он на девочку похож. Это прямо смешно. Девочки ходят в платьях, а Сережа давным-давно не ходит в платьях. У девочек, что ли, бывают рогатки? А у Сережи есть рогатка, из нее можно стрелять камнями. Рогатку сделал ему Шурик. За это Сережа отдал Шурику все ниточные катушки, которые собирал всю свою жизнь.

А что у него такие волосы, так их сколько раз стригли машинкой, и Сережа сидит смирно, закутанный простыней, и терпит до конца, а они все равно растут опять.

Зато он развитой, все говорят. Он знает наизусть целую кучу книжек. Два или три раза прочтут ему книжку, и он уже знает ее наизусть. Знает и буквы, но читать самому — очень долго. Книжки густо измазаны цветными карандашами, потому что Сережа любит раскрашивать картинки. Если даже картинки в красках, он их перекрашивает по своему вкусу. Книжки недолго бывают новыми, они распадаются на куски. Тетя Паша приводит их в порядок, сшивая и склеивая листы, изорванные по краям.

Пропадет какой-нибудь лист — Сережа ищет его и успокаивается, когда находит: он привязан к своим книжкам, хотя в глубине души не принимает всерьез все эти истории. Звери на самом деле не разговаривают, и ковер-самолет летать не может, потому что он без мотора, это каждый дурак знает.

И вообще, как принимать всерьез, если читают про ведьму и тут же говорят: «А ведьм, Сереженька, не бывает».

Но все-таки он не может перенести, как это дровосек и его жена обманом завели своих детей в лес, чтобы они там заблудились и не вернулись никогда. Хоть мальчик с пальчик спас их всех, но слушать про такие дела невозможно. Сережа не позволяет читать ему эту книжку.

Живет Сережа с мамой, тетей Пашей и Лукьянычем. В доме у них три комнаты. В одной спит Сережа с мамой, в другой тетя Паша с Лукьянычем, а третья столовая. При гостях едят в столовой, а без гостей в кухне. Еще есть терраса и двор. Во дворе куры. На двух длинных грядках растет лук и редиска. Чтобы куры не раскапывали грядки, кругом натыканы сухие ветки с колючками; и когда Сереже нужно сорвать редиску, вечно эти колючки царапают ему ноги.

Считается, что их город маленький. Сережа и его товарищи думают, что это неправильно. Большой город. В нем есть магазины, и водокачки, и памятник, и кино. Иногда мама берет Сережу с собой в кино. «Мамочка, — говорит Сережа, когда тушат свет, — если будешь что-нибудь понимать, говори мне».

По улицам ездят машины. Шофер Тимохин катает ребят на своей полуторке. Только это редко бывает. Это бывает, когда Тимохин не выпьет водки. Тогда он нахмуренный, не разговаривает, курит, плюется и всех катает. А если приезжает веселый — не стоит и проситься, ничего не будет: машет рукой из окошечка и кричит: «Привет, ребята! Не имею морального права! Я выпивши!»

Улица, где живет Сережа, называется Дальняя. Просто называется: от нее всюду близко. До площади — километра два, Васька говорит. А до совхоза «Ясный берег» еще ближе, Васька говорит.

Главнее совхоза «Ясный берег» ничего нет. Там работает Лукьяныч. Тетя Паша ходит туда в магазин за селедками и мануфактурой. Мамина школа тоже в совхозе. По праздникам Сережа бывает с мамой на школьных утренниках. Там он познакомился с рыжей Фимой. Она большая, ей восемь лет. У нее косы уложены на ушах крендельками, а в косы вплетены ленты и завязаны бантами, или черные ленты, или голубые, или белые, или коричневые; очень много лент у Фимы. Сережа бы не заметил, но Фима сама спросила его:

— Ты обратил внимание, сколько много у меня лент?

Трудности его существования

Это она правильно сделала, что спросила. А то разве на все обратишь внимание? Сережа и рад обратить, да внимания не хватит. Столько вещей кругом. Мир набит вещами. Изволь все заметить.

Почти все вещи очень большие: двери ужасно высокие, люди (кроме детей) почти такой же высоты, как двери. Не говоря уже о грузовике или комбайне, или о паровозе, который как загудит, так ничего не слышно, кроме его гудка.

Вообще — не так уж опасно: люди к Сереже доброжелательны, наклоняются, если ему нужно, и никогда не наступают на него своими громадными ногами. Грузовик и комбайн тоже безвредны, если не перебегать им дорогу. Паровозы — далеко, на станции, куда Сережа два раза ездил с Тимохиным. Но вот ходит по двору зверь. У него круглый, подозрительный, нацеливающийся глаз, могучий дышащий зоб, грудь колесом и железный клюв. Вот зверь остановился и мозолистой ногой разгребает землю. Когда он вытягивает шею, то делается одного роста с Сережей. И может так же заклевать Сережу, как заклевал молодого соседского петушка, который сдуру разлетелся в гости. Сережа стороной обходит кровожадного зверя, делая вид, что и не видит его вовсе, — а зверь, свесив красный гребень набок и гортанно говоря что-то угрожающее, провожает его бдительным недобрым взглядом...

Петухи клюются, кошки царапаются, крапива жжется, мальчишки дерутся, земля срывает кожу с колен, когда падаешь, — и Сережа весь покрыт царапинами, ссадинами и синяками. Почти каждый день у него откуда-нибудь идет кровь. И вечно что-то случается. Васька влез на забор, и Сережа хотел влезть, но сорвался и расшибся. У Лиды в саду выкопали яму, и все ребята стали прыгать через яму, и всем ничего, а Сережа прыгнул и свалился в яму. Нога распухла и болела, Сережу уложили в постель. Едва поднялся и вышел во двор поиграть мячиком, а мячик залетел на крышу и лежал там за трубой, пока не явился Васька и не достал его. А как-то Сережа чуть-чуть не утонул. Лукьяныч повез их кататься по речке на челне — Сережу, Ваську, Фиму и еще одну свою знакомую девочку, Надю. Челн у Лукьяныча оказался никудышный: только ребята зашевелились — он качнулся, и они все упали в воду, кроме Лукьяныча. Вода была жутко холодная.

Она сразу налилась Сереже в нос, рот, уши — он и крикнуть не успел — даже в живот. Сережа сделался весь мокрый и тяжелый, и его как будто кто-то потащил вниз. Он почувствовал ужас, какого никогда не чувствовал. И было темно. И это длилось невероятно долго. Как вдруг его подняли кверху. Он открыл глаза — возле самого лица его струилась речка, был виден берег, и все сверкало от солнца. Вода, что была у Сережи внутри, вылилась, он вдохнул воздуху, берег придвигался ближе и ближе, и вот Сережа стал на четвереньки на твердый песок, дрожа от холода и страха. Это Васька сообразил схватить его за волосы и вытащить. А если бы у Сережи не было длинных волос, тогда что?

Фима выплыла сама, она умеет плавать. А Надя тоже чуть не утонула, ее спас Лукьяныч. А челн уплыл, пока Лукьяныч спасал Надю. Колхозницы поймали челн и позвонили Лукьянычу в контору по телефону, чтобы он его забрал. Но больше Лукьяныч не катает ребят. Он говорит: «Будь я проклят, если еще когда-нибудь с вами поеду».

От всего, что приходится увидеть и испытать за день, Сережа очень устает. К вечеру он совсем изнемогает, еле ворочается у него язык, глаза закатываются, как у птицы. Ему моют руки и ноги, сменяют рубашку — он в этом не участвует, его завод кончился, как у часов.

Он спит, свободно откинув светловолосую голову, разбросав худенькие руки, вытянув одну ногу, а другую согнув в колене, словно он всходит по крутой лестнице. Волосы тонкие и легкие, разделившись на две волны, открывают лоб с двумя упрямыми выпуклостями над бровями, как у молоденького бычка. Большие веки, опушенные тенистой полоской ресниц, сомкнуты строго. Рот приоткрылся посредине, в уголках склеенный сном. И дышит он неслышно, как цветок.

Он спит, и можете, пожалуйста, бить в барабан, палить из пушки — Сережа не проснется, он копит силы, чтобы жить дальше.

Перемены в доме

— Сереженька, — сказала мама, — знаешь что?.. Мне хочется, чтобы у нас был папа.

Сережа поднял на нее глаза. Он не думал об этом. У одних ребят есть папы, у других нет. У Сережи тоже нет: его папа убит на войне; Сережа видел его только на карточке. Иногда мать целовала карточку и Сереже давала целовать. Он с готовностью прикладывал губы к стеклу, затуманившемуся от маминого дыхания, но любви не чувствовал: он не мог любить того, кого видел только на карточке.

Он стоял между мамиными коленями и вопросительно смотрел ей в лицо. Оно медленно розовело: сначала порозовели щеки, от них нежная краснота разлилась на лоб и уши... Мама зажала Сережу в коленях, обняла его и приложила горячую щеку к его голове. Теперь ему видна была только ее рука в синем рукаве с белыми горошинами. Шепотом мама спросила:

— Ведь без папы плохо, правда? Правда?..

— Да-а, — ответил он, тоже почему-то шепотом.

На самом деле он не был в этом уверен. Он сказал «да» потому, что ей хотелось, чтобы он сказал «да». Тут же он наскоро прикинул: как лучше — с папой или без папы? Вот когда Тимохин их катает на грузовике, то все садятся наверху, а Шурик всегда садится в кабину, и все ему завидуют, но не спорят, потому что Тимохин — Шурикин папа. Зато если Шурик не слушается, то Тимохин наказывает его ремнем, и Шурик ходит зареванный и угрюмый, а Сережа страдает и выносит во двор все свои игрушки, чтобы Шурик утешился... Но, должно быть, с папой все-таки лучше: недавно Васька обидел Лиду, так она кричала: «А у меня зато папа есть, а у тебя нет, ага!»

— Чего это стучит? — спросил Сережа громко, заинтересовавшись глухим стуком у мамы в груди. Мама засмеялась, поцеловала Сережу и крепче прижала к себе.

— Это сердце. Мое сердце.

— А у меня? — спросил он, наклоняя голову, чтобы услышать.

— И у тебя.

— Нет. У меня не стучит.

— Стучит. Просто тебе не слышно. Оно обязательно стучит. Без этого человек не может жить.

— Всегда стучит?

— Всегда.

— А когда я сплю?

— И когда ты спишь.

— А тебе слышно?

— Да. Слышно. А ты можешь рукой почувствовать. — Она взяла его руку и приложила к ребрам.

— Чувствуешь?

— Чувствую. Здорово стучит. Оно большое?

— Сожми кулачок. Вот, оно такое приблизительно.

— Пусти, — озабоченно сказал он, выбираясь из ее объятий.

— Куда ты? — спросила она.

— Я сейчас, — сказал он и побежал на улицу, прижимая руку к левому боку. На улице были Васька и Женька. Он сказал им:

— Вот попробуйте, хотите? Тут у меня сердце. Я его рукой чувствую. Попробуйте, хотите?

— Подумаешь! — сказал Васька. — У всех сердце.

Но Женька сказал:

— А ну.

И приложил руку к Сережиному боку.

— Чувствуешь? — спросил Сережа.

— Ага, — сказал Женька.

— Оно приблизительно такое, как мой кулак, — сказал Сережа.

— А ты почем знаешь? — спросил Васька.

— Мне мама сказала, — ответил Сережа. И, вспомнив, добавил: — А у меня будет папа!

Но Васька и Женька не слушали, занятые своими делами: они несли на заготпункт лекарственные растения. На заборах вывесили списки — какие растения принимаются; и ребятам захотелось заработать. Два дня они собирали травы. Васька отдал свой сбор матери и велел перебрать, рассортировать и увязать в чистую тряпку — и теперь шел на заготпункт с большим опрятным узлом. А у Женьки матери нет, тетка и сестра на работе, не самому же возиться; Женька нес сдавать лекарственные растения в дырявом мешке от картошки, с корнями и даже с землей. Зато очень много было; больше, чем у Васьки; взвалил на спину — так и согнулся пополам.

— И я с вами, — сказал Сережа, поспешая за ними.

— Не, — сказал Васька. — Поворачивай домой. Мы по делу идем.

— Да я просто так, — сказал Сережа. — Просто провожу.

— Поворачивай, сказано! — приказал Васька. — Это тебе не игра. Маленьким нечего там делать!

Сережа отстал. У него дрогнула губа, но он скрепился: подходила Лида, при ней плакать не стоит, а то задразнит: «Плакса! Плакса!»

— Не взяли тебя? — спросила она. — Эх, ты!

— Если я захочу, — сказал Сережа, — я вот столько наберу всякой разной травы! Выше неба!

— Выше неба — врешь, — сказала Лида. — Выше неба никто не наберет.

— А вот у меня будет папа, он наберет, — сказал Сережа.

— Врешь ты все, — сказала Лида. — Никакого папы у тебя не будет. И он все равно не наберет. Никто не наберет.

Сережа, запрокинув голову, посмотрел на небо и задумался: можно набрать травы выше неба или нельзя? Пока он думал, Лида сбегала к себе домой и принесла пестрый шарф — мать ее носила этот шарф, когда на шее, а когда на голове. С шарфом Лида принялась плясать, размахивать им, вскидывая руки и ноги и распевая что-то себе в помощь. Сережа стоял и смотрел. Лида на минутку перестала плясать и сказала:

— Надька врет, что ее в балет отдают. — Поплясала еще и сказала: — На балерин учат в Москве и в Ленинграде.

И, заметив в Сережиных глазах восхищение, великодушно предложила:

— Чего ж ты? Учись давай, ну? Смотри на меня и делай, что я делаю.

Он стал делать, но без шарфа не получалось. Она велела ему петь, но и это не помогло. Он попросил:

— Дай мне шарфик.

Но она сказала:

— Ишь какой!

И не дала. В это время подъехала машина «газик» и остановилась у Сережиных ворот. Из машины вышла женщина-шофер, а из калитки тетя Паша. Женщина-шофер сказала:

— Принимайте. Дмитрий Корнеевич прислал.

В машине был чемодан и стопки книг, перевязанные веревками. И еще что-то толстое серое, скатанное в трубку, — оно развернулось, это оказалась шинель. Тетя Паша и шофер стали носить все это в дом. Мама выглянула из окошка и скрылась. Шофер сказала:

— Извините — вот и все приданое.

Тетя Паша ответила грустным голосом:

— Уж пальтишко мог бы купить.

— Купит, — пообещала шофер. — Все впереди. И вот передайте письмецо.

Она отдала письмо и уехала. Сережа побежал домой, крича:

— Мама! Мама! Коростелев нам прислал свою шинель!

(Дмитрий Корнеевич Коростелев ходил к ним в гости. Он дарил Сереже игрушки и один раз зимой катал его на саночках. Шинель у него без погон, осталась с войны. Сказать «Дмитрий Корнеевич» трудно, Сережа звал его: Коростелев.)

Шинель уже висела на вешалке, а мама читала письмо. Она ответила не сразу, а когда дочитала до самого конца:

— Я знаю, Сереженька. Коростелев теперь будет жить с нами. Он будет твой папа.

И она стала читать то же самое письмо — наверно, с одного раза не запомнила, что там написано.

Под словом «папа» Сереже представлялось что-то чужое, невиданное. А Коростелев — их старый знакомый, тетя Паша и Лукьяныч зовут его «Митя», — что это маме вдруг вздумалось? Сережа спросил:

— А почему?

— Слушай, — сказала мама, — ты дашь прочесть письмо или ты не дашь?

Так она ему и не ответила. У нее оказалось много разных дел. Она развязала книги и поставила на полку. И каждую книгу обтирала тряпкой. Потом переставила штучки на комоде перед зеркалом. Потом пошла во двор и нарвала цветов и поставила в вазочку. Потом для чего-то ей понадобилось мыть пол, хотя он был чистый. А потом стала печь пирог. Тетя Паша ее учила, как делать тесто. И Сереже дали теста и варенья, и он тоже испек пирог, маленький.

Когда пришел Коростелев, Сережа уже забыл о своих недоумениях и сказал ему:

— Коростелев! Посмотри, я испек пирог!

Коростелев наклонился к нему и несколько раз поцеловал, — Сережа подумал: «Это он потому так долго целуется, что он теперь мой папа».

Коростелев распаковал свой чемодан, достал оттуда мамину карточку в рамке, взял в кухне гвоздь и молоток и повесил карточку в Сережиной комнате.

— Зачем это, — спросила мама, — когда я живая, буду всегда с тобой?

Коростелев взял ее за руку, они потянулись друг к другу, но оглянулись на Сережу и отпустили руки. Мама вышла. Коростелев сел на стул и сказал задумчиво:

— Вот так, брат Сергей. Я, значит, к тебе переехал, не возражаешь?

— Ты насовсем переехал? — спросил Сережа.

— Да, — сказал Коростелев. — Насовсем.

— А ты меня будешь драть ремнем? — спросил Сережа.

Коростелев удивился:

— Зачем я тебя буду драть ремнем?

— Когда я не буду слушаться, — объяснил Сережа.

— Нет, — сказал Коростелев. — По-моему, это глупо — драть ремнем, а?

— Глупо, — подтвердил Сережа. — И дети плачут.

— Мы же с тобой можем договориться как мужчина с мужчиной, без всякого ремня.

— А в которой комнате ты будешь спать? — спросил Сережа.

— Видимо, в этой, — ответил Коростелев. — По всей видимости, брат, так. А в воскресенье мы с тобой пойдем — знаешь, куда мы с тобой пойдем? В магазин, где игрушки продают. Выберешь сам, что тебя устраивает. Договорились?

— Договорились! — сказал Сережа. — Я хочу велисапед. А воскресенье скоро?

— Скоро.

— Через сколько?

— Завтра будет пятница, потом суббота, а потом воскресенье.

— Еще не скоро! — сказал Сережа.

Пили чай втроем: Сережа, мама и Коростелев. (Тетя Паша с Лукьянычем куда-то ушли.) Сереже хотелось спать. Серые бабочки толклись вокруг лампы, стукались об нее и падали на скатерть, часто мелька-

крылышками, от этого хотелось спать еще сильней. Вдруг он увидел, что Коростелев куда-то несет его кровать.

— Зачем ты взял мою кровать? — спросил Сережа.

Мама сказала:

— Ты совсем спишь. Пошли мыть ноги.

Утром Сережа проснулся и не сразу понял, где он. Почему вместо двух окон три, и не с той стороны, и не те занавески. Потом разобрался, что это тети-Пашина комната. Она очень красивая: подоконники заставлены цветами, а за зеркало заткнуто павлинье перо. Тетя Паша и Лукьяныч уже встали и ушли, постель их была постлана, подушки уложены горкой. Раннее солнце играло в кустах за открытыми окнами. Сережа вылез из кроватки, снял длинную рубашку, надел трусики и вышел в столовую. Дверь в его комнату была закрыта. Он подергал ручку, дверь не отворялась. А ему туда нужно было непременно: там ведь находились все его игрушки. В том числе новая лопата, которой ему вдруг очень захотелось покопать.

— Мама! — позвал Сережа.

— Мама! — позвал он еще раз. Дверь не открывалась, и было тихо.

— Мама! — крикнул Сережа изо всех сил.

Тетя Паша вбежала, схватила его на руки и понесла в кухню.

— Что ты, что ты! — шептала она. — Как можно кричать! Нельзя кричать! Слава богу, не маленький! Мама спит, и пусть себе спит на здоровье, зачем будить!

— Я хочу взять лопату, — сказал он тревожно.

— И возьмешь, никуда не денется лопата. Мама встанет — и возьмешь, — сказала тетя Паша. — Смотри-ка, а вот рогатка твоя. Вот ты пока рогаткой позанимаешься. А хочешь, морковку почистить дам. А раньше всех дел добрые люди умываются.

Разумные, ласковые речи всегда действовали на Сережу успокоительно. Он дал ей умыть себя и выпил кружку молока. Потом взял рогатку и вышел на улицу. Напротив на заборе сидел воробей. Сережа, не целясь, стрельнул в него из рогатки камушком и, конечно же, промахнулся. Он нарочно не целился, потому что сколько бы он ни целился, он бы все равно не попал, кто его знает — почему; но тогда Лида дразнилась бы, а теперь она не имеет права дразниться: ведь видно было, что человек не целился, просто захотелось ему стрельнуть, он и стрельнул не глядя, как попало.

Шурик крикнул от своих ворот:

— Сергей, в рощу пошли?

— А ну ее! — сказал Сережа.

Он сел на лавочку и сидел, болтая ногой. Его беспокойство усиливалось. Проходя через двор, он видел, что ставни на его окнах тоже закрыты. Сразу он не придал этому значения, а теперь сообразил: ведь они летом никогда не закрываются, только зимой, в сильный мороз; получается, что игрушки заперты со всех сторон. И ему захотелось их до того, что хоть ложись на землю и кричи. Конечно, он не станет ложиться и кричать, он не маленький, но от этого ему не было легче. Мама и Коростелев даже и не беспокоятся, что ему сию минуту нужна лопата.

«Как только они проснутся, — думал Сережа, — я сейчас же все-все перенесу в тети-Пашину комнату. Не забыть кубик: он еще когда упал за комод и там лежит».

Васька и Женька подошли и стали перед Сережей. И Лида подошла с маленьким Виктором на руках. Они стояли и смотрели на Сережу. А он болтал ногой и не говорил ничего. Женька спросил:

— Ты чего сегодня такой?

Васька сказал:

— У него мать женилась.

Еще помолчали.

— На ком она женилась? — спросил Женька.

— На Коростелеве, директоре «Ясного берега», — сказал Васька. — Ох, его и прорабатывали!

— За что прорабатывали? — спросил Женька.

— Ну — за хорошие, значит, дела, — сказал Васька и достал из кармана мятую пачку папирос.

— Дай закурить, — сказал Женька.

— Да у меня у самого, кажется, последняя, — сказал Васька, но все-таки папиросу дал и, закурив, протянул горящую спичку Женьке. Огонь на кончике спички в солнечном свете прозрачен, невидим; не видать, отчего почернела и скорчилась спичка и отчего задымила папироса. Солнце светило на ту сторону улицы, где собрались ребята, а другая сторона была еще в тени, и листья крапивы там вдоль забора, вымытые росой, темны и мокры. И пыль посреди улицы: на той стороне прохладная, а на этой теплая. И два гусеничных следа по пыли: кто-то проехал на тракторе.

— Переживает Сережка, — сказала Лида Шурику. — Новый папа у него.

— Не переживай, — сказал Васька. — Он дядька ничего себе, по лицу видать. Как жил, так и будешь жить, какое твое дело.

— Он мне купит велисапед, — сказал Сережа, вспомнив вчерашний разговор.

— Обещал купить, — спросил Васька, — или же просто ты надеешься?

— Обещал. Мы вместе в магазин пойдем. В воскресенье. Завтра будет пятница, потом суббота, а потом воскресенье.

— Двухколесный? — спросил Женька.

— Трехколесный не бери, — посоветовал Васька. — На кой он тебе. Ты скоро вырастешь, тебе нужен двухколесный.

— Да врет он все, — сказала Лида. — Никакого велисапеда ему не купят.

Шурик надулся и сказал:

— Мой папа тоже купит велисапед. Как будет получка, так и купит.

Первое утро с Коростелевым. — В гостях

Загремело железо во дворе. Сережа посмотрел в калитку: это Коростелев снимал болты и отворял ставни. Он был в полосатой рубашке и голубом галстуке, мокрые волосы гладко зачесаны. Он отворил ставни, а мама изнутри толкнула створки окна, они распахнулись, и мама что-то сказала Коростелеву. Он ответил ей, облокотясь на подоконник. Она протянула руки и сжала его лицо в ладонях. Они не замечали, что с улицы смотрят ребята.

Сережа вошел во двор и сказал:

— Коростелев! Мне нужно лопату.

— Лопату?.. — переспросил Коростелев.

— И вообще все, — сказал Сережа.

— Войди, — сказала мама, — и возьми что тебе надо.

В маминой комнате стоял непривычный запах — табака и чужого дыхания. Чужие вещи валялись тут и там: одежа, щетка, папиросные коробки на столе... Мама расплетала косу. Когда она расплетает свои длинные косы, бесчисленные каштановые змейки закрывают ее ниже пояса, а потом она их расчесывает, пока они не распрямятся и не станут похожи на летний ливень... Из-за каштановых змеек мама сказала:

— С добрым утром, Сереженька.

Он не ответил, занятый видом коробок. Они были пленительны своей новизной и одинаковостью. Он взял одну, она была заклеена, не открывалась.

— Положи на место, — сказала мама, видевшая все в зеркале. — Ты ведь пришел за игрушками?

Кубик лежал за комодом. Сережа, присев на корточки, видел его, но достать не мог: рука не дотягивалась.

— Ты что там пыхтишь? — спросила мама.

— Мне никак, — ответил Сережа.

Вошел Коростелев. Сережа спросил его:

— Ты мне потом отдашь эти коробки?

(Он знал, что взрослые отдают детям коробки тогда, когда то, что в коробках, уже выкурено или съедено.)

— Вот тебе в порядке аванса, — сказал Коростелев.

И подарил Сереже одну коробку, выложив из нее папиросы. Мама попросила:

— Помоги ему. У него что-то завалилось за комод.

Коростелев ухватил комод своими большими руками — старый комод заскрипел, подвинулся, и Сережа без труда достал кубик.

— Здорово! — сказал он, с одобрением посмотрев вверх на Коростелева.

И ушел, прижимая к груди коробку, кубик и еще столько игрушек, сколько смог захватить. Он снес их в комнату тети Паши и свалил на пол, между своей кроватью и шкафом.

— Ты забыл лопату, — сказала мама. — Так срочно она была тебе нужна, а ее-то ты и забыл.

Сережа молча взял лопату и отправился во двор. Ему уже расхотелось копать, он только что задумал переложить свои фантики — бумажки от конфет — в новую коробку, но было неудобно не покопать хоть немножко, когда мама так сказала.

Под яблоней земля рыхлая и легче поддается. Копая, он старался забирать поглубже — на полную лопату. Это была работа не за страх, а за совесть, он кряхтел от усилий, мускулы напрягались на его руках и на голой узенькой спине, золотистой от загара. Коростелев стоял на террасе, курил и смотрел на него.

Явилась Лида с Виктором на руках и сказала:

— Давай цветов насажаем. Красиво будет.

Она усадила Виктора наземь, прислонив к яблоне, чтобы он не падал. Но он все равно сейчас же упал — на бок.

— Ну, ты, сиди! — прикрикнула Лида, встряхнула его и усадила покрепче. — Глупый ребенок. Другие уже сидят в этом возрасте.

Она говорила нарочно громко, чтобы Коростелев на террасе услышал и понял, какая она взрослая и умная.

Искоса поглядывая на него, она принесла ноготков и воткнула в землю, вскопанную Сережей, приговаривая:

— Вот видишь, до чего красиво!

А потом принесла из-под желоба белых и красных камушков и разложила вокруг ноготков. Она растирала землю в пальцах и прихлопывала ладонями, руки у нее стали черные.

— Не красиво разве? — спрашивала она. — Говори, только не ври.

— Да, — признался Сережа. — Красиво.

— Эх, ты! — сказала Лида. — Ничего без меня не умеешь сделать.

Тут Виктор опять упал, на этот раз затылком.

— Ну, и лежи, раз ты такой, — сказала Лида.

Виктор не плакал, сосал свой кулак и изумленно смотрел на листья, шевелящиеся над ним. А Лида взяла скакалку, которою была подпоясана вместо пояса, и принялась скакать перед террасой, громко считая: «Раз, два, три...» Коростелев засмеялся и ушел с террасы.

— Смотри, — сказал Сережа, — по нем муравьи лазиют.

— Фу, дурак! — с досадой сказала Лида, подняла Виктора и стала счищать с него муравьев, и от чистки его платье и голые ноги почернели.

— Моют, моют его, — сказала Лида, — и все он грязный.

Мама позвала с террасы:

— Сережа! Иди одеваться, пойдем в гости.

Он охотно побежал на зов — в гости ходят ведь не каждый день. В гостях хорошо, дают конфеты и показывают игрушки.

— Мы пойдем к бабушке Насте, — объяснила мама, хотя он не спрашивал — не важно к кому, лишь бы в гости.

Бабушка Настя серьезная и строгая, на голове белый платочек в крапушку, завязанный под подбородком. У нее есть орден, на ордене Ленин. И всегда она носит черную кошелку с застежкой-«молнией». Открывает кошелку и дает Сереже что-нибудь вкусное. А в гостях у нее Сережа еще не был.

Все они нарядились — и он, и мама, и Коростелев — и пошли. Коростелев и мама взяли его за руки с двух сторон, но он скоро вырвался: куда веселей идти самому. Можно остановиться и посмотреть в щелку чужого забора, как там страшная собака сидит на цепи и ходят гуси.

Можно убежать вперед и прибежать обратно к маме. Погудеть и пошипеть, изображая паровоз. Сорвать с куста зеленый стручок — пищик — и попищать. Поднять с земли золотую копейку, которую кто-то потерял. А когда тебя ведут, то только руки потеют, и никакой радости.

Пришли к маленькому домику с двумя маленькими окошками на улицу. И двор был маленький, и комнатки. Ход в комнатки был через кухню с огромной русской печкой. Бабушка Настя вышла навстречу и сказала:

— Поздравляю вас.

Должно быть, был какой-то праздник. Сережа ответил, как отвечала в таких случаях тетя Паша:

— И вас также.

Он осмотрелся: игрушек не видно, даже никаких фигурок, что ставят для украшения, — только скучные вещи для спанья и еды. Сережа спросил:

— У вас игрушки есть?

(Может быть, есть, но спрятаны.)

— Вот чего нет, того нет, — отвечала бабушка Настя. — Детей маленьких нет, ну, и игрушек нет. Съешь конфетку.

Синяя стеклянная вазочка с конфетами стояла на столе среди пирогов. Все сели за стол. Коростелев открыл штопором бутылку и налил в рюмки темно-красное вино.

— Сережке не надо, — сказала мама.

Вечно так: сами пьют, а ему не надо. Как самое лучшее, так ему не дают. Но Коростелев сказал:

— Я немножко. Пусть тоже за нас выпьет. — И налил Сереже рюмочку, из чего Сережа заключил, что с ним, пожалуй, не пропадешь.

Все стали стукаться рюмками, и Сережа стукался.

Тут была еще одна бабушка. Сереже сказали, что это не просто бабушка, а прабабушка, так он ее чтоб и называл. Коростелев, впрочем, звал ее бабушкой без «пра». Сереже она ужасно не понравилась. Она сказала:

— Он зальет скатерть.

Он действительно пролил на скатерть немного вина, когда стукался. Она сказала:

— Ну, конечно.

И высыпала на мокрое место соль из солонки, недовольно сопя. И потом все время следила за Сережей. На глазах у нее были очки. Она была старая-престарая. Руки коричневые, сморщенные, в шишках, большущий нос загибался вниз, а костлявый подбородок — вверх.

Вино оказалось сладким и вкусным, Сережа выпил сразу. Ему дали пирог, он стал есть и раскрошил. Прабабушка сказала:

— Как ты ешь!

Сидеть было неудобно, он заерзал на стуле. Она сказала:

— Как ты сидишь!

А ему стало горячо в середине и захотелось петь. Он запел. Она сказала:

— Веди себя как следует.

Коростелев заступился за Сережу:

— Оставьте. Дайте парню жить.

Прабабушка пригрозила:

— Погодите, он вам себя покажет!

Она тоже выпила вина, глаза у нее за очками так и сверкали. Но Сережа крикнул ей храбро:

— Пошла вон! Я тебя не боюсь!

— Какой ужас! — сказала мама.

— Ерунда, — сказал Коростелев. — Сейчас пройдет. Сколько он там выпил.

— Я хочу еще! — крикнул Сережа, потянулся к своей рюмке и опрокинул пустую бутылку. Зазвенела посуда. Мама ахнула. Прабабушка ударила кулаком по столу и воскликнула:

— Вы видите, что делается!

А Сереже захотелось качаться. Он стал качаться из стороны в сторону. И стол с пирогами качался перед ним, и мама, и Коростелев, и бабушка Настя, разговаривая, качалась как на качелях, это было смешно, Сережа хохотал. Вдруг он услышал пение. Это пела прабабушка. Держа очки в шишковатой руке и размахивая ими, пела о том, как выходила на берег Катюша, выходила, песню заводила. Под прабабушкино пение Сережа заснул, положив голову на кусок пирога.

...Проснулся — прабабушки не было, а остальные пили чай. Они улыбнулись Сереже. Мама спросила:

— Пришел в себя? Не будешь больше буянить?

«Разве я буянил?» — подумал Сережа, удивившись.

Мама достала из сумочки гребешок и причесала Сережу. Бабушка Настя сказала:

— Съешь конфетку.

В соседней комнате, за пестрой полинялой занавеской, повешенной вместо двери, кто-то храпел: хрр! хрр! Сережа осторожно отодвинул занавеску, заглянул и обнаружил, что там на кровати спит прабабушка. Сережа чинно отошел от занавески и сказал:

— Пошли домой. Надоело в гостях.

Прощаясь, он услышал, что Коростелев назвал бабушку Настю «мама». Сережа и не знал, что у Коростелева есть мама, он думал — Коростелев и бабушка Настя просто знакомые.

Обратный путь показался Сереже долгим и неинтересным. Сережа подумал: «Пусть-ка Коростелев меня понесет, раз он мой папа». Ему случалось видеть, как отцы носят сыновей на плече. Сыновья сидят и задаются, и им, должно быть, далеко видно сверху. Сережа сказал:

— У меня ноги заболели.

— Уже близко, — сказала мама. — Потерпи.

Но Сережа забежал спереди и охватил колени Коростелева.

— Ты же большой, — сказала мама, — как не стыдно проситься на руки! — Но Коростелев поднял Сережу и усадил к себе на плечо.

Сережа очутился очень высоко. Ему ни капельки не было страшно: не мог такой великан, запросто сдвигающий с места комоды, его уронить. С высоты было видно, что делается во дворах за заборами и даже на крышах, прекрасно видно! Это увлекательное зрелище занимало Сережу всю дорогу. Гордо посматривал он вниз на встречных мальчиков, идущих на собственных ногах. И с ощущением новых крупных своих преимуществ прибыл домой — на отцовском плече, как положено сыну.

Купили велосипед

И на этом же плече он отправился в воскресенье в магазин за велосипедом.

Воскресенье наступило внезапно, раньше, чем он надеялся, и Сережа сильно взволновался, узнав, что оно наступило.

— Ты не забыл? — спросил он Коростелева.

— Как же я забуду, — ответил Коростелев, — сходим обязательно, вот только управлюсь маленько с делами.

Насчет дел он соврал. Никаких дел у него не оказалось, просто он сидел и разговаривал с мамой. Разговор был непонятный и неинтересный, но им нравился, они говорили да говорили. Особенно мама длинно говорит: одно и то же слово повторяет зачем-то сто раз. От нее и Коростелев этому учится. Сережа кружит вокруг них, стихший от внутреннего возбуждения, весь сосредоточенный на одной мысли, и ждет — когда же им надоест их занятие.

— Ты все понимаешь, — говорит мама. — До чего я рада, что ты все понимаешь.

— Сказать откровенно, — отвечает Коростелев, — я до тебя мало понимал в данном вопросе. Многого я не понимал, только тогда и стал понимать, когда — ты понимаешь.

Они берутся за руки, словно играют в «золотые ворота».

— Я была девочка, — говорит мама. — Мне казалось, что я счастлива безумно. Потом мне казалось, что я умру от горя. А сейчас кажется, что все это приснилось...

Она напала на новое слово и твердит его, закрыв свое лицо коростелевскими большими руками:

— Приснилось, понимаешь? Как сны снятся. Это во сне было. Мне снился сон. А наяву — ты...

Коростелев прерывает ее и говорит:

— Я тебя люблю.

Мама не верит:

— Правда?

— Люблю, — подтверждает Коростелев.

А мама все равно не верит:

— Правда — любишь?

«Сказал бы ей: "честное пионерское" или "провалиться мне на этом месте", — думает. Сережа, — она бы и поверила».

Коростелеву надоело отвечать, он умолк и смотрит на маму. А она на него. Они смотрят так, наверно, целый час. Потом мама говорит:

— Я тебя люблю. (Как в игре, когда все по очереди говорят то же самое.)

«Когда это кончится?» — думает Сережа.

Кое-какое знание жизни подсказывает ему, однако, что не следует приставать к взрослым, когда они увлечены своими разговорами: взрослые этого не выносят, они могут рассердиться, и неизвестно, какие будут последствия. И он лишь осторожно напоминает о себе, оставаясь у них на виду и тяжело вздыхая.

И настал-таки конец его мученьям. Коростелев сказал:

— Я на часок уйду, Марьяша, мы с Сережкой договорились сходить тут по одному делу.

Ноги у него длинные, не успел Сережа оглянуться, как вот она — площадь, где магазины. Здесь Коростелев спустил Сережу на землю, и они подошли к магазину игрушек.

В магазинном окне кукла с толстыми щеками улыбалась, расставив ноги в настоящих кожаных башмаках. Синие медведи сидели на красном барабане. Пионерский горн горел золотом. У Сережи дух захватило от предвкушения счастья... Внутри магазина играла музыка. Какой-то дядька сидел на стуле с гармонью в руках. Он не играл, а только время от времени растягивал гармонь, она издавала надрывный, рыдающий стон и опять смолкала, а бойкая музыка слышалась из другого места, со стойки. Празднично одетые дядьки в галстуках стояли перед стойкой и слушали музыку. За стойкой находился старичок продавец. Он спросил у Коростелева:

— Вы что хотели?

— Детский велосипед, — сказал Коростелев.

Старичок перегнулся через стойку и заглянул на Сережу.

— Трехколесный? — спросил он.

— На кой мне трехколесный... — ответил Сережа дрогнувшим от переживаний голосом.

— Варя! — крикнул старичок.

Никто не пришел на его зов, и он забыл о Сереже — ушел к дядькам и что-то там сделал, и бойкая музыка оборвалась, раздалась медленная и печальная. К великому беспокойству Сережи, и Коростелев словно забыл, зачем они сюда пришли: он тоже перешел к дядькам, и все они стояли неподвижно, глядя перед собой, не думая о Сереже и его трепетном ожидании... Сережа не выдержал и потянул Коростелева за пиджак. Коростелев очнулся и сказал, вздохнув:

— Великолепная пластинка!

— Он нам даст велисапед? — звонко спросил Сережа.

— Варя! — крикнул старичок.

Очевидно, от Вари зависело — будет у Сережи велосипед или не будет. И Варя пришла наконец, она вошла через низенькую дверку за стойкой, между полками, в руке у Вари был бублик, она жевала, и старичок велел ей принести из кладовой двухколесный велосипед. «Для молодого человека», — сказал он. Сереже понравилось, что его так назвали.

Кладовая помещалась, несомненно, за тридевять земель, в тридесятом царстве, потому что Вари не было целую вечность. Пока она пропадала, тот дядька успел купить гармонь, а Коростелев купил патефон. Это ящик, в него вставляют круглую черную пластинку, она крутится и играет — веселое или грустное, какого захочется; этот-то ящик и играл на стойке. И много пластинок в бумажных мешках купил Коростелев, и две коробки каких-то иголок.

— Это для мамы, — сказал он Сереже. — Мы ей принесем подарок.

Дядьки с вниманием смотрели, как старичок заворачивает покупки. А тут явилась из тридесятого царства Варя и принесла велосипед. Настоящий велосипед со спицами, звонком, рулем, педалями, кожаным седлом и маленьким красным фонариком! И даже у него был сзади номер на железной дощечке — черные цифры на желтой дощечке!

— Вы будете иметь вещь, — сказал старичок. — Крутите руль. Звоните в звонок. Жмите педали. Жмите, чего вы на них смотрите! Ну? Это вещь, а не что-нибудь. Вы будете каждый день говорить мне спасибо.

Коростелев добросовестно крутил руль, звонил в звонок и давил на педали, а Сережа смотрел почти с испугом, приоткрыв рот, коротко дыша, едва веря, что все эти сокровища будут принадлежать ему.

Домой он ехал на велосипеде. То есть — сидел на кожаном седле, чувствуя его приятную упругость, держался неуверенными руками за руль и пытался овладеть ускользающими, непослушными педалями

Коростелев, согнувшись в три погибели, катил велосипед, не давая ему упасть. Красный и запыхавшийся, он довез таким образом Сережу до калитки и прислонил к лавочке.

— Теперь сам учись, — сказал он. — Запарил ты меня, брат, совсем.

И ушел в дом. А к Сереже подошли Женька, Лида и Шурик.

— Я уже немножко научился! — сказал им Сережа. — Отойдите, а то я вас задавлю!

Он попробовал отъехать от лавочки и свалился.

— Фу ты! — сказал он, выбираясь из-под велосипеда и смеясь, чтобы показать, что ничего особенного не случилось. — Не туда крутнул руль. Очень трудно попадать на педали.

— Ты разуйся, — посоветовал Женька. — Босиком лучше — пальцами цепляться можно. Дай-ка я попробую. А ну, подержите. — Он взобрался на сиденье. — Держите крепче.

Но хотя его держали трое, он тоже свалился, и с ним за компанию Сережа, державший усерднее всех.

— Теперь я, — сказала Лида.

— Нет, я! — сказал Шурик.

— Пылища чертова, — сказал Женька. — По ней разве научишься. Пошли в Васькин проулок.

Так они называли короткий непроезжий переулок-тупик, лежавший позади Васькиного сада. По другую сторону переулка находился дровяной склад, обнесенный высоким забором. Кудрявая, мягкая низенькая травка росла в этом тихом переулке, где так уютно было играть, удалясь от взрослых. И хотя тупым концом он упирался в тимохинский огород и две матери — Васькина и Шурикина — равноправно выплескивали из-за своих плетней помои на кудрявую травку, — но никто ведь не усомнится в том, что первый человек в этих местах — Васька, потому и переулок был назван Васькиным именем.

Туда повел велосипед Женька. Лида и Шурик ему помогали, споря по дороге, кто первый будет учиться кататься, а Сережа бежал сзади, хватаясь за колесо.

Женька, как старший, объявил, что первым будет он. За ним училась Лида, за Лидой Шурик. Потом Сереже дали поучиться, но очень скоро Женька сказал:

— Хватит! Слазь! Моя очередь!

Сереже страшно не хотелось слезать, он вцепился в велосипед руками и ногами и сказал:

— Я хочу еще! Это мой велисапед!

Но сейчас же Шурик его выругал, как и следовало ожидать:

— У, жадина!

А Лида добавила нарочно противным голосом:

— Жадина-говядина!

Быть жадиной-говядиной очень стыдно, Сережа молча слез и отошел. Он удалился к тимохинскому плетню и, стоя к ребятам спиной, заплакал. Он плакал потому, что ему было обидно, потому, что он не умел постоять за себя, потому, что ничего на свете ему сейчас не нужно, кроме велосипеда, а они, грубые и сильные, этого не понимают!

Они не обращали на него внимания. Он слышал их громкие споры, звонки и железный лязг падающего велосипеда. Его никто не позвал, не сказал: «Теперь ты». Они катались уже по третьему разу! А он стоял и плакал. Как вдруг за своим плетнем появился Васька.

Появился, голый по пояс, в слишком длинных — на вырост — штанах, подпоясанных ремешком, в кепке козырьком назад, — подавляющая, сильная личность! Какую-нибудь минутку смотрел он через плетень и все понял.

— Эй! — крикнул он. — Вы чего делаете? Велисапед кому купили — ему или вам? Иди давай, Сергей!

Он перескочил через плетень и взялся за руль властной рукой. Женька, Лида и Шурик смиренно отступили. Сережа приблизился, локтем утирая слезы. Лида пискнула было:

— Две жадины!

— А ты — паразитка, — ответил Васька. И еще сказал про Лиду нехорошие слова. — Не могла обождать, пока маленький научится. — И велел Сереже: — Садись.

Сережа сел и долго учился. И все ребята помогали ему, кроме Лиды, — она сидела на траве, плела венок из одуванчиков и делала вид, что ей гораздо веселее, чем тем, кто ездит на велосипеде. Потом Васька сказал:

— Теперь я, — и Сережа с удовольствием уступил ему место, он все готов был сделать для Васьки. Потом Сережа катался уже сам, без помощи, и почти не падал, только велосипед вилял во все стороны, и Сережа нечаянно попал ногой в колесо, и четыре спицы вывалились, но ничего, велосипед все равно ездил. Потом Сереже стало жалко ребят, он сказал:

— И они пускай. Будем все по разу.

Тетя Паша вышла во двор и услышала на улице Сережин плач. Отворилась калитка, гуськом вошли ребята. Впереди шел Сережа, он нес велосипедный руль, Васька нес раму, Женька — два колеса, на каждом плече по колесу, Лида — звонок, а сзади семенил Шурик с пучком велосипедных спиц.

— Господи ты боже мой! — сказала тетя Паша.

Шурик сказал басом:

— Это он сам. Он ногой в колесо попал.

Вышел Коростелев и удивился.

— Ловко вы его, — сказал он.

Сережа горько плакал.

— Не горюй, починим, — пообещал Коростелев. — Отдадим в мастерскую — будет как новый.

Сережа только рукой махнул и ушел плакать в тети-Пашину комнату: это Коростелев просто так говорит, чтобы утешить; разве можно из этих обломков сделать прежний прекрасный велосипед? Тот, что ехал и звонил, и сверкал спицами на солнце? Невозможно, невозможно!

Все пропало, все! — Сережа убивался целый день, не радовал его и патефон, который для него специально заводил Коростелев. «Загудели, заиграли провода! Мы такого не видали никогда!» — на всю улицу бешено веселился ящик с пластинкой, а Сережа слушал и не слышал, думал о своем, безотрадно качая головой.

...Но что вы думаете — велосипед действительно починили, Коростелев не надул! Его починили слесари в совхозе «Ясный берег». Только чтоб большие ребята на нем не катались, сказали слесари, а то он опять развалится. Васька и Женька послушались, катались с тех пор Сережа да Шурик, да Лида каталась потихоньку от взрослых, но Лида худая и не очень тяжелая, пусть уж ее.

Сережа здорово научился ездить, научился даже съезжать с горки, бросив руль и сложив руки на груди, как — видел он — делал один ученый велосипедист. Но почему-то уже не было у Сережи того счастья обладанья, того восторга взахлеб, как в первые блаженные часы...

А там и надоел ему велосипед. Стоял в кухне со своим красным фонариком и серебряным звонком, красивый и исправный, а Сережа пешком отправлялся по делам, равнодушный к его красоте: надоело, и все, что ж тут сделаешь.

Какая разница между Коростелевым и другими

Сколько ненужных слов у взрослых! Вот, например: пил Сережа чай и пролил, тетя Паша говорит:

— Экий неаккуратный! Не настачишься на тебя скатертей! Не маленький уж, кажется!

Тут все слова ненужные, по Сережиному мнению. Во-первых, он их слышал уже сто раз. А во-вторых, и без них понимает, что виноват: как пролил, так сразу понял и огорчился. Ему стыдно и хочется одного — чтобы она поскорей убрала скатерть, пока другие не видели. Но она говорит еще и еще:

— Никогда ты не подумаешь, что кто-то эту скатерть стирал, крахмалил, гладил, старался...

— Я не нарочно, — объясняет ей Сережа. — У меня чашка из пальцев выскочила.

—Скатерть старенькая, — не унимается тетя Паша, — а я ее штопала, целый вечер сидела, сколько труда вложила.

Как будто если скатерть новая, то можно ее обливать. В заключение тетя Паша говорит возмущенно:

— Еще бы ты это нарочно сделал! Этого не хватало!

То же самое говорится, если Сережа разобьет что-нибудь. А когда они сами бьют стаканы и тарелки, то как будто так и надо.

Или как, например, мама заботится, чтобы он говорил «пожалуйста», а это слово даже и не значит ничего.

— Оно обозначает просьбу, — сказала мама. — Ты у меня просишь карандаш, и в знак того, что это просьба, ты добавляешь: пожалуйста.

— А ты не поняла, — спросил Сережа, — что я у тебя попросил карандаш?

— Поняла, но без «пожалуйста» — это невежливо, невоспитанно. На что это похоже — «дай карандаш»! А если ты скажешь: «Дай карандаш, пожалуйста», — это вежливо, и я с удовольствием дам.

— А если не скажу — без удовольствия дашь?

—Совсем не дам! — сказала мама.

Хорошо, пожалуйста. Сережа говорит им «пожалуйста» — при всех своих странностях они сильны и властвуют над детьми, они могут дать или не дать Сереже карандаш, как им вздумается.

Вот Коростелев не беспокоится о пустяках, даже внимания не обращает — сказал Сережа «пожалуйста» или не сказал.

И если Сережа занят в своем уголке и ему нельзя, чтобы его отрывали, — Коростелев никогда не разрушит его игру, не скажет что-нибудь глупое, вроде: «А ну, иди, я тебя поцелую!» — как Лукьяныч говорит, придя с работы. Поцеловав Сережу своей жесткой бородкой, Лукьяныч дает ему шоколадку или яблоко. Спасибо, но зачем же, скажите пожалуйста, непременно целоваться и отрывать человека от игры, игра важнее яблока, яблоко Сережа и потом бы съел.

В дом ходят разные люди — по большей части к Коростелеву. Чаще всех бывает дядя Толя. Он молодой и красивый, у него длинные черные ресницы, белые зубы и застенчивая улыбка. Сережа питает к нему почтение и интерес, потому что дядя Толя умеет сочинять стихи. Его уговаривают прочитать новый стишок, он сперва стесняется и отказывается, потом встает, отходит в сторонку и читает наизусть. Про что он не насочинял стихов: и про войну, и про мир, и про колхозы, и про фашистов, и про весну, и про какую-то женщину с синими глазами, которую он все ждет, все ждет и никак не может дождаться. Великолепные стихи! Совершенно такие же певучие и гладкие, как в книжках. Перед чтением дядя Толя откашливается и откидывает рукой свои черные волосы, а читает громко, глядя на потолок. Все его хвалят, и мама наливает ему чаю. За чаем разговаривают о коровьих болезнях: дядя Толя в совхозе «Ясный берег» лечит коров.

Но не все приходящие в дом такие занимательные и приятные. Дяди Пети, например, Сережа сторонится: у него лицо противное, а голова бледно-розовая и голая, как целлулоидный мячик. И смех противный: «гы-гы-гы-гы!» Однажды, сидя на террасе с мамой — Коростелева не было, — дядя Петя подозвал Сережу и дал ему конфету, большую и редкую —«Мишка косолапый». Сережа вежливо сказал: «Спасибо», развернул бумажку, а в ней ничего — пустышка. Сереже стало совестно — за себя, что поверил, и за дядю Петю, что тот обманул. Сережа увидел, что и маме совестно, она тоже поверила...

— Гы-гы-гы-гы! — засмеялся дядя Петя.

Сережа сказал не сердито, с сожалением:

— Дядя Петя, ты дурак.

Он был уверен, что мама с ним согласна. Но она воскликнула:

— Это что такое! Извинись сейчас же!

Сережа посмотрел на нее удивленно.

— Ты слышал, что я сказала? — спросила мама.

Он молчал. Она взяла его за руку и увела в дом.

— Не смей и подходить ко мне, — сказала она. — Не хочу с тобой разговаривать, раз ты такой грубиян.

Она постояла, ожидая, что он раскается и попросит прощенья. Он сжал губы и отвел глаза, ставшие грустными и холодными. Он не чувствовал себя виноватым: в чем же он должен просить прощенья? Он сказал то, что подумал.

Она ушла. Он побрел к себе и занялся игрушками, бессознательно стараясь отвлечься от случившегося. Его тоненькие пальцы дрожали; перебирая фигуры, вырезанные из старых карт, он нечаянно оторвал черной даме одну голову... Почему мама заступилась за глупого дядю

Петю? Вон она с ним разговаривает и смеется как ни в чем не бывало, а с Сережей не хочет разговаривать...

Вечером он слышал, как она рассказывала о происшествии Коростелеву.

— Ну и правильно, — сказал Коростелев. — Это называется — справедливая критика.

— Разве можно допустить, — возразила мама, — чтобы ребенок критиковал взрослых? Если дети примутся нас критиковать — как мы их будем воспитывать? Ребенок должен уважать взрослых.

— Да за что ему, помилуй, уважать этого олуха! — сказал Коростелев.

— Обязан уважать. У него даже мысль не должна возникнуть, что взрослый может быть олухом. Пусть сначала дорастет до этого самого Петра Ильича, а потом уж его критикует.

— По-моему, — сказал Коростелев, — он давно умственно перерос Петра Ильича. И ни по какой педагогике нельзя взыскивать с парня за то, что он дурака назвал дураком.

Про критику и педагогику Сережа не понял, а про дурака понял и почувствовал к Коростелеву благодарность за эти слова.

Хороший человек Коростелев, странно подумать, что прежде он жил отдельно от Сережи, с бабушкой Настей и прабабушкой, и только изредка приходил в гости.

Он берет Сережу с собой на речку купаться и учит плавать. Мама боится, что Сережа утонет, а Коростелев смеется. Он снял с Сережиной кровати боковую сетку. Мама боялась, что Сережа упадет и расшибется, но Коростелев сказал:

— А вдруг поездом придется ехать? На верхней полке?

Пусть привыкает по-взрослому.

Теперь Сереже не надо перелезать через сетку по утрам и вечерам. Раздевается он, сев на край постели. И спит по-взрослому.

Один раз, говорят, он свалился с кровати. Это было ночью; они услышали, как он упал, и положили его обратно, а утром рассказали ему, что с ним было. Он ничего не помнил и не ушибся нигде. А если не ушибся и не помнишь, то это не в счет.

А вот как-то он упал во дворе, ссадил колени в кровь и пришел домой плача. Тетя Паша заахала и побежала за бинтом. Коростелев сказал:

— Что ты, брат. Сейчас пройдет. А на войну пойдешь, и ранят, как же ты тогда?..

— А тебя когда ранили, — спросил Сережа, — ты не плакал?

— Как же бы я плакал: надо мной бы товарищи смеялись. Мы — мужчины, такое уж наше дело.

Сережа перестал плакать и сказал: «ха, ха, ха!» — чтобы доказать свою мужскую сущность. И когда тетя Паша приступила к нему с бинтом, он сказал бесшабашно:

— Завязывай, не бойся! Мне не больно!

Коростелев рассказал ему про войну. С тех пор, сидя с ним рядом за столом, Сережа испытывал гордость: если будет война, кто пойдет воевать? Мы с Коростелевым. Такое уж наше дело. А мама, тетя Паша и Лукьяныч останутся тут ждать, пока мы победим, такое уж ихнее дело.

Женька

Женька — сирота, живет с теткой и сестрой. Сестра ему не родная — теткина дочка. Днем она на работе, а вечером гладит. Она свои платья гладит. Все возится во дворе с большим утюгом, который разогревается угольками. То она дует в утюг, то плюет на него, то наденет на него самоварную трубу. А волосы у нее накручены сардельками на железные штучки.

Выгладив себе платье, она наряжается, распускает волосы и уходит в Дом культуры танцевать. А на другой вечер опять хлопочет с утюгом во дворе.

Тетка тоже работает. Она жалуется, что она и уборщица, и «кульер», а платят ей только как уборщице, а по штату «кульер» полагается особо. Она подолгу стоит с ведрами на углу, у водопроводного крана, и рассказывает женщинам, как она отбрила своего заведующего и какое на него написала заявление.

На Женьку тетка сердится, что он много ест и ничего не делает в доме.

А ему не хочется делать. Он встает утром, поест что ему оставили и идет к ребятам.

Весь день он на улице или у соседей. Тетя Паша его кормит, когда он заходит. Перед тем как тетке вернуться с работы, Женька идет домой и садится за уроки. Ему на лето задана целая куча уроков, потому что он отстающий: во втором классе учился два года, в третьем два года и в четвертом тоже остался на второй год. Когда он пошел в школу, Васька был еще маленький, а теперь Васька его догнал, несмотря на то что тоже сидел два года в третьем классе.

А по росту и по силе Васька даже обогнал Женьку...

Сначала учителя за Женьку волновались, вызывали тетку и сами к ней ходили, а она им говорила:

— Навязалось мне счастье на голову, делайте с ним что хотите, а у меня возможности нет, он меня объел всю, если хотите знать.

А женщинам жаловалась:

— Устройте ему, говорят, для занятий уголок. Ему не уголок, а плетку бы хорошую, только потому и жалею, что от покойной сестры.

Потом учителя перестали ходить. И даже хвалили Женьку: очень, говорили, дисциплинированный мальчик; другие на уроках шумят, а он сидит тихо, — одно жалко, что редко ходит в школу и ничего не знает.

Они ставили Женьке пятерки за поведение. И еще по пению у него пятерка. А по остальным предметам двойки и единицы.

Перед теткой Женька делает вид, что занимается, чтобы она на него меньше кричала. Она приходит, а он сидит за кухонным столом, где наставлена грязная посуда и валяются тряпки, — сидит и пишет цифры, решая задачу.

— Ты что же, василиск, — начинает тетка, — опять ни воды не принес, ни за керосином не сходил, ничего? Я с тобой что же, век буду мучиться, рахитик?

— Я занимался, — отвечает Женька.

Тетка кричит — он, укоризненно вздохнув, кладет перо и берет бидон для керосина.

— Ты надо мной смеешься или что?! — кричит тетка не своим голосом. — Ты же знаешь, лукавый, что лавка уже закрыта!!

— Ну, закрыта, — соглашается Женька. — Чего же вы ругаетесь?

— Иди, дрова коли!!! — кричит тетка с такой надсадой, что кажется — сию минуту у нее разорвется горло. — Иди, чтоб я тебя без дров тут не видела!!!

Она хватает с лавки ведра и, воинственно размахивая ими, с криком мчится по воду, а Женька не спеша уходит в сарай колоть дрова.

Тетка говорит неправду, будто он ленивый. Ничего подобного. Тетя Паша его о чем-нибудь попросит или ребята — он с удовольствием сделает. Его похвалят — он рад и старается сделать как можно лучше. Он как-то вместе с Васькой целый метр дров наколол и сложил.

И что он неспособный, тоже неправда. Сереже подарили железный конструктор, так Женька с Шуриком такой сделали семафор, что с улицы Калинина ребята приходили смотреть: с красным и зеленым огоньками был семафор. Шурик в этом деле сильно помог, он в машинах здорово понимает, потому что у него папа — шофер Тимохин, но Шурик не додумался, что можно взять из Сережиных елочных украшений цветные лампочки и приспособить к семафору, а Женька додумался.

Из Сережиного пластилина Женька лепит человечков и зверей — ничего, похоже. Сережина мама увидела и купила ему тоже пластилин. Но тетка раскричалась, что не разрешит Женьке заниматься глупостями, и выбросила пластилин в уборную.

От Васьки Женька научился курить. Папирос купить ему не на что, он курит Васькины, и когда найдет окурок на улице, то поднимает и курит. Сережа, жалея Женьку, тоже подбирает с земли окурки и отдает ему.

Перед младшими Женька не задается, как Васька, — охотно играет с ними во что угодно: в войну так в войну, в милиционеров так в милиционеров, в лото так в лото. Но, как старший, он хочет быть генералом или начальником милиции. А когда играют в лото с картинками и он выигрывает, он рад, а если не выигрывает, то обижается.

Лицо у него доброе, с большими губами, большие уши торчат, а на шее сзади косички, потому что стрижется он редко.

Как-то пошли Васька с Женькой в рощу и Сережу взяли. В роще разожгли костер, чтобы испечь картошку. Они с собой принесли картошек, соли и зеленого луку. Костер горел вяло, дымя горьким дымом. Васька сказал Женьке:

— Поговорим про твое будущее.

Женька сидел, подняв колени к подбородку и охватив их, узкие штаны его вздернулись, открывая тощие ноги. Не отрываясь глядел он на плотные дымовые струйки, сизые и желтые, вытекающие из костра.

— Школу, как ни думай, кончать придется, — продолжал Васька таким тоном, словно он был круглый отличник и старше Женьки по крайней мере на пять классов. — Без образования — кому ты нужен?

— Это-то ясно, — согласился Женька. — Без образования я никому не нужен.

Он взял ветку и разгреб костер, чтобы тот горел веселей. Сырые сучья шипели, из них текла слюна, разгоралось медленно. Вокруг полянки, на которой сидели ребята, пышно росли береза, осина и ольха. В играх ребята воображали эти заросли дремучим лесом. Весной там много ландышей, а летом много комаров. Сейчас комары отступили, потревоженные дымом, но отдельные храбрецы и сквозь дым налетали и кусались, и тогда ребята звонко шлепали себя по ногам и щекам.

— А тетку поставь на место, и все, — посоветовал Васька.

— Попробуй! — возразил Женька. — Попробуй, поставь ее на место!

— Или не обращай внимания.

— Да я и не обращаю. Просто она мне надоела. Просто, ты же видишь, — в печенки въелась.

— А Люська ничего?

— Люська ничего. Люська — что, она замуж устроится.

— За кого?

— Ну, за кого-нибудь. У нее план — за офицера, да тут офицеров нету. Она, может быть, поедет куда-нибудь, где есть офицеры.

Костер разгорелся: огонь одолел влагу и охватил груду сучьев и листвы, прыгая озорными острыми язычками. Что-то в нем выстрелило, как из пистолета. Дыма больше не было.

— Сбегай, — велел Васька Сереже, — поищи сухого — подбросить.

Сережа побежал исполнять поручение. Когда он вернулся, говорил Женька, а Васька слушал со вниманием и деловито.

— Как бог буду жить! — говорил Женька. — Ты подумай: вечером придешь в общежитие — постель у тебя, тумбочка... Ляжь и слушай радио или играй в шашки, никто не орет над ухом... Лектора к тебе ходят, артисты... И поужинать дадут в восемь часов...

— Да, — сказал Васька, — культурно. А тебя примут?

— Я подам заявление. Почему ж не примут. Наверно, примут.

— Ты с какого года?

— Я с тридцать третьего года. Мне на той неделе четырнадцать было.

— Тетка не возражает?

— Она не возражает, только она боится, что если я уеду, то я ей потом не буду помогать.

— А ну ее, — сказал Васька и прибавил нехорошие слова.

— Да я все равно, наверно, уеду, — сказал Женька.

— Ты, главное, прими решение и действуй, — сказал Васька. — А то «наверно» да «наверно», а учебный год начнется, и пойдет твоя волынка опять сначала.

— Да, я, наверно, приму решение, — сказал Женька, — и буду действовать. Я, Вася, знаешь, часто об этом мечтаю. Как вспомню, что уже скоро первое сентября, — так мне нехорошо, так нехорошо...

— Еще бы! — сказал Васька.

Они беседовали о Женькиных планах, пока пеклась картошка. Потом поели, обжигая пальцы и с хрустом разгрызая толстый трубчатый лук, и легли отдыхать. Солнце спускалось, стволы берез стали розовыми, на маленькой полянке, где посредине в сером пепле еще таились невидимые искры, лежала тень. Сереже товарищи велели отгонять комаров. Он сидел и добросовестно махал веткой над спящими, а сам думал: неужели Женька, когда станет рабочим, будет отдавать деньги тетке, которая только кричит на него, — это несправедливо! Впрочем, скоро и он заснул, пристроившись между Васькой и Женькой. Ему приснились офицеры и с ними Люська, Женькина сестра.

Женька не был решительным человеком, он больше любил мечтать, чем действовать, но первое сентября близилось, в школе закончили ремонт, школьники уже ходили туда за тетрадками и учебниками, Лида хвалилась новым форменным платьем, вплотную подходил школьный год со всеми его неприятностями, и Женька принял решение. Если не в ремесленное, то в ФЗО, может быть, возьмут, сказал он. В общем, он решился уезжать.

Многие одобряли его и старались ему помочь. Школа написала характеристику, Коростелев и мама дали Женьке денег, и даже тетка испекла ему на дорогу коржики.

В утро его отъезда тетка попрощалась с ним без криков и попросила не забывать, сколько она для него сделала. Он сказал: «Хорошо, тетя». И добавил: «Спасибо». После этого она ушла в свою контору, а он стал собираться.

Тетка ему подарила деревянный чемодан, выкрашенный зеленой краской. Она долго колебалась, ей жалко было чемодана, но все-таки подарила, сказав: «С мясом от себя отрываю». В этот чемодан Женька уложил рубашку, пару рваных носков, застиранное полотенце и коржики. Ребята смотрели, как он укладывается. Сережа вдруг сорвался с места и выбежал. Он вернулся запыхавшись, в руках у него был семафор с лампочками — зеленой и красной; он так нравился всем, семафор, что его не разобрали, он стоял на столике, и его показывали гостям.

— Возьми! — сказал Сережа Женьке. — Возьми с собой, мне не надо, он просто так стоит!

— А чего я с ним там буду делать, — сказал Женька, посмотрев на семафор. — И без него килограмм пятнадцать тянуть.

Тогда Сережа опять умчался и примчался с коробкой.

— Ну, это возьми! — сказал он взволнованно. — Ты там будешь лепить. Он легкий.

Женька взял коробку и открыл. В ней были куски пластилина. На Женькином лице мелькнуло удовольствие.

— Ладно, — сказал он, — возьму. И положил коробку в чемодан.

Тимохин обещал отвезти Женьку на станцию: до станции тридцать километров, железная дорога к городу еще не построена... Но как раз накануне тимохинская машина забастовала, мотор отказал, его ремонтируют, а Тимохин спит, сказал Шурик.

— Наплевать, — сказал Васька. — Доедешь.

— На автобусе можно, — сказал Сережа.

— Ловкий ты! — возразил Шурик. — На автобусе платить надо.

— Выйду на шоссе и проголосую, — сказал Женька, — кто-нибудь, наверно, довезет.

Васька подарил ему пачку папирос. А спичек у него не было, спички Женька взял теткины. Все они вышли из теткиного дома. Женька навесил на дверь замок и положил ключ под крыльцо. Пошли. Чемодан был тяжелый как черт — не оттого, что в нем лежало, а сам по себе; Женька нес его то в одной руке, то в другой. Васька нес Женькино пальто, а Лида маленького Виктора. Она несла его, выпятив живот, и часто встряхивала, говоря: «Ну, ты! Сиди! Чего тебе надо!»

Было ветрено. Вышли за город, на шоссе — там пыль крутилась столбами, запорашивая глаза. Под ветром серая трава и выцветшие васильки у края шоссе, дрожа, припадали к земле. Как будто совсем безмятежные облака, круглые и белые, стояли в ярко-синем небе, не грозя ничем, но пониже быстро приближалась черная туча, вихрясь лохматыми лапами, и казалось, что это от нее рвется ветер и веет по временам сквозь пыль что-то острое, свежее и облегчает грудь... Ребята остановились, поставили чемодан и стали ждать машины. Как назло, машины все шли со станции в город. Наконец показался грузовик с другой стороны. Он был высоко нагружен ящиками, но возле шофера никого не было. Ребята подняли руки. Шофер поглядел и проехал. Потом, в клубах пыли, показался черный «газик», почти пустой, — кроме шофера в нем был всего один человек, но и он проехал не остановившись.

— Вот дьявол! — выругался Шурик.

— А вы чего голосуете! — сказал Васька. — Я вам проголосую! Они же думают — всю роту надо везти! Пускай Женька один голосует! Вон еще какой-то друндулет.

Ребята повиновались, и когда друндулет с ними поравнялся, никто не поднял руку, кроме Женьки и Васьки: Васька нарушил собственный приказ — большие мальчики всегда позволяют себе то, что они запрещают младшим...

Друндулет проскочил вперед и остановился, Женька побежал к нему с чемоданом, а Васька с пальто. Щелкнула дверца, Женька исчез в машине, а за Женькой исчез Васька. Потом все заслонило облако газа и пыли; когда оно улеглось, на шоссе не было ни Васьки, ни Женьки, и уже далеко виднелся удаляющийся друндулет. Хитрюга Васька, никого не предупредил, не намекнул даже, что поедет провожать Женьку на станцию.

Остальные ребята пошли домой. Ветер дул в спину, толкал вперед и хлестал Сережу по лицу его длинными волосами.

— Она ему никогда ничего не пошила, — сказала Лида. — Он обноски носил.

— У нее заведующий сволочь, — сказал Шурик. — Не хочет платить ей как кульеру. А она имеет право.

А Сережа шел, подгоняемый ветром, и думал — какой счастливый Женька, что поедет на поезде, Сережа еще ни разу не ездил на поезде... День почернел и вдруг озарился мигающей яростной вспышкой, гром бабахнул как из пушки над головами, и сейчас же бешено хлынул ливень... Ребята побежали, скользя в мгновенно образовавшейся грязи, ливень сек их и пригибал вниз, молнии прыгали по всему небу, и сквозь грохот и раскаты грозы был слышен плач маленького Виктора...

Так уехал Женька. Через сколько-то времени от него пришло два письма: одно Ваське, другое тетке. Васька никому ничего не рассказал, сделал вид, что в письме заключены невесть какие мужские тайны. Тетка же не секретничала и всем сообщала, что Женю, слава богу, приняли в ремесленное. Живет в общежитии. Выдали ему казенное обмундирование. «Пристроила-таки его, — говорила тетка, — в люди выйдет, а через кого, через меня».

Женька не был ни коноводом, ни затейником, ребята скоро привыкли к тому, что его нет. Вспоминая о нем, они радовались, что ему хорошо, у него есть тумбочка и к нему ходят артисты. А если играли в войну, то генералами были теперь, по очереди, Шурик и Сережа.

Похороны прабабушки

Прабабушка заболела, ее отвезли в больницу. Два дня все говорили, что надо бы съездить проведать, а на третий день, когда дома были только Сережа да тетя Паша, пришла бабушка Настя. Она была еще прямей и суровей, чем всегда, а в руке держала свою черную сумку с застежкой-«молнией». Поздоровавшись, бабушка Настя села и сказала:

— Мама-то моя. Померли.

Тетя Паша перекрестилась и ответила:

— Царствие небесное!

Бабушка Настя достала из сумки сливу и дала Сереже.

— Понесла передачку, а они говорят — два часа, как померла. Ешь, Сережа, они мытые. Хорошие сливы. Мама любили: положат в чай, распарят и кушают. Нате вам все. — И она стала выкладывать сливы на стол.

— Да зачем, себе оставьте, — сказала тетя Паша.

Бабушка Настя заплакала:

— Не надо мне. Для мамы покупала.

— Сколько им было? — спросила тетя Паша.

— Восемьдесят третий пошел. Живут люди и дольше. До девяноста, смотришь, живут.

— Выпейте молочка, — сказала тетя Паша. — Холодненькое, с погреба. Кушать надо, что поделаешь.

— Налейте, — сказала бабушка Настя, сморкаясь, и стала пить молоко. Пила и говорила:

— Так их перед собой и вижу, так они мне и представляются. И какие они умные были, и сколько прочитали книг, удивительно... Пустой мой дом теперь. Я квартирантов пущу.

— Ах-ах-ах! — вздыхала тетя Паша.

Сережа, набрав полные руки слив, вышел во двор, под горячее нежное солнце, и задумался. Если дом бабушки Насти теперь пустой — значит, умерла прабабушка: они ведь вдвоем жили; она, значит, была бабушки-Настиной мамой. И Сережа подумал, что когда он пойдет в гости к бабушке Насте, то уже никто там не будет придираться и делать замечания.

Смерть он видел. Видел мышку, которую убил кот Зайка, а перед этим мышка бегала по полу, и Зайка играл с нею, и вдруг он бросился и отскочил, и мышка перестала бегать, и Зайка съел ее, лениво встряхивая сытой мордой... Видел Сережа мертвого котенка, похожего на обрывок грязного меха, мертвых бабочек с разорванными, прозрачными, без пыльцы, крылышками, мертвых рыбешек, выброшенных на берег, мертвую курицу, которая лежала в кухне на лавке: шея у нее была длинная, как у гуся, и в шее черная дырка, а из дырки в подставленный таз капала кровь. Ни тетя Паша, ни мама не могли зарезать курицу, они поручали это Лукьянычу. Он запирался с курицей в сарае, курица кричала, а Сережа убегал, чтобы не слышать ее криков, и потом, проходя через кухню, с отвращением и невольным любопытством взглядывал искоса, как капает кровь из черной дырки в таз. Его учили, что теперь уже больше не надо жалеть курицу, тетя Паша ощипывала ее своими полными проворными руками и говорила успокоительно:

— Она уже ничего не чувствует.

Одного мертвого воробья Сережа потрогал. Воробей оказался таким холодным, что Сережа со страхом отдернул руку. Он был холодный, как льдинка, бедный воробей, лежавший ножками вверх под кустом сирени, теплой от солнца.

Неподвижность и холод — это, очевидно, и называется смерть.

Лида сказала про воробья:

— Давай его хоронить!

Она принесла коробочку, выстлала ее внутри лоскутком материи, из другого лоскутка сложила подушечку и убрала кружевом: многое умела Лида, надо ей отдать справедливость. Сереже она велела выкопать ямку. Они отнесли коробочку с воробьем к ямке, закрыли крышкой и засыпали землей. Лида руками выровняла маленький холмик и воткнула веточку.

— Вот как мы его похоронили! — похвалилась она. — Он и не мечтал!

Васька и Женька отказались участвовать в этой игре, сидели поодаль и, покуривая, наблюдали хмуро, но не насмехались.

Люди тоже иногда умирают. Их кладут в длинные ящики — гробы — и несут по улицам. Сережа это видел издали. Но мертвого человека он не видел.

...Тетя Паша наполнила глубокую тарелку вареным рисом, белым и рассыпчатым, а по краям тарелки разложила красные мармеладки. Посредине, поверх риса, она сделала из мармеладок не то цветок, не то звезду.

— Это звезда? — спросил Сережа.

— Это крест, — ответила тетя Паша. — Мы с тобой пойдем прабабушку хоронить.

Она вымыла Сереже лицо, руки и ноги, надела на него носки, туфли, матросский костюм и матросскую шапку с лентами — очень много вещей! Сама тоже хорошо оделась — в черный кружевной шарф. Тарелку с рисом завязала в белую салфетку. Еще она несла букет, и Сереже дала нести цветы, два георгина на толстых ветках.

Васькина мать шла с коромыслом по воду. Сережа сказал ей:

— Здравствуйте! Мы идем хоронить прабабушку!

Лида стояла у своих ворот с маленьким Виктором на руках, Сережа и ей крикнул: «Я иду хоронить прабабушку!» — и она проводила его взглядом, полным зависти. Он знал, что ей тоже хочется пойти, но она не решается, потому что он так парадно одет, а она в грязном платье и босиком. Он пожалел ее и, обернувшись, позвал:

— Пойдем с нами! Ничего!

Но она очень гордая, она не пошла и ничего не сказала, только смотрела ему вслед, пока он не свернул за угол.

Одну улицу прошли, другую. Было жарко. Сережа устал нести два тяжелых цветка и сказал тете Паше:

— Понеси лучше ты.

Она понесла. А он стал спотыкаться: идет и спотыкается на ровном месте.

— Ты что все спотыкаешься? — спросила тетя Паша.

— Потому что мне жарко, — ответил он. — Сними с меня это. Я хочу идти в одних штанах.

— Не выдумывай, — сказала тетя Паша. — Кто это тебя пустит на похороны в одних штанах. Вот сейчас дойдем до остановки и сядем в автобус.

Сережа обрадовался и бодрее пошел по бесконечной улице, вдоль бесконечных заборов, из-за которых свешивались деревья.

Навстречу, пыля, шли коровы. Тетя Паша сказала:

— Держись за меня.

— Я хочу пить, — сказал Сережа.

— Не выдумывай, — сказала тетя Паша. — Ничего ты не хочешь пить.

Это она ошиблась: ему в самом деле хотелось пить. Но когда она так сказала, ему стало хотеться меньше.

Коровы прошли, медленно качая серьезными мордами. У каждой вымя было полно молока.

На площади Сережа с тетей Пашей сели в автобус, на детские места. Сереже редко приходилось ездить в автобусе, он это развлечение ценил. Стоя на скамье коленями, он смотрел в окно и оглядывался на соседа. Сосед был толстый мальчишка, меньше Сережи, он сосал леденцового петуха на деревянной палочке. Щеки у соседа были замусолены леденцом. Он тоже смотрел на Сережу, взгляд его выражал вот что: «А у тебя леденцового петуха нет, ага!» Подошла кондукторша.

— За мальчика надо платить? — спросила тетя Паша.

— Примерься, мальчик, — сказала кондукторша.

Там у них нарисована черная черта, по которой меряют детей: кто дорос до черты, за тех надо платить. Сережа стал под чертой и немножко приподнялся на цыпочках. Кондукторша сказала:

— Платите.

Сережа победно посмотрел на мальчишку: «А на меня зато билет берут, — сказал он ему мысленно, — а на тебя не берут, ага!» Но окончательная победа осталась за мальчишкой, потому что он поехал дальше, когда Сереже и тете Паше уже пришлось выходить.

Они оказались перед белыми каменными воротами. За воротами длинные белые дома, обсаженные молодыми деревцами, стволы деревцев тоже побелены мелом. Люди в синих халатах гуляли и сидели на лавочках.

— Это мы где? — спросил Сережа.

— В больнице, — ответила тетя Паша.

Пришли к самому последнему дому, завернули за угол, и Сережа увидел Коростелева, маму, Лукьяныча и бабушку Настю. Все стояли у широкой открытой двери. Еще были три чужие старухи в платочках.

— Мы приехали на автобусе! — сказал Сережа.

Никто не ответил, а тетя Паша шикнула на него, и он понял, что разговаривать почему-то нельзя. Сами они разговаривали, но тихо. Мама сказала тете Паше:

— Зачем вы его привели, не понимаю!

Коростелев стоял, держа кепку в опущенной руке, лицо у него было кроткое и задумчивое. Сережа заглянул в дверь — тут были ступеньки, спуск в подвал, из подвального сумрака дохнуло сырой прохладой... Все медленно двинулись и стали спускаться по ступенькам, и Сережа за ними.

После дневного света в подвале сначала показалось темно. Потом Сережа увидел широкую лавку вдоль стены, белый потолок и щербатый цементный пол, а посредине высоко деревянный гроб с оборочкой из марли. Было холодно, пахло землей и еще чем-то. Бабушка Настя большими шагами подошла к гробу и склонилась над ним.

— Что это, — тихо сказала тетя Паша. — Как руки положены. Господи ты боже мой. Навытяжку.

— Они неверующие были, — сказала бабушка Настя, выпрямившись.

— Мало ли чего, — сказала тетя Паша. — Она не солдат, чтобы так появляться перед Господом. — И обратилась к старухам: — Как же вы недоглядели!

Старухи завздыхали... Сереже снизу ничего не было видно. Он влез на лавку и, вытянув шею, сверху посмотрел в гроб...

Он думал, что в гробу прабабушка. Но там лежало что-то непонятное. Оно напоминало прабабушку: такой же запавший рот и костлявый подбородок, торчащий вверх. Но оно было не прабабушка. Оно было неизвестно что. У человека не бывает так закрытых глаз. Даже когда человек спит, глаза у него закрыты иначе...

Оно было длинное-длинное. А прабабушка была коротенькая. Оно было плотно окружено холодом, мраком и тишиной, в которой боязливо шептались стоящие у гроба. Сереже стало страшно. Но если бы оно вдруг ожило, это было бы еще страшней. Если бы оно, например, сделало: «хрр...» При мысли об этом Сережа вскрикнул.

Он вскрикнул, и, словно услышав этот крик, сверху, с солнца, близко и весело отозвался живой резкий звук, звук автомобильной сирены... Мама схватила Сережу и вынесла из подвала. У двери стоял грузовик с откинутым бортом. Ходили дядьки и покуривали. В кабине сидела тетя Тося, шофер, что тогда привезла коростелевское имущество, она работает в «Ясном береге» и иногда заезжает за Коростелевым. Мама усадила Сережу к ней, сказала: «Сиди-ка тут!» — и закрыла кабину. Тетя Тося спросила:

— Прабабушку проводить пришел? Ты ее, что же, любил?

— Нет, — откровенно ответил Сережа. — Не любил.

— Зачем же ты тогда пришел? — сказала тетя Тося. — Если не любил, то на это смотреть не надо.

Свет и голоса отогнали ужас, но сразу отделаться от пережитого впечатления Сережа не мог, он беспокойно ерзал, озирался, думал и спросил:

— Что значит — являться перед Господом?

Тетя Тося усмехнулась:

— Это просто так говорится.

— Почему говорится?

— Старые люди говорят. Ты не слушай. Это глупости.

Посидели молча. Тетя Тося сказала загадочно, щуря зеленые глаза:

— Все там будем.

«Где — там?» — подумал Сережа. Но уточнять это дело у него не было охоты, он не спросил. Увидев, что из подвала выносят гроб, он отвернулся. Было облегчение в том, что гроб закрыт крышкой. Но очень неприятно, что его поставили на грузовик.

На кладбище гроб сняли и унесли. Сережа с тетей Тосей не вылезли из кабины, сидели запершись. Кругом были кресты и деревянные вышки с красными звездами. По растрескавшемуся от сухости ближнему холму ползали рыжие муравьи. На других холмах рос бурьян... «Неужели про кладбище она говорила, — подумал Сережа, — что все будем там?..» Те, что уходили, вернулись без гроба. Грузовик поехал.

— Ее засыпали землей? — спросил Сережа.

— Засыпали, детка, засыпали, — сказала тетя Тося. Когда приехали домой, оказалось, что тетя Паша осталась на кладбище со старухами.

— Надо же Пашеньке пристроить свою кутью, — сказал Лукьяныч. — Варила, трудилась...

Бабушка Настя сказала, снимая платок и поправляя волосы:

— Ругаться с ними, что ли? Пусть покадят, если им без этого нельзя.

Опять они говорили громко и даже улыбались.

— У нашей тети Паши миллион предрассудков, — сказала мама.

Они сели есть. Сережа не мог. Ему противна была еда. Тихий, всматривался он в лица взрослых. Старался не вспоминать, но оно вспоминалось да вспоминалось — длинное, ужасное в холоде и запахе земли.

— Почему, — спросил он, — она сказала — все там будем?

Взрослые замолчали и повернулись к нему.

— Кто тебе сказал? — спросил Коростелев.

— Тетя Тося.

— Не слушай ты тетю Тосю, — сказал Коростелев. — Охота тебе всех слушать.

— Мы, что ли, все умрем?

Они смутились так, будто он спросил что-то неприличное. А он смотрел и ждал ответа. Коростелев ответил:

— Нет. Мы не умрем. Тетя Тося как себе хочет, а мы не умрем, и в частности ты, я тебе гарантирую.

— Никогда не умру? — спросил Сережа.

— Никогда! — твердо и торжественно пообещал Коростелев.

И Сереже сразу стало легко и прекрасно. От счастья он покраснел — покраснел пунцово — и стал смеяться. Он вдруг ощутил нестерпимую жажду: ведь ему еще когда хотелось пить, а он забыл. И он выпил много воды, пил и стонал наслаждаясь. Ни малейшего сомнения не было у него в том, что Коростелев сказал правду: как бы он жил, зная, что умрет? И мог ли не поверить тому, кто сказал: ты не умрешь!

Могущество Коростелева

Разрыли землю, поставили столб, протянули провод. Провод сворачивает в Сережин двор и уходит в стену дома. В столовой на столике, рядом с семафором, стоит черный телефон. Это первый и единственный телефон на Дальней улице, и принадлежит он Коростелеву. Ради Коростелева рыли землю, ставили столб, натягивали провод. Другие, потому что, могут без телефона, а Коростелев не может.

Снимешь трубку и послушаешь — невидимая женщина говорит: «Станция». Коростелев приказывает командирским голосом: «Ясный берег!» Или: «Райком партии!» Или: «Область дайте, трест совхозов!» Сидит, качая длинной ногой, и разговаривает в трубку. И никто в это время не должен его отвлекать, даже мама.

А то зальется телефон дробным серебряным звоном. Сережа мчится, хватает трубку и кричит:

— Я слушаю!

Голос в трубке велит позвать Коростелева. Скольким людям требуется Коростелев! Лукьянычу и маме звонят редко. А Сереже и тете Паше никогда никто не звонит.

Рано утром Коростелев отправляется в «Ясный берег». Днем тетя Тося иногда завозит его домой пообедать. А чаще не завозит, мама звонит в «Ясный берег», а ей говорят, что Коростелев на ферме и будет не скоро.

«Ясный берег» ужасно большой. Сережа и не думал, что он такой большой, пока не поехал однажды с Коростелевым и тетей Тосей на «газике» по коростелевским делам. Уж они ездили, ездили! Громадные просторы бросались навстречу «газику» и распахивались по обе стороны — громадные просторы осенних лугов с высокими-высокими стогами, уходящими к краю земли в бледно-лиловую дымку, желтого жнивья и черной бархатной пахоты, кое-где тонко разлинованной ярко-зелеными линиями всходов. Лились и скрещивались, как серые ленты, бесконечные дороги, по ним бежали грузовики, тракторы тащили прицепы с четырехугольными шапками сена. Сережа спрашивал:

— А теперь это что?

И всё ему отвечали:

— «Ясный берег».

Затерянные в просторах, далеко друг от друга стоят три фермы: три нагромождения построек, при одной ферме толстенная силосная башня, при другой сараи с машинами. В мастерской шипит сверло и жужжит паяльная лампа. В черной глубине кузницы летят огненные искры, стучит молот... И отовсюду выходят люди, здороваются с Коростелевым, а он все осматривает, расспрашивает, дает распоряжения, потом садится в «газик» и едет дальше. Понятно, почему он вечно спешит в «Ясный берег», — как они будут знать, что им делать, если он не приедет и не скажет?

На фермах очень много животных: свиней, овец, кур, гусей, — но больше всего коров. Пока было тепло, коровы жили на воле, на пастбище, до сих пор там навесы, под которыми они ночевали в плохую погоду. Сейчас коровы на скотных дворах. Стоят смирно рядышком, прикованные цепями за рога к деревянной балке, и едят из длинной кормушки, обмахиваясь хвостами. Ведут они себя не очень-то прилично: все время за ними убирают навоз. Сереже совестно было смотреть, как бесстыдно ведут себя коровы; за руку с Коростелевым он проходил по мокрым мосткам вдоль скотного двора, не поднимая глаз. Коростелев не обращал внимания на неприличие, хлопал коров по пестрым спинам и распоряжался.

Одна женщина с ним чего-то заспорила, он оборвал спор, сказав:

— Ну-ну. Делайте давайте.

И женщина умолкла и пошла делать что он велел. На другую женщину, в такой же синей шапке с помпоном, как у мамы, он кричал:

— Кто же за это отвечает, в конце концов, неужели даже за такую ерунду я должен отвечать?!

Она стояла перед ним расстроенная и повторяла:

— Как я упустила из виду, как я не сообразила, сама не понимаю!

Откуда-то взялся Лукьяныч с бумажкой в руках, дал Коростелеву вечное перо и сказал: «Подпишите». Коростелев еще не докричал и ответил: «Ладно, потом». Лукьяныч сказал:

— Что значит потом, мне же не дадут без вашей подписи, а людям зарплату надо получать.

Вот как, если Коростелев не подпишет бумажку, то они и зарплаты не получат!

А когда Сережа и Коростелев шли, пробираясь между навозными лужами, к ожидавшему их «газику», дорогу преградил молодой парень, одетый роскошно — в низеньких резиновых сапогах и в кожаной курточке с блестящими пуговицами.

— Дмитрий Корнеевич, — сказал он, — что же мне теперь предпринимать, они площади не дают, Дмитрий Корнеевич!

— А ты считал, — спросил Коростелев отрывисто, — тебе там коттедж приготовлен?

— У меня крах личной жизни, — сказал парень. — Дмитрий Корнеевич, отмените приказ!

— Раньше думать надо было, — сказал Коростелев еще отрывистее. — Голова есть на плечах? Думал бы головой.

— Дмитрий Корнеевич, я вас прошу как человек человека, поняли вы? Не имею опыта, Дмитрий Корнеевич, не вник в эти взаимоотношения.

— А левачить — вник? — спросил Коростелев, потемнев лицом. — Бросать доверенный участок и дезертировать налево — есть опыт?..

Он хотел идти.

— Дмитрий Корнеевич! — не отцеплялся парень. — Дмитрий Корнеевич! Проявите чуткость! Дайте возможность загладить! Я признаю ошибку! Допустите стать на работу, Дмитрий Корнеевич!

— Но учти!.. — грозно обернулся Коростелев. — Если еще хоть раз!..

— Да на что они мне сдались, Дмитрий Корнеевич! Они только койку обещают и то в перспективе... Я на них плевал, Дмитрий Корнеевич!

— Эгоист собачий, — сказал Коростелев, — индивидуалист, сукин сын! В последний раз — иди работай, черт с тобой!

— Есть идти работать! — проворно отозвался парень и пошел прочь, подмигивая девушке в платочке, которая стояла поодаль.

— Не для тебя отменяю, для Тани! Ей спасибо скажи, что тебя полюбила! — крикнул Коростелев и тоже подмигнул девушке, уходя. А девушка и парень смотрели на него, взявшись за руки и скаля белые зубы...

Вот какой Коростелев: захоти он — парню и Тане было бы плохо.

Но он этого не захотел, потому что он не только всемогущий, но и добрый. Он сделал так, что они рады и смеются.

Как Сереже не гордиться, что у него такой Коростелев?

Ясно, что Коростелев умнее всех и лучше всех, раз его поставили надо всеми.

Явления на небе и на земле

Летом звезд не увидишь. Когда бы Сережа ни проснулся, когда бы ни лег — на дворе светло. Если даже тучи и дождь, все равно светло, потому что за тучами солнце. В чистом небе иногда можно заметить, кроме солнца, прозрачное бесцветное пятнышко, похожее на осколок стекла. Это месяц, дневной, ненужный, он висит и тает в солнечном сиянье, тает и исчезает — уже расстаял, одно солнце царит на синей громаде неба.

Зимой дни короткие, темнеет рано, задолго до ужина Дальнюю улицу, с ее тихими снежными садами и белыми крышами, обступают звезды. Их тыща, а может, и миллион. Есть крупные, и есть мелкие. И мельчайший звездный песок, слитый в светящиеся молочные пятна. Большие звезды переливают голубыми, белыми, золотыми огнями; у звезды Сириус лучи как реснички; а посреди неба звезды, мелкие и крупные, и звездный песок — все сбито вместе в морозно-сверкающий плотный туман, в причудливо-неровную полосу, переброшенную через улицу, как мост, — этот мост называется Млечный Путь.

Прежде Сережа не обращал внимания на звезды, они его не интересовали. Потому что он не знал, что у них есть названия. Но мама показала ему Млечный Путь. И Сириус. И Большую Медведицу. И красный Марс. У каждой звезды есть название, сказала мама, даже у такой, которая не больше песчинки. Да они только издали кажутся песчинками, они большущие, сказала мама. На Марсе, очень может быть, живут люди.

Сережа хотел знать все названия, но мама не помнила; она знала, да забыла. Зато она показала ему горы на луне.

Чуть не каждый день идет снег. Люди расчистят дорожки, натопчут, наследят, а он опять пойдет и все завалит высокими пуховыми подушками. Белые колпаки на столбиках заборов. Толстые белые гусеницы на ветвях. Круглые снежки в развилках ветвей.

Сережа играет на снегу, строит и воюет, катается на санках. Малиново гаснет день за дровяным складом. Вечер. Волоча санки за веревку, Сережа идет домой. Остановится, закинет голову и с удовольствием посмотрит на знакомые звезды. Большая Медведица вылезла чуть не на середину неба, нахально раскинув хвост. Марс подмигивает красным глазом.

«Если этот Марс такой здоровенный, что на нем, очень может быть, живут люди, — думается Сереже, — то, очень может быть, там сейчас стоит такой же мальчик, с такими же санками, очень может быть — его тоже зовут Сережей...» Мысль поражает его, хочется с кем-нибудь ею поделиться, но не с каждым поделишься — не поймут, чего доброго; они часто не понимают; будут шутить, а шутки в таких случаях для Сережи тяжелы и оскорбительны. Он поделился с Коростелевым, улучив время, когда никого поблизости не было, — Коростелев не насмехается. И в этот раз не насмехался, а, подумав, сказал:

— Ну что ж, возможно.

И потом почему-то взял Сережу за плечи и заглянул ему в глаза внимательно и немножко боязливо.

...Вернешься вечером, наигравшись и озябнув, домой, а там печки натоплены, пышут жаром. Греешься, хлюпая носом, пока тетя Паша раскладывает на лежанке твои штаны и валенки — сушить. Потом садишься со всеми в кухне у стола, пьешь горячее молоко, слушаешь ихние разговоры и думаешь о том, как пойдешь завтра с товарищами на осаду ледяной крепости, которую сегодня построили... Очень хорошая вещь зима.

Хорошая вещь зима, но чересчур долгая: надоедает тяжелая одежа и студеные ветры, хочется выбежать из дому в трусах и сандалиях, купаться в речке, валяться по траве, удить рыбу, — не беда, что ни черта не поймаешь, зато весело в компании собираться, копать червей, сидеть с удочкой, кричать: «Шурик, у тебя, по-моему, клюет!»

Фу ты, опять метель, а вчера уже таяло! До чего надоела противная зима!

...По окнам бегут кривые слезы, на улице вместо снега — густое черное месиво с протоптанными стежками: весна! Речка тронулась. Сережа с ребятами ходил смотреть, как идет лед. Сперва он шел большими грязными кусками. Потом пошла какая-то серая ледяная каша. Потом речка разлилась. На том берегу ивы затонули по пояс. Все было голубое, вода и небо; серые и белые облака плыли по небу и по воде.

...И когда же, и когда же — Сережа прозевал — поднялись за Дальней улицей такие высокие, такие непроходимые хлеба? Когда заколосилась рожь, когда зацвела, когда отцвела? Сережа не заметил, занятый своей жизнью, а она уже налилась, зреет, пышно шумит над головой, когда идешь по дороге. Птицы вывели птенцов, сенокосилки пошли на луга — скашивать цветы, от которых было так пестро на том берегу. У детей каникулы, лето в разгаре, про снег и звезды думать забыл Сережа...

Коростелев подзывает его и ставит между своими коленями.

— Давай-ка обсудим один вопрос, — говорит. — Как ты считаешь, кого бы нам еще завести — мальчика или девочку?

— Мальчика! — сейчас же отвечает Сережа.

— Тут ведь вот какое дело: безусловно, два мальчика лучше, чем один, но, с другой стороны, мальчик у нас уже есть, так, может быть, девочку теперь, а?

— Ну, как хочешь, — без особенной охоты соглашается Сережа. — Можно и девочку. С мальчиком мне лучше играть, знаешь.

— Ты ее будешь защищать и беречь, как старший брат. Будешь смотреть, чтоб мальчишки не дергали ее за косички.

— Девчонки тоже дергают, — замечает Сережа. — Еще как. — Он мог бы рассказать, как его самого Лида дернула недавно за волосы, но он не любит ябедничать.— Еще так дернет, что мальчишки орут.

— Так наша же будет крохотная, — говорит Коростелев.— Она не будет дергать.

— Нет, знаешь, давай все-таки мальчика, — говорит Сережа, поразмыслив. — Мальчик лучше.

— Думаешь?

— Мальчики не дразнятся. А эти только и знают — дразниться.

— Да?.. Гм. Об этом стоит подумать. Мы еще с тобой посовещаемся, ладно?

— Ладно, посовещаемся.

Мама слушает улыбаясь, она сидит тут же за шитьем. Она себе сшила широкий-преширокий капот — Сережа удивился, зачем такой широкий; впрочем, она сильно потолстела. А сейчас у нее в руках что-то маленькое, она это маленькое обшивает кружевом.

— Что ты шьешь? — спрашивает Сережа.

— Чепчик, — отвечает мама. — Для мальчика или для девочки, кого вы там решите завести.

— У него, что ли, такая будет голова? — спрашивает Сережа, взыскательно разглядывая игрушечный предмет. (Ну, знаете! Если на такой голове хорошенько дернуть волосы, то можно и голову оторвать!)

— Сначала такая, — отвечает мама, — потом вырастет. Ты же видишь, как растет Виктор. А сам ты как растешь! И он будет так же расти.

Она надевает чепчик себе на руку и смотрит на него, лицо у нее довольное, ясное. Коростелев осторожно целует ее в лоб, в то место, где начинаются ее мягкие блестящие волосы...

Они затеяли это всерьез — с мальчиком или девочкой, купили кроватку и стеганое одеяло. А купаться мальчик или девочка будет в Сережиной ванне. Ванна Сереже тесна, он давно уже не может, сидя в ней, вытянуть ноги, но для человека с такой головой, которая влезет в такой чепчик, ванна будет в самый раз.

Откуда берутся дети, известно: их покупают в больнице. Больница торгует детьми, одна женщина купила сразу двух. Зачем-то она взяла совершенно одинаковых, — говорят, она их различает по родинке, у одного родинка на шее, у другого нет. Непонятно, зачем ей одинаковые. Купила бы лучше разных.

Но что-то Коростелев и мама оттягивают дело, начатое всерьез: кроватка стоит, а нет ни мальчика, ни девочки.

— Почему ты никого не покупаешь? — спрашивает Сережа у мамы.

Мама смеется — ой до чего она стала толстая:

— Как раз сейчас нет в продаже. Обещали, что скоро будут.

Это бывает: нужно что-нибудь, а в продаже как раз и нет. Что ж, можно подождать, Сереже не так уж к спеху.

Медленно растут маленькие дети, что бы мама ни говорила. Именно на примере Виктора видать. Давненько Виктор живет на свете, а ему всего год и шесть месяцев. Когда еще он будет в состоянии играть с большими детьми. И новый мальчик или девочка сможет играть с Сережей в таком отдаленном будущем, о котором, собственно говоря, не стоит и загадывать. До тех пор придется его, или ее, беречь и защищать. Это благородное занятие, Сережа понимает, что благородное, но вовсе не привлекательное, как представляется Коростелеву. Трудно Лиде воспитывать Виктора: изволь таскать его, забавлять и наказывать. Недавно отец и мать ходили на свадьбу, а Лида сидела дома и плакала. Не будь Виктора, ее бы тоже взяли на свадьбу. А из-за него живи как в тюрьме, сказала она.

Но — уж ладно: Сережа согласен помочь Коростелеву и маме. Пусть себе спокойно уходят на работу, пусть тетя Паша варит и жарит, Сережа, так и быть, присмотрит за беспомощным созданьем с кукольной головой, которому без присмотра просто пропадать. И кашей его покормит, и спать уложит. Они с Лидой будут друг к другу ходить и носить детей: вдвоем присматривать легче — пока те спят, можно и поиграть.

Однажды утром он встал — ему сообщили, что мама уехала в больницу за ребеночком.

Как ни был он подготовлен, сердце екнуло: все-таки большое событие...

Он ждал маму обратно с часу на час: стоял за калиткой, ожидая, что вот-вот она появится на углу с мальчиком или девочкой, и он помчится им навстречу... Тетя Паша позвала его:

— Коростелев тебя кличет к телефону.

Он побежал в дом, схватил черную трубку, лежавшую на столике.

— Я слушаю! — крикнул он.

Голос Коростелева, смеющийся и праздничный, сказал:

— Сережа! У тебя брат! Слышишь? Брат! Голубоглазый! Весит четыре кило, здорово, а? Ты доволен?

— Да!.. Да!.. — растерянно и с расстановкой прокричал Сережа. Трубка умолкла. Тетя Паша сказала, вытирая глаза фартуком:

— Голубоглазый — в папу, значит. Ну, слава тебе, господи! В добрый час!

— Они скоро придут? — спросил Сережа. И удивился и огорчился, узнав, что не скоро, дней через семь, а то и больше, — а почему, потому что ребеночек должен привыкнуть к маме, в больнице его к ней приучат.

Коростелев каждый день бывал в больнице. К маме его не пускали, но она ему писала записки. Наш мальчик очень красивый. И необыкновенно умный. Она окончательно выбрала ему имя — Алексей, а звать будем Леней. Ей там тоскливо и скучно, она рвется домой. И всех обнимает и целует, особенно Сережу.

...Семь дней, а то и больше, прошли. Коростелев сказал Сереже, уходя из дому:

— Жди меня, сегодня поедем за мамой и Леней.

Он вернулся на «газике» с тетей Тосей и с букетом цветов. Они поехали в ту самую больницу, где умерла прабабушка. Подошли к первому от ворот дому, и вдруг их окликнула мама:

— Митя! Сережа!

Она смотрела из открытого окна и махала рукой. Сережа крикнул: «Мама!» Она еще раз махнула и отошла от окна. Коростелев сказал, что она сейчас выйдет. Но она вышла не скоро — уж они и по дорожке ходили, и заглядывали в визгливую, на пружине, дверь, и сидели на скамейке под прозрачным молодым деревцом почти без тени. Коростелев стал беспокоиться, он говорил, что цветы завянут, пока она придет. Тетя Тося, оставив машину за воротами, присоединилась к ним и уговаривала Коростелева, что это всегда так долго.

Наконец завизжала дверь и появилась мама с голубым свертком в руках. Они кинулись к ней, она сказала:

— Осторожно, осторожно!

Коростелев отдал ей букет, а сам взял сверток, отвернул кружевной уголок и показал Сереже крошечное личико, темно-красное и важное, с закрытыми глазами: Леня, брат... Один глаз приоткрылся, что-то мутно-синее выглянуло в щелочку, личико скривилось. Коростелев сказал расслабленно: «Ах, ты-ы...» — и поцеловал его.

— Что ты, Митя! — сказала мама строго.

— Нельзя разве? — спросил Коростелев.

— Он любой инфекции подвержен, — сказала мама. — Тут к ним подходят в марлевых масках. Прошу тебя, Митя.

— Ну, не буду, не буду! — сказал Коростелев.

Дома Леню положили на мамину кровать, развернули, и Сережа увидел его целиком. С чего мама взяла, что он красивый? Живот у него был раздут, а ручки и ножки неимоверно, нечеловечески тоненькие и ничтожные и двигались без всякого смысла. Шеи совсем не было. Ни по чему нельзя было отгадать, что он умный. Он разинул пустой, с голыми деснами, ротик и стал кричать странным жалостным криком, слабым и назойливым, однообразно и без устали.

— Маленький ты мой! — утешала его мама. — Ты кушать хочешь! Тебе время кушать! Кушать хочет мой мальчик! Ну сейчас, ну сейчас!

Она говорила громко, двигалась быстро и была совсем не толстая — похудела в больнице. Коростелев и тетя Паша старались ей помочь и со всех ног бросались выполнять ее распоряжения.

Пеленки у Лени были мокрые. Мама завернула его в сухие, села с ним на стул, расстегнула платье, вынула грудь и приложила к Лениному рту. Леня вскрикнул в последний раз, схватил грудь губами и стал сосать, давясь от жадности.

«Фу какой!..» — подумал Сережа.

Коростелев угадал его мысли. Он сказал потихоньку:

— Ему девятый день, понимаешь? Девятый день, всех и делов, что с него спросишь, верно?

— Угу, — смущенно согласился Сережа.

— Впоследствии будет парень что надо. Увидишь.

Сережа подумал: когда это будет! И как за ним присматривать, когда он... как кисель — даже мама за него берется с опаской.

Наевшись, Леня спал на маминой кровати. Взрослые в столовой разговаривали о нем.

— Няню надо, — сказала тетя Паша. — Не управлюсь я.

— Никого не нужно, — сказала мама. — Пока каникулы, я сама буду с ним, а потом устроим в ясли, там настоящие няни и настоящий уход.

«А, это хорошо, пусть в ясли», — подумал Сережа, чувствуя облегчение. Лида всегда мечтала, чтоб Виктора отдали в ясли... Сережа влез на кровать и уселся рядом с Леней, намереваясь рассмотреть его как следует, пока он не орет и не морщится. Оказалось, у Лени есть ресницы, только очень короткие. Кожа темно-красного личика была нежная, бархатистая, Сережа дотронулся до нее пальцем, чтобы испытать на ощупь...

— Что ты делаешь! — воскликнула мама, входя.

От неожиданности он вздрогнул и отдернул руку...

— Слезь сейчас же! Разве можно его трогать грязными руками!

— У меня чистые, — сказал Сережа, испуганно слезая с кровати.

— И вообще, Сереженька, — сказала мама, — давай подальше от него, пока он маленький. Ты можешь толкнуть нечаянно... Мало ли что. И пожалуйста, не води сюда детей, а то еще заразят его какой-нибудь болезнью... Давай уйдем лучше! — ласково и повелительно закончила мама.

Сережа послушно вышел. Он был задумчив. Все это не так, как он ожидал... Мама завесила окошко шалью; чтобы свет не мешал Лене спать, вышла вслед за Сережей и тихо прикрыла дверь...

Васька и его дядя

У Васьки есть дядя. Лида, безусловно, сказала бы, что это вранье, никакого дяди нет, но ей приходится помалкивать: дядя есть; вот его карточка — на этажерке, между двумя вазами с маками из красных стружек. Дядя снят под пальмой, одет во все белое, и солнце светит таким слепым белым светом, что не рассмотреть ни лица, ни одежи. Хорошо вышла на карточке только пальма да две короткие черные тени, одна дядина, другая пальмина.

Лицо — не важно, но жалко, что не разобрать, во что одет дядя. Он не просто дядя, а капитан дальнего плавания. Интересно же — как одеваются капитаны дальнего плавания. Васька говорит, снимок сделан в городе Гонолулу на острове Оаху. Иногда от дяди приходят посылки. Васькина мать хвастает:

— Опять Костя прислал два отреза.

Она куски материи называет отрезами. Но бывают в посылках и драгоценные вещи. Например: бутылка со спиртом, а в ней крокодильчик, маленький, как рыбка, но настоящий; будет в спирту стоять хоть сто лет и не испортится. Понятно, что Васька задается: все, что есть у других ребят, — тьфу против крокодильчика.

Или пришла в посылке большая раковина: снаружи серая, а внутри розовая — розовые створки приоткрыты, как губы, — и если приложить ее к уху, то слышен тихий, как бы издалека, ровный гул. Когда Васька в хорошем настроении, он дает Сереже послушать. И Сережа стоит, прижав раковину к уху, с неподвижно раскрытыми глазами, и, притаив дыхание, слушает тихий незамирающий гул, идущий из глубины раковины. Что за гул? Откуда он там берется? Почему от него беспокойно — и хочется слушать да слушать?..

И этот дядя, необыкновенный, исключительный, — этот дядя после Гонолулу и всяких островов надумал приехать к Ваське погостить! Васька сообщил об этом, выйдя на улицу, сообщил небрежно, держа папиросу в углу рта и щуря от дыма глаз, сообщил так, будто в этом не было ничего выдающегося. А когда Шурик, после молчания, спросил басом: «Какой дядя? Капитан?» — Васька ответил:

— А какой же еще? У меня другого и нету.

Он сказал «у меня» с особенным выражением, чтоб было ясно: у вас могут быть другие дяди, не капитаны; у меня их быть не может. И все признали, что это на самом деле так.

— А он скоро приедет? — спросил Сережа.

— Через недельку, две, — ответил Васька. — Ну, я пошел мел покупать.

— Зачем тебе мел? — спросил Сережа.

— Мать потолки белить собралась.

Конечно, для такого дяди как не побелить потолки!

— Врет он, — сказала Лида, не выдержав. — Никто к ним не едет.

Сказала и поспешно отступила, боясь получить затрещину. Но Васька на этот раз не дал ей затрещины. Даже не сказал «дура»— просто удалился, помахивая плетеной сумкой, в которой лежал мешочек для мела. А Лида осталась на месте как оплеванная.

...Побелили потолки и наклеили новые обои. Васька мазал куски обоев клеем и подавал матери, а она наклеивала. Ребята заглядывали из сеней — в комнаты Васька не велел входить.

— Вы мне все тут перепутаете, — сказал он.

Потом Васькина мать вымыла пол и постлала половики. Они с Васькой ходили по половикам, на пол не ступали.

— Моряки обожают чистоту, — сказала Васькина мать.

Будильник перенесли в заднюю комнату, где будет спать дядя.

— Моряки все по часам делают, — сказала Васькина мать.

Дядю ждали с нетерпением. Если на Дальнюю сворачивала машина, все замирали — не дядя ли едет со станции. Но машина проезжала, а дяди не было, и Лида радовалась. У нее бывали свои какие-то радости, недоступные для других.

По вечерам, придя с работы и управившись по хозяйству, Васькина мать выходила за калитку похвалить соседкам своего брата, капитана. А ребята, держась в сторонке, слушали.

— Сейчас он на курорте, — рассказывала Васькина мать. — Поправляет свое здоровье. Сердце неважное. Путевку ему дали, конечно, в самый лучший санаторий. А после леченья заедет к нам.

— Как он пел когда-то! — говорила она дальше. — Как он исполнял в клубе «Куда, куда вы удалились» — лучше Козловского! Теперь, конечно, располнел, и одышка, и в семье бог знает что делается, не очень-то запоешь.

Она понижала голос и рассказывала что-то по секрету от ребят.

— И всё девочки, — говорила она. — Одна блондинка, другая брюнетка, третья рыженькая. На Костю только старшая похожа. А он плавает и переживает. Везет ей на девочек. Девочек хоть десятеро будь, их легче воспитать, чем одного мальчишку.

Соседки оглядывались на Ваську.

— Пусть, как брат, посоветует что-нибудь, — продолжала Васькина мать. — Вынесет свою мужскую резолюцию. Я уже ненормальная стала.

— С мальчишками намучаешься, — вздыхала Женькина тетка, — пока поставишь на ноги.

— Смотря какие мальчишки, — возражала тетя Паша. — Наш, например, страшно нежный.

— Это пока он маленький, — отвечала Васькина мать. — Маленькие они все нежные. А подрастет — и тоже начнет себя выявлять.

Дядя-капитан приехал ночью — утром ребята заглянули в Васькин сад, а там дядя стоит на дорожке, весь в снежно-белом, как на карточке, белый китель, белые брюки со складкой, белые туфли, на кителе золото; стоит, заложив руки за спину, и говорит мягким, немножко в нос, чуть-чуть задыхающимся голосом:

— До чего же прелестно! Какая благодать! После тропиков отдыхаешь душой. Как ты счастлива, Поля, что живешь в таком дивном месте.

Васькина мать говорит:

— Да, у нас ничего.

— Ах, скворечник! — томно вскрикнул дядя. — Скворечник на березе! Поля, ты помнишь нашу хрестоматию, там точно такая была картинка — береза со скворечником!

— Скворечник Вася повесил, — сказала Васькина мать.

— Прелестный мальчик! — сказал дядя.

Васька был тут же, умытый и скромный, без кепки, причесанный, как на Первое мая.

— Идем завтракать, — сказала Васькина мать.

— Я хочу дышать этим воздухом! — возразил дядя. Но Васькина мать увела его. Он взошел на крыльцо, большой, как белая башня с золотом, и скрылся в доме. Он был толстый и прекрасный, с добрым лицом, с двойным подбородком. Лицо было загорелое, а лоб белый, ровной чертой белизна отделялась от загара... А Васька подошел к забору, между палками которого смотрели, прижавшись, Сережа и Щурик.

— Ну, — спросил он милостиво, — чего вам, малыши?

Но они только сопели.

— Он мне часы привез, — сказал Васька. Да, на левой руке у него были часы, настоящие часы с ремешком! Подняв руку, он послушал, как они тикают, и покрутил винтик...

— А нам можно к тебе? — спросил Сережа.

— Ну, зайдите, — разрешил Васька. — Только чтоб тихо. А когда он ляжет отдыхать и когда родственники придут, то геть без разговоров. У нас будет семейный совет.

— Какой семейный совет? — спросил Сережа.

— Будут совещаться, чего со мной делать, — объяснил Васька.

Он ушел в дом, и ребята вошли туда, безмолвные, и стали у порога.

Дядя-капитан намазал маслом ломтик хлеба, вставил в рюмку вареное яйцо, разбил его ложечкой, осторожно снял верхушку скорлупы и посолил. Соль он взял из солонки на самый кончик ножа. Чего-то ему не хватало, он озирался, его светлые брови изобразили страдание. Наконец он спросил своим нежным голосом, деликатно:

— Поля, извини, нельзя ли салфетку?

Васькина мать заметалась и дала ему чистое полотенце. Он поблагодарил, положил полотенце на колени и стал есть. Он откусывал маленькие кусочки хлеба, и почти совсем не было заметно, как он жует и глотает. А Васька насупился, на его лице выразились разные чувства: ему было неприятно, что у них в доме не нашлось салфетки, и в то же время он гордился своим воспитанным дядей, который без салфетки не может позавтракать.

Много разной еды наставила Васькина мать на стол. И дядя всего взял понемножку, но со стороны казалось, будто он не ест ничего, и Васькина мать стонала:

— Ты не кушаешь! Тебе не нравится!

— Все так вкусно, — сказал дядя, — но у меня режим, не сердись, Поля.

От водки он отказался, говоря:

— Нельзя. Раз в день рюмочку коньяку, — он грациозно показал двумя пальцами, какую маленькую рюмочку, — перед обедом, способствует расширению сосудов, это все, что я могу.

После завтрака он предложил Ваське погулять и надел фуражку, тоже белую с золотом.

— Вы — по домам, — сказал Васька Сереже и Шурику.

— Ах, возьмем их! — сказал дядя в нос. — Прелестные малыши! Очаровательные братья!

— Мы не братья, — басом сказал Шурик.

— Они не братья, — подтвердил Васька.

— Неужели? — удивился дядя. — А я думал — братья. Чем-то похожи: один беленький, другой черненький... Ну, не братья — все равно, пошли гулять!

Лида видела, как они вышли на улицу. Она было побежала, чтобы догнать их. Но Васька взглянул на нее через плечо, она повернулась и побежала, припрыгивая, в другую сторону.

Гуляли в роще — дядя восхищался деревьями. Гуляли по полям — он восхищался колосьями. По правде сказать, надоели его восторги: рассказал бы, как там на море и островах. Но, несмотря на это, он был хорош — больно было смотреть, как сверкают на солнце его нашивки. Он шел с Васькой, а Сережа и Шурик то держались позади, то забегали вперед, чтобы полюбоваться на дядю с лица. Вышли к речке. Дядя посмотрел на часы и сказал, что хорошо бы выкупаться. Васька тоже посмотрел на свои часы и сказал, что выкупаться можно. И они стали раздеваться на нагретом чистом песке.

Сережа с Шуриком огорчились, что у дяди под кителем не полосатая тельняшка, а обыкновенная белая сорочка. Но вот, вскинув руки, он через голову стащил сорочку, и они окаменели...

Все дядино тело, от шеи до трусиков, все это обширное, ровно загорелое, в жирных складках тело было покрыто густыми голубыми узорами. Дядя поднялся во весь рост, и ребята увидели, что это не узоры, а картины и надписи. На груди была изображена русалка, у нее был рыбий хвост и длинные волосы, с левого плеча к ней сползал осьминог с извивающимися щупальцами и страшными человечьими глазами, русалка протягивала руки в его сторону, отвернув лицо, умоляя не хватать ее, — наглядная и жуткая картина! На правом плече была длинная надпись, во много строчек, и на правой руке тоже — можно сказать, что справа дядя был исписан сплошь,. На левой руке выше локтя два голубя целовались клювами, над ними были венок и корона, ниже локтя — репа, проткнутая стрелой, и внизу написано большими буквами: «Муся».

— Здорово! — сказал Шурик Сереже.

— Здорово! — вздохнул Сережа.

Дядя вошел в речку, окунулся, вынырнул с мокрыми волосами и счастливым лицом, фыркнул и поплыл против течения. Ребята — за ним, очарованные.

Как плавал дядя! Играючи двигался он в воде, играючи держала она его огромное тело. Доплыв до моста, он повернул, лег на спину и поплыл вниз, еле заметно правя кончиками ног. И под водой, как живая, шевелилась на его груди русалка.

Потом дядя лежал на берегу, животом на песке, закрыв глаза и блаженно улыбаясь, а они разглядывали его спину, где были череп и кости, как на трансформаторной будке, и месяц, и звезды, и женщина в длинном платье, с завязанными глазами, сидящая, раздвинув колени, на облаках. Шурик набрался храбрости и спросил:

— Дядя, это у вас на спине чего?

Дядя засмеялся, поднялся и стал счищать с себя песок.

— Это мне на память, — сказал он, — о моей юности и некультурности. Видите, мои дорогие, когда-то я был до такой степени некультурным, что покрыл себя глупыми рисунками, и это, к сожалению, навеки.

— А чего на вас написано? — спросил Шурик.

— Разве важно, — сказал дядя, — какая ерунда на мне написана. Важны чувства человека и его поступки, ты как, Вася, считаешь?

— Правильно! — сказал Васька.

— А море? — спросил Сережа. — Какое оно?

— Море, — повторил дядя. — Море? Как тебе сказать. Море есть море. Прекрасней моря нет ничего. Это надо увидеть своими глазами.

— А когда шторм, — спросил Шурик, — страшно?

— Шторм — это прекрасно, — ответил дядя. — На море все прекрасно. — Задумчиво качая головой, он прочитал стих:

Не все ли равно, сказал он, где?

Еще спокойней лежать в воде.

И стал надевать брюки.

После гулянья он отдыхал, а ребята собрались в Васькином переулке и обсуждали дядину татуировку.

— Это порохом делается, — сказал один мальчик с улицы Калинина. — Наносится рисунок, потом натирают порохом. Я читал.

— А где ты порох возьмешь? — спросил другой мальчик.

— Где? В магазине.

— Продадут тебе в магазине. Папиросы до шестнадцати лет не продают, не то что порох.

— Можно у охотников достать.

— Дадут они тебе порох.

— А вот дадут.

— А вот не дадут.

Но третий мальчик сказал:

— Порохом в старину делали. Сейчас делают тушью или же чернилами.

— А нарвет, если чернилами? — спросил кто-то.

— Нарвет, еще как.

— Лучше тушью. От туши здоровей нарвет.

— От чернил тоже нарывает здорово.

Сережа слушал и представлял себе город Гонолулу на острове Оаху, где растут пальмы и до слепоты бело светит солнце. И под пальмами стоят и снимаются белоснежные капитаны в золотых нашивках. «И я так снимусь», — думал Сережа. Подобно всем этим мальчикам, рассуждавшим о порохе и чернилах, он веровал без колебаний, что ему предстоит все на свете, что только бывает вообще, — в том числе предстояло капитанство и Гонолулу. Он веровал в это так же, как в то, что никогда не умрет. Все будет перепробовано, все изведано в жизни, не имеющей конца. К вечеру он соскучился по Васькиному дяде: тот отдыхал да отдыхал — он накануне в дороге не спал ночь. Васькина мать пробежала по улице на высоких каблуках и на бегу рассказала тете Паше, что идет за коньяком, Костя кроме коньяка ничего не пьет. Солнце спустилось. Пришли родственники. Зажгли электричество в доме. И ничего не было видно с улицы через занавески и герани. Сережа обрадовался, когда Шурик позвал его к себе на липу, сказав, что оттуда все видать.

— Он когда проснулся, то зарядку делал, — рассказывал Шурик, деловито семеня рядом с Сережей. — А когда побрился, то деколоном на себя брызгал через трубку. Они уже поужинали... Идем через проулок, а то Лидка увяжется.

Старая липа росла у Тимохиных в огороде, на задах, близко к плетню, отделяющему огород от Васькиного сада. Сразу за плетнем — стена Васькиного дома, но на плетень не влезешь, он гнилой, трещит и рассыпается... В липе дупло, одно лето в нем жили удоды, теперь Шурик хранил там вещи, которые лучше держать подальше от взрослых, — патронные гильзы и увеличительное стекло, при помощи этого стекла можно выжигать разные слова на заборах и скамейках.

Обдирая ноги о грубую, в трещинах, кору, ребята влезли на липу и устроились на суковатой корявой ветви — Шурик ухватясь за ствол, а Сережа за Шурика.

Они очутились в шелково-шуршащем, ласково-щекотном, свежо и горьковато дышащем лиственном шатре. Высоко над их головами шатер был золотисто озарен закатом, а чем ниже, тем гуще темнели сумерки. Веточка с черными листьями покачивалась перед Сережей, она не заслоняла внутренности Васькиного дома. Там горело электричество и сидел среди родственников дядя-капитан. И было слышно, что говорят.

Васькина мать говорила, размахивая руками:

— И выписывают квитанцию, что с гражданки Чумаченко Пе Пе взыскан штраф за хулиганство на улице в сумме двадцать пять рублей.

Одна родственница засмеялась.

— По-моему, нисколько не смешно, — сказала Васькина мать. — И обратно через два месяца вызывают в милицию и предъявляют протокол, и обратно отмечают в документе, что я уплатила пятьдесят рублей за разбитие витрины в кино.

— Ты расскажи, — сказала другая родственница, — как он с большими ребятами бился. Ты расскажи, как он папиросой ватное одеяло прожег, что чуть дом не сгорел.

— А деньги на папиросы у него откуда? — спросил дядя-капитан.

Васька сидел, опершись локтем о колено, щеку положив на ладонь, — скромный, причесанный волосок к волоску.

— Негодяй, — сказал дядя своим мягким голосом, — я тебя спрашиваю — где деньги берешь?

— Мать дает, — ответил Васька, насупясь.

— Извини, Поля, — сказал дядя, — я не понимаю.

Васькина мать зарыдала.

— Покажи-ка свой дневник, — велел дядя Ваське.

Васька встал и принес дневник. Дядя, сощурясь, полистал и сказал нежно:

— Мерзавец. Скотина.

Швырнул дневник на стол, вынул платок и стал обмахиваться.

— Да, — сказал он. — Печально. Если хочешь ему пользы, обязана держать его в ежовых рукавицах. Вот моя Нина... Прелестно воспитала девочек! Дисциплинированные, на рояле учатся... Почему? Потому что она их держит в ежовых рукавицах.

— С девочками легче! — хором сказали родственники. — Девочки не то что мальчики!

— Учти, Костя, — сказала та родственница, что наябедничала про одеяло, — когда она ему денег не дает, он берет у ней из сумочки без спроса.

Васькина мать зарыдала пуще.

— У кого же мне брать, — спросил Васька, — у чужих, да?

— Вон отсюда! — в нос крикнул дядя и встал...

— Драть будет, — шепнул Шурик Сереже... Раздался треск, ветка, на которой они сидели, с стремительным шуршаньем ринулась вниз, с нею ринулся Сережа, увлекая Шурика.

— Не вздумай мне реветь! — сказал Шурик, лежа на земле.

Они поднялись, растирая ушибленные места. Через плетень глянул Васька, все понял и сказал:

— Вот я вам дам шпиёнить!

За Васькой в оконном свете выросла белая фигура, поблескивающая золотом, и томно сказала:

— Дай сюда папиросы, болван.

Сережа и Шурик, хромая, уходили по огороду и, оглядываясь, видели, как Васька подал дяде пачку папирос и дядя ее тут же изорвал, изломал, искрошил, потом взял Ваську сзади за воротник и повел в дом...

Наутро на доме висел замок. Лида сказала, что все чем свет уехали к родственникам в колхоз Чкалова. Целый день их не было. А еще на другое утро Васькина мать, всхлипывая, опять навесила замок и в слезах пошла на работу: Васька в эту ночь уехал с дядей — насовсем; дядя забрал его с собой, чтобы перевоспитать и отдать в Нахимовское училище. Вот какое счастье привалило Ваське за то, что он брал у матери деньги из сумочки и разбил витрину в кино.

— Это родственники постарались, — говорила Васькина мать тете Паше. — В таком виде обрисовали его Косте, что получился готовый уголовник. А разве он плохой мальчик, он — помните — целый метр дров наколол и сложил. И обои со мной клеил. И как он теперь без меня...

Она принималась рыдать.

— Им безразлично, поскольку не их ребенок, — рыдала она, — а у него что ни осень, то чирии на шее, кому это там интересно...

Она не могла видеть ни одного мальчишки в кепке козырьком назад — начинала плакать. А Сережу и Шурика как-то позвала к себе, рассказывала им про Ваську, как он был маленьким, и показала фотографии, которые подарил ей ее брат, капитан. Там были виды приморских городов, банановые рощи, древние постройки, моряки на палубе, люди на слоне, катер, разрезающий волны, черная танцовщица с браслетами на ногах, черные губастые ребята с курчавыми волосами — все незнакомое, обо всем надо спрашивать, как называется, — и почти на всех снимках было море, простор без края, сливающийся с небом; живая, в жилках, вода, блистающий туман пены, — и незнакомый этот мир пел глубинно и заманчиво, как розовая раковина, если к ней приложишь ухо...

А в Васькином саду было теперь пусто и молчаливо. Стал этот сад вроде общественного: входи и играй хоть целый день — никто не окрикнет, не прогонит... Ушел хозяин сада в поющий розовый мир, куда и Сережа уйдет когда-нибудь.

Последствия знакомства с Васькиным дядей

Тайные отношения завязались между улицей Калинина и Дальней. Ведутся переговоры. Шурик ходит туда и сюда, хлопочет и приносит Сереже известия. Озабоченный, торопливо перебирает он смуглыми налитыми ножками, и его черные глаза стреляют во все стороны. Такое у них свойство: как придет Шурику в голову новая мысль, так они начинают стрелять направо и налево, и каждому видать, что Шурику пришла в голову новая мысль. Мать беспокоится, а отец, шофер Тимохин, заранее грозит Шурику ремнем. Потому что мысли у Шурика всегда озорные. Вот родители и тревожатся, им ведь хочется, чтобы ихний сын был жив и здоров.

Плевал Шурик на ремень. Что ремень, когда ребята улицы Калинина собрались делать себе татуировку. Они готовятся к этому организованно, коллективом. Черти: выспросили у Шурика и Сережи все до тютельки, где какая татуировка на Васькином дяде; по указаниям Шурика и Сережи сделали рисунки, а теперь отказываются принимать Шурика и Сережу в компанию, говорят: «Куда таких». Дьяволы. Где же правда на свете?

И никому не пожалуешься — поклялись, что не скажут ни одному человеку во всем мире, то есть на улице Дальней. На Дальней живет знаменитая ябеда — Лида; она из чистого вредительства — выгоды ей ни на копейку — растреплет взрослым, те поднимут шум, вмешается школа, пойдут проработки на педсовете и родительских собраниях, и вместо делового мероприятия получится тоскливая канитель.

Из-за этого улица Калинина скрывает от Дальней свои замыслы. Но от Шурика не больно-то скроешь. К тому же он видел рисунки. Роскошные рисунки на чертежной и пергаментной бумаге.

— Они и от себя навыдумывали, — сообщал Шурик Сереже. — Самолет нарисовали, кита с фонтаном, лозунги... Накладывается на тебя лист, и по рисунку колют булавкой. Должно выйти здорово.

Сереже стало не по себе. Булавкой!..

Но что может Шурик, то может и Сережа.

— Да! — сказал он с притворным хладнокровием. — Должно получиться здорово.

Калининские ребята не соглашались сделать Шурику и Сереже не только кита, но даже маленького лозунга. Напрасно Шурик стучался во все калитки, убеждал и канючил. Они отвечали:

— Да ну вас. Ты шутишь, что ли. Катись.

Гнать стали. Совсем плохо обстояло дело, пока Шурик не склонил на свою сторону Арсентия.

От Арсентия все родители без ума. Он отличник, книжник, чистюля и пользуется громадным авторитетом. Главное, у него есть совесть, после разных шуточек он сказал:

— Надо отметить их заслуги, я считаю. Сделаем им по одной букве. Первую букву имени. Ты согласен? — спросил он Шурика.

— Нет, — ответил Шурик. — Мы не согласны на одну букву.

— Тогда пошел вон, — сказал силач Валерий из пятого класса. — Ничего вам не будет.

Шурик ушел, но выбора не было — пришел опять и сказал, что ладно, пускай уж одну букву: ему «шы», а Сереже «сы». Только чтоб как следует делали, без халтуры. Завтра все должно было совершиться — у Валерия, его мать уехала в командировку.

В назначенный час Шурик и Сережа пришли к Валерию. На крыльце сидела Лариска, Валериева сестра, и вышивала крестиками по канве. Она была тут посажена с тою целью, что если кто зайдет посторонний, то говорить, что никого дома нет. Ребята собрались во дворе возле бани: всё мальчики, из пятого и даже шестого класса и одна девочка, толстая и бледная, с очень серьезным лицом и отвисшей, толстой и бледной, нижней губой; казалось, именно эта отвисшая губа придает лицу такое серьезное, внушительное выражение, а если бы девочка ее подобрала, то стала бы совсем несерьезной и невнушительной... Девочка — ее звали Капой — резала ножницами бинты и раскладывала на табуретке. Капа у себя в школе была членом санитарной комиссии. Табуретку она застлала чистой тряпочкой.

В закопченной тесной бане, с мутным окошком под потолком, сразу за порогом стоял низкий деревянный чурбан, а на лавке лежали рисунки, свернутые трубками. Ребята, приходя, рассматривали рисунки, обсуждали, весело, удовлетворенно ругались, и каждый выбирал, что ему нравилось. Споров не было, потому что один и тот же рисунок можно сделать на скольких угодно ребятах. Шурик и Сережа любовались рисунками издали, не решаясь хозяйничать на лавке: очень уж ребята были солидные, самостоятельные и блестящие.

Арсентий пришел прямо с занятий, с портфелем, после шестого урока. Он попросил уступить ему первую очередь: много задано, сказал он, домашнее сочинение и большой кусок по географии. Из почтения к его прилежанию его пустили первым. Он аккуратно поставил портфель на лавку, скинул, улыбаясь, рубашку и, голый до пояса, сел на чурбан, спиной ко входу.

Его обступили большие ребята. Сережу с Шуриком оттерли из бани во двор, — как они ни подскакивали, им ничего не было видно. Разговоры стихли, послышался треск и шорох бумаги и немного погодя голос Валерия:

— Капка! Сбегай к Лариске, пусть даст полотенце.

Серьезная Капа, на бегу тряся отвисшей губой, побежала, принесла полотенце и через головы перебросила Валерию.

— Зачем полотенце? — спрашивал Сережа, подскакивая. — Шурик! Зачем полотенце?

— Кровь, наверно, течет! — азартно сказал Шурик, стараясь протиснуть голову между ребятами, чтобы взглянуть, что делается. Высокий мальчишка обернул к ним суровое лицо и сказал тихо, грозно:

— А ну, не баловаться тут!

Бесконечно длилась тишина. Бесконечно томила неизвестность. Сережа успел устать, соскучиться, половить стрекоз и осмотреть Валериев двор и Лариску... Наконец заговорили, задвигались, расступились, и вышел Арсентий — о! — неузнаваемый, ужасный, фиолетовый от шеи до пояса, — где его белая грудь, где его белая спина, — и на полотенце вокруг пояса были кровавые и чернильные пятна! А лицо бледное-пребледное, но он улыбался, герой Арсентий! Твердо подошел к Капе, снял полотенце и сказал:

— Бинтуй потуже.

— Малышей бы пропустить, — сказал кто-то, — чтоб не создавали паники. Пропустим малышей.

— Вы где, малыши? — спросил Валерий, выходя из бани с фиолетовыми руками. — Не передумали?.. Ну, давайте, живо.

Как скажешь — «передумал». Как хватит духу сказать, когда вот он стоит, в крови и в чернилах, Арсентий, и смотрит на тебя с улыбкой?..

«Одна буква — недолго!» — подумал Сережа.

Вслед за Шуриком он вошел в опустевшую баню. Большие ребята смотрели, как Капа бинтует Арсентия. Валерий сел на чурбан и спросил:

— Кому какую букву?

— Мне «шы», — сказал Шурик. — А полотенце не надо?

— Не запачкаешься и так, — сказал Валерий. — На руке буду делать.

Он взял Шурикину руку и ткнул булавкой пониже локтя. Шурик подпрыгнул и вскрикнул:

— Ой!..

— Ой, так иди домой, — сказал Валерий и ткнул еще раз. — Ты воображай, — посоветовал он, — что я тебе вынимаю занозу. Вот и не будет больно.

Шурик скрепился и не пикнул больше, только перепрыгивал с ноги на ногу и дул на руку, на которой алыми точками одна за другой выступали капли крови. Валерий булавкой вспорол кожу между точками — Шурик подскочил, ударил себя пятками, задул изо всех сил, кровь потекла струйкой...

«Буква "шы" длинная, — думал бледный Сережа, большими глазами неподвижно глядя на кровь, — целых три палочки и четвертая внизу, несчастный Шурик, "сы" короче, молодец Шурик, не кричит, я тоже не буду кричать, ой-ой-ой, убежать нельзя, будут насмехаться, Шурик скажет, что я трус...»

Валерий взял с лавки пузырек чернил и кисточкой помазал Шурика прямо по крови.

— Готов! — сказал он. — Следующий!

Сережа шагнул и протянул руку...

...Это было в конце лета, только что начались занятия в школе, дни стояли теплые, сонно-золотистые, — а сейчас осень, хмурое небо в окнах, тетя Паша заклеила оконные рамы полосками белой бумаги, между рамами положила вату и поставила стаканчики с солью...

Сережа лежит в постели. К ней придвинуты два стула: на одном кучей навалены игрушки, на другом Сережа играет. Плохо играть на стуле. Даже танку не развернуться, а если, например, нужно оттеснить неприятеля, то вовсе некуда — дойдешь до спинки, и все, это разве сражение.

Болезнь началась, когда Сережа вышел из Валериевой бани, неся правой рукой левую руку, вспухшую, пылающую, в чернилах. Он вышел из бани — от света черные круги помчались перед глазами, вдохнул запах чьей-то папиросы — его стошнило... Лег на траву, руку под бинтом терзало и пекло. Шурик и еще один мальчик отвели его домой. Тетя Паша ничего не заметила, потому что на нем была рубашка с длинными рукавами. Он прошел в дом молча и лег на кровать.

Но вскоре началась рвота и жар, тетя Паша всполошилась и позвонила маме в школу по телефону, прибежала мама, пришел доктор, Сережу раздели, сняли бинт, ахали, спрашивали, а он не отвечал — ему снились сны, отвратительные, тошнотворные: кто-то могучий, в красной майке, с голыми лиловыми руками — от них мерзко пахло чернилами, — деревянный чурбан, мясник на нем рубит мясо, — окровавленные ругающиеся мальчики... Он рассказывал, что видит, не сознавая, что рассказывает. Так что взрослым все стало известно. Долго не могли понять, почему он бредит бубликом, половинкой бублика; когда рука зажила и отмылась, они догадались — на ней навеки запечатлелась сизо-голубая половинка бублика, буква «сы».

Они были с Сережей нежны и ласковы — и мучили его не хуже Валерия. Особенно доктор: бесчеловечно вливал он Сереже пенициллин, и Сережа, не плакавший от боли, рыдал от унижения, от бессилия перед унижением, оттого, что оскорблялась его стыдливость... Доктору было мало, он присылал вредную тетку в белом халате, медсестру, которая специальной машинкой резала Сереже пальцы и выдавливала из них кровь. После пыток доктор шутил и гладил Сережу по голове, это было уже издевательство.

...Устав играть на стуле, Сережа ложится и размышляет о своем тяжелом положении. Пытается найти первопричину своего несчастья.

«Я бы не заболел, — думает он, — если бы я не сделал татуировку. А я бы не сделал татуировку, если бы не познакомился с Васькиным дядей. А я бы с ним не познакомился, если бы он не приехал к Ваське. Да, не захоти он приехать, ничего бы не случилось, я был бы здоров».

Неприязни к Васькиному дяде он не чувствует. Просто, видимо, на свете одно цепляется за другое, не предугадаешь, когда и где грозит беда.

Его стараются развлечь. Мама подарила ему аквариум с красными рыбами. В аквариуме растут водоросли. Кормить рыб нужно порошком из коробки.

— Он так любит животных, — сказала мама, — это его займет.

Правильно, он любит животных. Любил кота Зайку, любил свою ручную галку, Галю-Галю. Но рыбы не животные.

Зайка пушистый и теплый, с ним можно было играть, пока он был не такой старый и угрюмый. Галя-Галя была веселая и смешная, летала по комнатам, воровала ложки и отзывалась на Сережин зов. А от рыб какая радость, плавают в банке и ничего не могут делать, только шевелить хвостами... Не понимает мама.

Сереже нужны ребята, хорошая игра, хороший разговор. Больше всех ребят он хочет Шурика. Еще когда рамы были не заклеены и окна открыты, Шурик пробрался к нему под окно и позвал:

— Сергей! Как ты там?

— Иди сюда! — крикнул Сережа, вскочив на колени. — Иди ко мне!

— Меня к тебе не пускают, — сказал Шурик (его макушка виднелась над подоконником). — Выздоравливай и выходи сам.

— Что ты делаешь? — спросил Сережа в волнении.

— Папа мне портфель купил, — сказал Шурик, — в школу буду ходить. Уже метрику сдали. А Арсентий тоже болеет. А другие никто не болеет. И я не болею. А Валерия в другую школу перевели, ему теперь далеко ходить.

Сколько новостей сразу!

— Пока! Выходи скорей! — уже издали донесся голос Шурика — должно быть, тетя Паша появилась во дворе...

Ах, и Сереже бы туда! За Шуриком! На улицу! Как прекрасно жилось ему до болезни! Что он имел и что потерял!..

Недоступное пониманию

Наконец позволили Сереже встать с постели, а потом и гулять. Но запретили отходить далеко от дома и заходить к соседям: боятся, как бы опять чего-нибудь с ним не случилось.

Да и выпускают Сережу только до обеда, когда его товарищи в школе. Даже Шурик в школе, хотя ему еще нет семи: родители отдали его туда из-за истории с татуировкой, чтоб больше был под присмотром и занимался делом... А с маленькими Сереже неинтересно.

Однажды вышел он во двор и увидел, что на сложенных у сарая бревнах сидит какой-то чужой дядька в плешивой ушанке. Лицо у дядьки было как щетка, одежа рваная. Он сидел и курил очень маленькую закрутку, такую маленькую, что она вся была зажата между двумя его желто-черными пальцами; дым шел уже прямо от пальцев, — удивительно, как дядька не обжигался... Другая рука была перевязана грязной тряпкой. Вместо шнурков на ботинках были веревки. Сережа рассмотрел все и спросил:

— Вы к Коростелеву пришли?

— К какому Коростелеву? — спросил дядька. — Не знаю я Коростелева.

— Вы, значит, к Лукьянычу?

— И Лукьяныча не знаю.

— А их никого дома нет, — сказал Сережа. — Только тетя Паша дома да я дома. А вам не больно?

— Почему больно?

— Вы пальцы себе жгете.

— А!

Дядька потянул закрутку последний раз, бросил крохотный окурок наземь и затоптал.

— А другую руку вы уже пожгли? — спросил Сережа.

Не отвечая, дядька смотрел на него суровым озабоченным взглядом. «Чего он смотрит?» — подумал Сережа. Дядька спросил:

— А живете вы как? Хорошо?

— Спасибо, — сказал Сережа. — Хорошо.

— Добра много?

— Какого добра?

— Ну, чего у вас есть?

— У меня велисапед есть, — сказал Сережа. — И игрушки есть. Всякие: и заводные, и нет. А у Лени мало, одни погремушки.

— А отрезы есть? — спросил дядька. И, подумав, должно быть, что Сереже это слово непонятно, пояснил: — Материал — представляешь себе? На костюм, на пальто.

— У нас нету отрезов, — сказал Сережа. — У Васькиной мамы есть.

— А где она живет? Васькина мама.

Неизвестно, как бы дальше повернулся разговор, но тут щелкнула щеколда и во двор вошел Лукьяныч. Он спросил:

— Кто такой? Вам что?

Дядька поднялся с бревен и стал смиренным и жалким.

— Заработка ищу, хозяин, — ответил он.

— Почему по дворам ищете? — спросил Лукьяныч. — Где ваше место?

— В данный момент нет у меня места, — сказал дядька.

— А где было?

— Было — сплыло. Давно было.

— Из тюрьмы, что ли?

— Месяц, как освобожденный.

— За что сидел?

Дядька потоптался и ответил:

— Якобы за неаккуратное обращение с личной собственностью. Засудили-то зря. Судебная ошибка произошла.

— А почему домой не поехал, а болтаешься?

— Я поехал, — сказал дядька, — а жена не приняла. Нашла себе другого: работника прилавка! Да и не прописывают там... Теперь к маме пробираюсь, в Читу. В Чите у меня мама.

Сережа слушал, приоткрыв рот. Дядька сидел в тюрьме!.. В тюрьме с железными решетками и бородатыми стражниками, вооруженными до зубов секирами и мечами, как описано в книжках, — а в какой-то Чите ждет его мама и, верно, плачет, бедная... Она будет рада, когда он к ней проберется. Сошьет ему костюм и пальто. И купит шнурки для ботинок...

— В Читу — ближний свет... — сказал Лукьяныч. — И как же? Удается заработать, или опять-таки, это самое, по части личной собственности?..

Дядька насупился и сказал:

— Разрешите дрова попилить.

— Пили, ладно, — сказал Лукьяныч и принес из сарая пилу.

Тетя Паша вышла на голоса и слушала разговор с крылечка. Почему-то она заманила кур в сарай, хотя им рано было спать, и заперла на замок. А ключ положила к себе в карман. И сказала Сереже потихоньку:

— Сережа, ты пока гуляешь, присматривай, чтобы дяденька с пилой не ушел.

Сережа ходил вокруг дядьки и смотрел на него с любопытством, сомнением, сожалением и некоторым страхом. Заговаривать с ним он больше не решался, из почтения к его выдающейся и таинственной судьбе. И дядька молчал. Он пилил усердно и только иногда присаживался, чтобы сделать закрутку и покурить.

Сережу позвали обедать. Коростелева и мамы дома не было, обедали втроем. После щей Лукьяныч сказал тете Паше:

— Отдай этому ворюге мои старые валенки.

— Ты бы еще сам их поносил, — сказала тетя Паша. — На нем штиблеты ничего себе.

— Куда в Читу в таких штиблетах, — сказал Лукьяныч.

— Я его покормлю, — сказала тетя Паша. — У меня вчерашнего супу много.

После обеда Лукьяныч прилег отдохнуть, а тетя Паша сняла со стола скатерть и убрала в шкафчик.

— Зачем ты сняла скатерть? — спросил Сережа.

— Хорош будет и без скатерти, — ответила тетя Паша. — Он как чума грязный.

Она разогрела суп, нарезала хлеба и грустным голосом позвала дядьку:

— Зайдите, покушайте.

Дядька пришел и долго вытирал ноги о тряпку. Потом помыл руки, а тетя Паша сливала ему из ковша. На полочке лежали два куска мыла: одно розовое, другое простое, серое; дядька взял серое — или он не знал, что умываться надо розовым, или розового ему не полагалось, как скатерти и сегодняшних щей. И вообще он стеснялся и ступал по кухне неуверенно, осторожно, точно боялся проломить пол. Тетя Паша зорко за ним следила. Садясь за стол, дядька перекрестился. Сережа видел, что тете Паше это понравилось. Она налила полную, до края, тарелку и сказала ласково:

— Кушайте на здоровье.

Дядька съел суп и три большущих куска хлеба молча и сразу, сильно двигая челюстями и шумно потягивая носом. Тетя Паша дала ему еще супу и маленький стаканчик водки.

— Теперь и выпить можно, — сказала она, — а на пустой желудок нехорошо.

Дядька поднял стаканчик и сказал:

— За ваше здоровье, тетя. Дай вам бог.

Закинул голову, открыл рот и мигом вылил туда все, что было в стаканчике. Сережа посмотрел — стаканчик стоит на столе пустой.

«Здорово!» — подумал Сережа.

Дальше дядька ел уже не так быстро и разговаривал. Он рассказал, как приехал к жене, а она его не пустила.

— И не дала ничего, — сказал он. — У нас добра порядочно было: машина швейная, патефон, посуда там... Ничего не дала. Иди, говорит, уголовник, откуда пришел, ты мне жизнь испортил. Я говорю — хоть патефон отдай, совместно нажит, учтите. Так ей жалко. Из моего костюма себе костюм пошила. А пальто мое продала через комиссионный магазин.

— А прежде ничего жили? — спросила тетя Паша.

— Жили — лучше не надо, — ответил дядька. — Любила как сумасшедшая. А теперь там работник прилавка. Видел я его: смотреть не на что. Никакого вида. На что польстилась? На то, что работник прилавка, ясно.

Рассказал и про свою маму, какая у нее пенсия и как она ему прислала посылку. Тетя Паша совсем добрая стала: дала дядьке и вареного мяса, и чаю, и курить позволила.

— Конечно, — говорил дядька, — приди я к маме с патефоном хотя бы — было б лучше.

«Конечно, лучше, — подумал Сережа. — Они бы пластинки ставили».

— Может, устроитесь на работу, так и ничего будет, — сказала тетя Паша.

— Не очень нас любят брать на работу, — сказал дядька, и тетя Паша вздохнула и покачала головой, как бы сочувствуя и дядьке и тем, кто не любит брать его на работу.

— Да, — сказал дядька, помолчав, — мог бы и я быть не то что работником прилавка — кем угодно мог быть; да так как-то время зря провел.

— А зачем же вы его зря проводили? — сказала тетя Паша снисходительно. — А вы бы проводили не зря, лучше б было.

— Сейчас что говорить, — сказал дядька, — после всех происшествий. Сейчас говорить вроде ни к чему. Ну, спасибо вам, тетя. Пойду допилю.

Он ушел во двор. Сережу тетя Паша больше не пустила гулять, потому что стал накрапывать дождик.

— Почему он такой? — спросил Сережа. — Дядька этот.

— В тюрьме сидел, — ответила тетя Паша. — Ты же слышал.

— А почему сидел в тюрьме?

— Жил плохо, потому и сидел. Хорошо бы жил — не посадили бы.

Лукьяныч отдохнул после обеда и отправлялся обратно в свою контору. Сережа спросил у него:

— Если плохо живешь, то сажают в тюрьму?

— Видишь ли, — сказал Лукьяныч, — он чужие вещи крал. Я, например, работал, заработал, а он пришел и украл: хорошо разве?

— Нет.

— Ясно — нехорошо.

— Он плохой?

— Ясно — плохой.

— А зачем ты ему велел отдать валенки?

— Жалко мне его стало.

— Которые плохие — тебе жалко?

— Видишь ли, — сказал Лукьяныч, — я его не потому пожалел, что он плохой, а потому, что он почти босой. Ну, и вообще... неприятно, когда кто-то живет плохо... Ну, а вообще... я бы с большим удовольствием, безусловно, отдал ему валенки, если бы он был хороший... Я пошел! — сказал Лукьяныч и убежал, заторопившись.

«Чудак, — подумал Сережа, — ничего не поймешь, что он говорит...»

Он смотрел в окно на реденький серый дождик и старался распутать путаные Лукьянычевы слова... Дядька в плешивой ушанке прошел мимо по улице, неся под мышкой валенки, вложенные один в другой, так что подошвы их торчали в разные стороны. Мама пришла и принесла из яслей Леню, завернутого в красное одеяльце.

— Мама! — сказал Сережа. — Ты рассказывала, помнишь, один тетрадку украл. Его посадили в тюрьму?

— Что ты! — сказала мама. — Конечно, не посадили.

— Почему?

— Он маленький. Ему восемь лет.

— Маленьким можно?

— Что можно?

— Красть.

— Нет, и маленьким нельзя, — сказала мама, — но я с ним поговорила, и он больше никогда не украдет. А почему ты об этом спрашиваешь?

Сережа рассказал про дядьку из тюрьмы.

— К сожалению, — сказала мама, — такие люди иногда бывают. Мы об этом поговорим, когда ты вырастешь.

Попроси, пожалуйста, у тети Паши гриб для штопки и принеси мне.

Сережа принес гриб и спросил:

— А зачем он крал?

— Не хотел работать, вот и крал.

— А он знал, что его посадят в тюрьму?

— Конечно, знал.

— Он, что ли, не боялся? Мама! Она, что ли, нестрашная — тюрьма?

— Ну, хватит! — рассердилась мама. — Я ведь сказала, что тебе рано об этом думать! Думай о чем-нибудь другом! Я этих слов даже не хочу слышать!

Сережа посмотрел на ее нахмуренные брови и перестал спрашивать. Он пошел в кухню, набрал ковшом воды из ведра, налил в стакан и попробовал выпить сразу, одним глотком; но как ни запрокидывал голову и не разевал рот — не получалось, только облился весь. Даже сзади за воротник залилось и текло по спине. Сережа скрыл, что у него мокрая рубашка, а то бы они подняли свой шум и стали его переодевать и ругать. А к тому часу, как спать ложиться, рубашка высохла.

...Взрослые думали, что он уже спит, и громко разговаривали в столовой.

— Он ведь чего хочет, — сказал Коростелев, — ему нужно либо «да», либо «нет». А если посередке — он не понимает.

— Я сбежал, — сказал Лукьяныч. — Не сумел ответить.

— У каждого возраста свои трудности, — сказала мама, — и на каждый вопрос надо отвечать ребенку. Зачем обсуждать с ним то, что недоступно его пониманию? Что это даст? Только замутит его сознание и вызовет мысли, к которым он совершенно не подготовлен. Ему достаточно знать, что этот человек совершил проступок и наказан. Очень вас прошу — не разговаривайте вы с ним на эти темы!

— Разве это мы разговариваем? — оправдывался Лукьяныч. — Это он разговаривает!

— Коростелев! — позвал Сережа из темной комнаты. Они замолчали сразу...

— Да? — спросил, войдя, Коростелев.

— Кто такое — работник прилавка?

— Ты-ы! — сказал Коростелев. — Ты что не спишь? Спи сейчас же! — Но Сережины блестящие глаза были выжидательно и открыто обращены к нему из полумрака, и наскоро, шепотом (чтобы мама не услышала и не рассердилась) Коростелев ответил на вопрос...

Неприкаянность

Опять привязались болезни. Без всякой на этот раз причины была ангина. Потом доктор сказал: «Желёзки». И придумал новые мучения — рыбий жир и компрессы. И велел измерять температуру.

Мажут тряпку вонючей черной мазью и накладывают тебе на шею. Сверху кладут жесткую колкую бумагу. Сверху вату. Еще сверху наматывают бинт до самых ушей. Так что голова как у гвоздя, вбитого в доску: не повернешь. И так живи.

Спасибо еще, что лежать не заставляют. А когда у Сережи нет температуры, а на улице нет дождя, то можно и гулять. Но такие совпадения бывают редко. Почти всегда есть или дождь, или температура.

Включено радио, но далеко не все, что оно говорит и играет, интересно Сереже.

А взрослые очень ленивые: как попросишь их почитать или рассказать сказку, так они отговариваются, что заняты. Тетя Паша стряпает; руки у нее, правда, заняты, да рот-то свободен; могла бы рассказать сказку. Или мама: когда она в школе, или пеленает Леню, или проверяет тетрадки, это одно; но когда она стоит перед зеркалом и укладывает косы то так, то так и при этом улыбается, — чем же она занята?

— Почитай мне, — просит Сережа.

— Погоди, Сереженька, — отвечает она. — Я занята.

— А зачем ты их опять распустила? — спрашивает Сережа про косы.

— Хочу причесаться иначе.

— Зачем?

— Мне надо.

— Почему тебе надо?

— Так...

— А почему ты смеешься?

— Так...

— Почему так?

— Ох, Сереженька. Ты мне действуешь на нервы.

Сережа думает: как это я ей действую на нервы?

И, подумав, говорит:

— Ты мне все-таки почитай.

— Вечером приду, — говорит мама, — тогда почитаю.

А вечером, придя, она будет кормить и купать Леню, разговаривать с Коростелевым и проверять тетрадки. А от чтения опять увильнет.

Но вот тетя Паша уже все сделала и села отдохнуть на оттоманке у себя в комнате. Руки сложила на коленях, сидит тихо, дома никого нет — тут-то Сережа и припирает ее к стенке.

— Теперь ты мне расскажешь сказку, — говорит он, выключив радио и усаживаясь рядом.

— Господи ты боже мой, — говорит она устало, — сказку тебе. Ты же их все наизусть знаешь.

— Ну так что ж. А ты расскажи.

Страшно ленивая.

— Ну, жили-были царь и царица, — начинает она, вздохнув. — И была у них дочка. И вот в один прекрасный день...

— Она была красивая? — требовательно прерывает Сережа.

Ему известно, что дочка была красивая, и всем известно, но зачем же тетя Паша пропускает? В сказках ничего нельзя пропускать.

— Красивая, красивая. Уж такая красивая... В один, значит, прекрасный день надумала царевна выйти замуж.

Приехали женихи свататься...

Сказка течет по законному руслу. Сережа внимательно слушает, глядя в сумерки большими строгими глазами. Он заранее знает, какое слово сейчас будет произнесено; но от этого сказка не становится хуже. Наоборот.

Какой смысл он вкладывает в понятия: женихи, свататься, — он не мог бы толково объяснить, но ему все понятно — по-своему. Например: «конь стал как вкопанный», а потом поскакал, — ну, значит, его откопали.

Сумерки густеют. Окна становятся голубыми, а рамы на них черными. Ничего не слышно в мире, кроме тети-Пашиного голоса, рассказывающего о злоключениях царевниных женихов. Тишина в маленьком доме на Дальней улице.

Сереже скучно в тишине. Сказка кончается скоро, вторую тетя Паша ни за что не соглашается рассказать, несмотря на его мольбы и возмущение. Кряхтя и зевая, уходит она в кухню, и он один. Что делать? Игрушки за время болезни надоели. Рисовать надоело. На велосипеде по комнатам не поездишь — тесно.

Скука сковывает Сережу хуже болезни, делает вялыми его движения, сбивает мысли. Все скучно.

Пришел Лукьяныч с покупкой: серая коробка, обвязанная веревочкой. Сережа было загорелся и ждет нетерпеливо, чтобы Лукьяныч развязал веревочку. Чикнуть бы ее, и готово. Но Лукьяныч долго пыхтит и распутывает тугие узелки — веревочка пригодится, он ее хочет сохранить в целости.

Сережа смотрит во все глаза, поднявшись на цыпочки... Но из серой коробки, где могло бы поместиться что-нибудь замечательное, появляется пара огромных черных суконных бот с резиновым ободком.

У Сережи у самого есть боты, с такими же застежками, только без сукна, просто из резины. Он их ненавидит, смотреть еще на эти боты ему нет ни малейшего интереса.

— Это что? — упав духом, уныло-пренебрежительно спрашивает он.

— Боты, — отвечает Лукьяныч и садится примерить. — Называются — «прощай, молодость».

— А почему?

— Потому что молодые таких не носят.

— А ты старый?

— Поскольку надел такие боты — значит, старый.

Лукьяныч топает ногой и говорит:

— Благодать!

И идет показывать боты тете Паше.

Сережа влезает на стул в столовой и зажигает электричество. Рыбы плавают в аквариуме, тараща глупые глаза. Сережина тень падает на них — они всплывают и разевают рты, ожидая корм.

«А вот интересно, — думает Сережа, — будут они пить свой собственный жир или не будут?»

Он вынимает пробку из пузырька и наливает немножко рыбьего жира в аквариум. Рыбы висят хвостами вниз с разинутыми ртами и не глотают. Сережа подливает еще. Рыбы разбегаются...

«Не пьют», — равнодушно думает Сережа.

Скука, скука! Она толкает его на дикие и бессмысленные поступки. Он берет нож и соскабливает краску с дверей в тех местах, где она вздулась пузырями. Не то чтобы это доставляло ему удовольствие, но все-таки занятие. Берет клубок шерсти, из которой тетя Паша вяжет себе кофту, и разматывает его до самого конца — для того, чтобы потом смотать снова (что ему не удается). При этом он каждый раз сознает, что совершает преступление, что тетя Паша будет ругаться, а он будет плакать, — и она ругается, и он плачет, но в глубине души у него удовлетворение: поругались, поплакали — глядишь, и провели время не без событий.

Веселее становится, когда приходит мама и приносит Леню. Начинается оживление: Леня кричит, мама кормит его и сменяет ему пеленки, Леню купают. Он теперь больше похож на человека, чем когда родился, только жирный чересчур. Он может держать в кулаке погремушку, но больше с него пока нечего взять. Живет он там в яслях целый день своей какой-то жизнью, отдельно от Сережи.

Коростелев приходит поздно, и его рвут на части. Начнется у них с Сережей разговор, или согласится Коростелев почитать ему книжку, а телефон звонит, и мама перебивает каждую минуту. Вечно ей надо что-то говорить, не может подождать, пока люди кончат свое дело. Перед тем как уснуть на ночь, Леня долго кричит. Мама зовет Коростелева, вот обязательно ей нужен Коростелев — тот носит Леню по комнате и шикает. А Сереже хочется спать, и общение с Коростелевым прекращается на неопределенное время.

Но бывают прекрасные вечера — редко, — когда Леня угомоняется пораньше, а мама садится исправлять тетрадки, тогда Коростелев укладывает Сережу спать и рассказывает ему сказку. Сначала рассказывал плохо, почти совсем не умел, но Сережа ему помогал и учил его, и теперь Коростелев рассказывает довольно бойко:

— Жили-были царь и царица. Была у них красивая дочка, царевна...

А Сережа слушает и поправляет, пока не уснет.

В эти неприкаянные, тягучие дни, когда он ослабел и искапризничался, еще милее стало ему свежее, здоровое лицо Коростелева, сильные руки Коростелева, его мужественный голос... Сережа засыпает, довольный, что не все Лене да маме, — вот и ему что-то перепало от Коростелева.

Холмогоры

Холмогоры. Это слово Сережа все чаще слышит в разговорах Коростелева с мамой.

— Ты написала в Холмогоры?

— Может, в Холмогорах не так буду загружен, тогда и сдам политэкономию.

— Я получила ответ из Холмогор. Предлагают работу в школе.

— Из отдела кадров звонили. Насчет Холмогор решено окончательно.

— Куда его тащить в Холмогоры. Его уже жучок съел. (Про комод.)

Все Холмогоры да Холмогоры.

Холмогоры. Это что-то высокое. Холмы и горы, как на картинках. Люди лазают с горы на гору. Школа стоит на горе. Ребята катаются с гор на санках.

Красным карандашом Сережа рисует все это на бумаге и тихонько поет на мотив, который для этого случая пришел ему в голову:

— Холмогоры, Холмогоры.

Очевидно, мы туда едем, раз уж о комоде зашла речь.

Великолепно. Лучше ничего и придумать нельзя. Женька уехал, Васька уехал, и мы уедем. Это очень повышает нашу ценность, что мы тоже куда-то едем, а не сидим на одном месте.

— Холмогоры — далеко? — спрашивает Сережа у тети Паши.

— Далеко, — отвечает тетя Паша и вздыхает. — Очень далеко.

— Мы туда поедем?

— Ох, не знаю я, Сереженька, ваших дел...

— Туда на поезде?

— На поезде.

— Мы едем в Холмогоры? — спрашивает Сережа у Коростелева и мамы. Они бы должны сообщить ему сами, но забыли это сделать.

Они переглядываются и потом смотрят в сторону, и Сережа безуспешно пытается заглянуть им в глаза.

— Мы едем? Мы ведь правда едем? — добивается он в недоумении: почему они не отвечают?

Мама говорит осторожным голосом:

— Папу переводят туда на работу.

— И мы с ним?

Он задает точный вопрос и ждет точного ответа. Но мама, как всегда, сначала говорит кучу посторонних слов:

— Как же его отпустить одного? Ведь ему плохо будет одному: придет домой, а дома никого нет... не прибрано... покормить некому... поговорить не с кем... Станет бедному папе грустно-грустно...

И только потом ответ:

— Я поеду с ним.

— А я?

Почему Коростелев смотрит на потолок? Почему мама опять замолчала и ласкает Сережу?

— А я!! — в страхе повторяет Сережа, топая ногой.

— Во-первых, не топай, — говорит мама и перестает его ласкать. — Это что еще такое — топать?! Чтоб я этого больше не видела! А во-вторых — давай обсудим: как же ты сейчас поедешь? Ты только что после болезни. Ты еще не поправился. Чуть что — у тебя температура. Мы еще неизвестно как устроимся. И климат тебе не подходит. Ты там будешь болеть и болеть, и никогда не поправишься. И с кем я тебя буду больного оставлять? Доктор сказал, тебя пока нельзя везти.

Гораздо раньше, чем она кончила говорить, он уже рыдал, обливаясь слезами. Его не берут! Уедут сами, без него! Рыдая, еле слышал, что она еще там говорит:

— Тетя Паша и Лукьяныч останутся с тобой. Ты будешь жить с ними, как всегда жил.

Но он не хочет жить как всегда! Он хочет с Коростелевым и мамой!

— Я хочу в Холмогоры! — кричал он.

— Ну, мальчик мой, ну перестань! — сказала мама. — Что тебе Холмогоры? Ничего там нет особенного...

— Неправда!

— Зачем ты так говоришь маме. Мама всегда говорит правду. И ведь ты же не навеки остаешься, дурачок мой маленький, ну довольно же... Поживешь здесь зиму, поправишься, а весной или, может быть, летом папа за тобой приедет, или я приеду, и заберем тебя — как только поправишься, сразу заберем, — и все опять будем вместе. Подумай, разве мы можем надолго тебя бросить?

Да, а если он до лета не поправится? Да, а легкое ли дело — прожить зиму? Зима — это так длинно, так бесконечно... И как же перенести, что они уедут, а он нет? Будут жить без него, далеко, и им все равно, все равно! И поедут на поезде, и он бы поехал на поезде, — а его не берут! Все вместе было — ужасная обида и страданье. Но он умел высказать свое страданье только самыми простыми словами:

— Я хочу в Холмогоры! Я хочу в Холмогоры!

— Дай, пожалуйста, воды, Митя, — сказала мама. — Выпей водички, Сереженька. Как можно так распускаться. Сколько бы ты ни кричал, это не имеет никакого смысла. Раз доктор сказал — нельзя, значит — нельзя. Ну успокойся, ну ты же умный мальчик, ну успокойся... Сереженька, я ведь сколько раз уезжала от тебя, когда училась, ты уже забыл? Уезжала и приезжала опять, правда же? И ты прекрасно жил без меня. И никогда не плакал, когда я уезжала. Потому что тебе и без меня было хорошо. Вспомни-ка. Почему же ты теперь устроил такую истерику? Разве ты не можешь, для своей же пользы, немножко побыть без нас?

Как ей объяснить? Тогда было другое. Он был маленький и глупый. Она уезжала — он от нее отвыкал, привыкал заново, когда она возвращалась. И она уезжала одна, а теперь она увозит от него Коростелева... Новая мысль — новое страданье: «Леню она наверно возьмет». Проверяя, он спросил, давясь, распухшими губами:

— А Леня?..

— Но он же крошечный! — с упреком сказала мама и покраснела. — Он без меня не может, понимаешь? Он без меня погибнет! И он здоровенький, у него не бывает температуры и не опухают желёзки.

Сережа опустил голову и снова заплакал, но уже тихо и безнадежно.

Он бы кое-как смирился, если бы Леня оставался тоже. Но они бросают *только его одного!* Только он один им не нужен!

«На произвол судьбы», — подумал он горькими словами из сказки про Мальчика-с-пальчика.

И к обиде на мать — к обиде, которая оставит в нем вечный рубец, сколько бы он ни прожил на свете, — присоединялось чувство собственной вины: он виноват, виноват! Конечно, он хуже Лени, у него желёзки опухают, вот Леню и берут, а его не берут!

— Аах! — вздохнул Коростелев и вышел из комнаты...

Но сейчас же вернулся и сказал:

— Сережка. Пошли-ка погулять. В рощу.

— В такую сырость! Он опять сляжет! — сказала мама.

Коростелев отмахнулся.

— Он и так все лежит. Пошли, Сергей.

Сережа, всхлипывая, пошел за ним. Коростелев сам его одел. Только шарф завязать попросил маму. И, взявшись за руки, они пошли в рощу.

— Есть такое слово: надо, — говорил Коростелев. — Думаешь, мне хочется в Холмогоры? Или маме? Наоборот. Полный кавардак в наших планах, во всем. А надо — и едем. И таких моментов лично у меня было сколько угодно.

— Почему? — спросил Сережа.

— Такова, брат, жизнь.

Коростелев говорил серьезно и грустно, и становилось капельку легче оттого, что ему тоже невесело.

— Приедем туда с мамой. Так... Надо с ходу браться за новое дело. А тут Леня. Его, значит, срочным порядком в ясли. А вдруг ясли далеко? Придется няньку искать. Тоже штука сложная. А за мной зачеты, надо сдать, хоть тресни. Куда ни кинь, всюду надо и надо. А тебе одно только надо: временно переждать здесь. Зачем заставлять тебя переносить с нами трудности? Пуще расхвораешься...

Не надо заставлять. Он согласен, он готов, он жаждет переносить с ними трудности. Что им, то пусть и ему. При всей убедительности этого голоса Сережа не мог избавиться от мысли, что они оставляют его не потому, что он там расхворается, а потому, что он, нездоровый, будет им обузой. А сердце его понимало уже, что ничто любимое не может быть обузой. И сомнение в их любви все острее проникало в это сердце, созревшее для понимания.

Пришли в рощу. Там было пусто и печально. Листья уже совсем осыпались, на голых деревьях темнели гнезда, похожие снизу на плохо смотанные клубки черной шерсти. Чмокая ботами по мокрому слою бурой листвы, Сережа ходил под деревьями за руку с Коростелевым и думал. Вдруг он сказал без выражения:

— Все равно.

— Что все равно? — спросил Коростелев, наклонясь к нему.

Сережа не ответил.

— Ведь только, брат, до лета! — растерянно сказал Коростелев после молчания.

Сережа хотел бы ответить так: думай не думай, плачь не плачь, — это не имеет никакого смысла: вы, взрослые, всё можете, вы запрещаете, вы разрешаете, дарите подарки и наказываете, и если вы сказали, что я должен остаться, вы меня все равно оставите, что бы я ни делал. Так он ответил бы, если бы умел. Чувство беспомощности перед огромной, безграничной властью взрослых навалилось на него...

С этого дня он стал очень тихим. Почти не спрашивал: «почему?» Часто уединялся, садился с ногами на тети-Пашину оттоманку и шептал что-то. Гулять его по-прежнему выпускали редко: тянулась осень — сырая, гнилая, и с осенью тянулась болезнь.

Коростелев почти не бывал с ним. С утра он уходил сдавать дела (так он говорил теперь: «Ну, я пошел сдавать дела Аверкиеву»). Но он помнил о Сереже: один раз, проснувшись, Сережа нашел возле кровати новые кубики, другой раз — коричневую обезьяну. Сережа полюбил обезьяну. Она была его дочкой. Она была красивая, как та царевна. Он говорил ей: «Ты, брат». Он ехал в Холмогоры и брал ее с собой. Шепча и целуя ее холодную пластмассовую морду, он укладывал ее спать.

Накануне дня отъезда

Пришли незнакомые дядьки, посдвинули мебель в столовой и в маминой комнате и упаковали в рогожу. Мама сняла занавески и абажуры и портреты со стен. И в комнатах стало безобразно и бесприютно: обрывки шпагата на полу, на выцветших обоях темные четырехугольники — там, где висели портреты. Только тети-Пашина комната да кухня были островками среди этого унылого безобразия. Голые электрические лампочки светили на голые стены, голые окна и рыжую рогожу. Громоздились стулья, поставленные друг на друга, задирая к потолку исцарапанные ножки.

В другое время тут бы неплохо поиграть в прятки. Но не то время...

Дядьки ушли поздно. Все, усталые, легли спать. И Леня заснул, открычав, сколько ему требовалось кричать по вечерам. Лукьяныч и тетя Паша в постели долго шептали и сморкались, наконец и они стихли, и раздался храп Лукьяныча и тоненькое, носом, сонное посвистыванье тети Паши.

Коростелев один сидел в столовой под голой лампочкой, пристроившись у стола, обшитого рогожей, и писал. Вдруг он услышал вздох за спиной. Оглянулся — за ним стоял Сережа в длинной рубашке, босой и с завязанным горлом.

— Ты что? — шепотом спросил Коростелев и встал.

— Коростелев! — сказал Сережа. — Дорогой мой, милый, я тебя прошу, ну пожалуйста, возьми меня тоже!

И он тяжело зарыдал, стараясь сдерживаться, чтобы не разбудить спящих.

— Что ты, брат, делаешь! — сказал Коростелев, беря его на руки. — Ведь сказано — босиком нельзя, пол холодный... Ведь сам знаешь, ну?.. Мы же договорились обо всем...

— Я хочу в Холмогоры! — прорыдал Сережа.

— Вот видишь, ноги-то уже застыли, — сказал Коростелев. Подолом Сережиной рубашки он прикрыл ему ноги, прижал к себе худенькое тело, сотрясающееся от рыданий. — Что ж поделаешь, понимаешь, если так складываются дела. Если ты все болеешь...

— Я больше не буду болеть!

— А как только поправишься — моментально за тобой приеду.

— Ты не врешь? — в тоске спросил Сережа и охватил рукой его шею.

— Я тебе, брат, еще не врал.

«Правда, не врал, — подумал Сережа, — но вообще иногда он врет, все они иногда врут... Вдруг он теперь и мне врет?»

Он держался за эту твердую мужскую шею, колючую под подбородком, как за последний свой оплот. В этом человеке была его главная надежда, и защита, и любовь. Коростелев носил его по столовой и шептал — весь этот ночной разговор происходил шепотом:

— ...Приеду, поедем с тобой на поезде... Поезд идет быстро... Народу полные вагоны... Не заметим, как приедем к маме... Паровоз гудит...

«Просто даже ему некогда будет за мной приезжать, — соображал Сережа, терзаясь. — И маме некогда. Каждый день будут к ним ходить разные люди и звонить по телефону, и всегда они будут идти по делу, или сдавать зачеты, или нянчить Леню, а я тут буду ждать, ждать и не дождусь никогда...»

— ...Там, где мы будем жить, лес настоящий, не то что наша роща... С грибами, с ягодами...

— С волками?

— Вот не скажу тебе. Насчет волков выясню специально и напишу в письме... И речка есть, будем с тобой ходить купаться... Научу тебя плавать кролем...

«А кто его знает, — с новой вспышкой надежды подумал Сережа, устав сомневаться. — Может, это все и будет».

— Сделаем удочки, будем рыбу удить... Смотри-ка! Снег пошел!

Он поднес Сережу к окну. Большие белые хлопья летели за окном и, распластываясь, на мгновенье прилипали к стеклу.

Сережа загляделся на них. Он измучился, он затихал, прижавшись воспаленной мокрой щекой к лицу Коростелева.

— Вот и зима! Опять будешь много гулять, кататься на санках — время и пролетит незаметно...

— Знаешь что? — сказал Сережа с печальной заботой. — У меня очень плохая на санках веревка, ты привяжи новую.

— Есть. Обязательно привяжу. А ты, брат, дай мне обещание: больше не плакать, ладно? И тебе вредно, и мама расстраивается, и вообще не занятие для мужчины. Не люблю я этого... Обещай, что не будешь плакать.

— Ага, — сказал Сережа.

— Обещаешь? Твердо?

— Ага...

— Ну, смотри. Полагаюсь на твое мужское слово.

Он отнес изнемогшего, отяжелевшего Сережу в тети-Пашину комнату, уложил и укрыл одеялом. Сережа протяжно, прерывисто вздохнул и уснул сейчас же. Коростелев постоял, посмотрел на него. В свете, падавшем из столовой, Сережино лицо было маленькое, желтое... Коростелев отвернулся и вышел на цыпочках.

День отъезда

Наступил день отъезда.

Угрюмый день без солнца, без мороза. Снег на земле за ночь растаял, лежал только на крышах тонким слоем. Серое небо. Лужи. Какие там санки: противно даже выйти во двор. И не на что надеяться в такую погоду. Вряд ли уже может быть что-нибудь хорошее.

А Коростелев все-таки привязал к санкам новую веревку — Сережа заглянул в сени, веревка уже привязана. А сам Коростелев убежал куда-то.

Мама сидела и кормила Леню. Все она его кормит, все кормит... Улыбаясь, она сказала Сереже:

— Посмотри, какой у него потешный носик.

Сережа посмотрел: носик как носик. «Ей потому нравится его носик, — подумал Сережа, — что она его любит. Раньше она любила меня, а теперь любит его».

И он ушел к тете Паше. Пусть у нее миллион предрассудков, но она останется с ним и будет его любить.

— Ты что делаешь? — спросил он скучным голосом.

— Не видишь разве, — резонно отвечала тетя Паша, — что я делаю котлеты?

— Почему столько много?

По всему кухонному столу были разложены сырые котлеты, обвалянные в сухарях.

— Потому что нужно нам всем на обед и еще отъезжающим на дорожку.

— Они скоро уедут? — спросил Сережа.

— Еще не очень скоро. Вечером.

— Через сколько часов?

— Еще через много часов. Темно уже станет, тогда и поедут. А пока светло — не поедут.

Она продолжала лепить котлеты, а он стоял, положив лоб на край стола, и думал:

«Лукьяныч тоже меня любит, а будет еще больше любить, прямо ужасно будет любить... Я поеду с Лукьянычем на челне и утону. Меня закопают в землю, как прабабушку. Коростелев и мама узнают и будут плакать, и скажут: зачем мы его не взяли с собой, он был такой развитой, такой послушный мальчик, не плакал и не действовал на нервы, Леня перед ним — тьфу. Нет, не надо, чтобы меня закапывали в землю, это страшно: лежи там один... Мы тут будем жить хорошо, Лукьяныч будет мне носить яблоки и шоколадки, я вырасту и стану капитаном дальнего плаванья, а Коростелев и мама будут жить плохо, и вот в один прекрасный день они придут и скажут: разрешите дрова попилить. А я скажу тете Паше: дай им вчерашнего супу...»

Тут Сереже стало так непереносимо грустно, так жалко Коростелева и маму, что он залился слезами. Но тетя Паша успела только воскликнуть: «Господи ты боже мой!» — как он вспомнил обещание, данное Коростелеву, и сказал испуганно:

— Я больше не буду!

Вошла бабушка Настя со своей черной кошелкой и спросила:

— Митя дома?

— Насчет машины побежал, — ответила тетя Паша. — Аверкиев не дает, такой хам.

— Почему же он хам, — сказала бабушка Настя. — Самому в хозяйстве машина нужна. Во-первых. А во-вторых, он же дал грузовик. С вещами — чего лучше.

— Вещи — конечно, — сказала тетя Паша, — а Марьяше с дитем в легковой удобнее.

— Забаловались чересчур, — сказала бабушка Настя. — Мы детей ни на которых не возили, ни на легковых, ни на грузовых, а выращивали. Сядет с ребенком в кабину, и ладно.

Сережа слушал, медленно моргая. Он был поглощен ожиданием разлуки, которая неминуема. Все в нем как бы собралось и напряглось, чтобы выдержать предстоящее горе. На чем бы то ни было, но скоро они уедут, бросив его. А он их любит.

— Что ж это Митя, — сказала бабушка Настя, — я проститься хотела.

— Вы разве проводить не поедете? — спросила тетя Паша.

— У меня конференция, — ответила бабушка Настя и ушла к маме. И стало тихо. А на дворе еще посерело и поднялся ветер. От ветра позвякивало, вздрагивая, оконное стекло. Тонким, в белых черточках, льдом затянуло лужи. И опять пошел снег, быстро кружась на ветру.

— А теперь сколько осталось часов? — спросил Сережа.

— Теперь немножко меньше, — ответила тетя Паша, — но все-таки еще порядочно.

...Бабушка Настя и мама стояли в столовой среди нагроможденной мебели и разговаривали.

— Да где ж это он, — сказала бабушка Настя. — Неужели не попрощаемся, ведь неизвестно, увижу ли его еще.

«Она тоже боится, — подумал Сережа, — что они уезжают насовсем и никогда не приедут».

И он заметил, что уже почти стемнело, скоро надо зажигать лампу.

Леня заплакал. Мама побежала к нему, чуть не наткнулась на Сережу и сказала ласково:

— Ты бы чем-нибудь развлекся, Сереженька.

Он бы и сам рад был развлечься и честно попробовал заняться сперва обезьяной, потом кубиками, но ничего не получилось: было неинтересно и как-то все равно. Хлопнула в кухне дверь, затопали ноги, и послышался громкий голос Коростелева:

— Давайте обедать. Через час машина придет.

— Выбегал «Москвича»-то? — спросила бабушка Настя.

Коростелев ответил:

— Да нет. Не дают. Черт с ним. Придется на грузовой.

Сережа по привычке обрадовался было этому голосу и хотел вскочить, но тут же подумал: «Ничего этого скоро не будет» — и опять принялся бесцельно передвигать кубики по полу. Коростелев вошел, румяный от снега, сверху посмотрел на него и спросил виновато:

— Ну как, Сергей?..

...Пообедали на скорую руку. Бабушка Настя ушла. Совсем стемнело. Коростелев звонил по телефону и прощался с кем-то. Сережа прислонился к его коленям и почти не двигался, — а Коростелев, разговаривая, перебирал его волосы своими длинными пальцами...

Вошел шофер Тимохин и спросил:

— Ну как, готовы? Дайте лопату снег расчистить, а то ворота не открыть.

Лукьяныч пошел с ним отворять ворота. Мама схватила Леню и стала, суетясь, заворачивать его в одеяло. Коростелев сказал:

— Не спеши. Он упарится. Успеешь.

Вместе с Тимохиным и Лукьянычем он стал выносить упакованные вещи. Двери то и дело открывались, в комнаты нашел холод. У всех был снег на сапогах, никто не обтирал ног, и тетя Паша не делала замечаний — она понимала, что теперь уж и ноги обтирать не к чему! По полу растеклись лужи, он стал мокрым и грязным. Пахло снегом, рогожей, табаком и псиной от тимохинского тулупа. Тетя Паша бегала и давала советы. Мама, с Леней на руках, подошла к Сереже, одной рукой обняла его голову и прижала к себе; он отстранился: зачем она его обнимает, когда она хочет уехать без него.

Все вынесено: и мебель, и чемоданы, и сумки с едой, и узел с Леними пеленками. Как пусто в комнатах! Только валяются какие-то бумажки да лежит на боку пыльный пузырек от лекарства. И видно, что дом старый, что краска на полу облезла, а сохранилась только там, где стояли тумбочка и комод.

— Надень-ка, на дворе холодно, — сказал Лукьяныч тете Паше, подавая ей пальто. Сережа встрепенулся и бросился к ним с криком:

— Я тоже выйду во двор! Я тоже выйду во двор!

— А как же, а как же! И ты, и ты! — успокоительно сказала тетя Паша и одела его. Мама и Коростелев тоже тем временем оделись. Коростелев поднял Сережу под мышки, крепко поцеловал и сказал решительно:

— До свиданья, брат. Будь здоров и помни, о чем мы договорились.

Мама стала целовать Сережу и заплакала:

— Сереженька! Скажи же мне «до свиданья»!

— До свиданья, до свиданья! — отозвался он торопливо, задыхаясь от спешки и волнения, и посмотрел на Коростелева. И был награжден — Коростелев сказал:

— Ты у меня молодец, Сережка.

А Лукьянычу и тете Паше мама сказала, все еще плача:

— Спасибо вам за все.

— Не за что, — печально ответила тетя Паша.

— Сережку берегите.

— Это можешь не беспокоиться, — ответила тетя Паша еще печальнее и вдруг воскликнула: — Присесть забыли! Присесть надо!

— А куда? — спросил Лукьяныч, вытирая глаза.

— Господи ты боже мой! — сказала тетя Паша. — Ну, пошли в нашу комнату!

Все пошли туда, сели кто где и зачем-то посидели — молча и самую минутку. Тетя Паша первая встала и сказала:

— Теперь с богом.

Вышли на крыльцо. Шел снег, все было белое. Ворота были распахнуты настежь. На стенке сарая висел фонарь со свечкой, он светил, снежинки роились в его свете. Грузовик с вещами стоял посреди двора. Тимохин укрывал вещи брезентом, Шурик помогал ему. Вокруг собрался народ: Васькина мать, Лида и еще всякие люди, пришедшие проводить Коростелева и маму. И все они — и все кругом показалось Сереже чужим, невиданным. Незнакомо звучали голоса. Чужой был двор... Как будто никогда он не видел этого сарая. Как будто никогда не играл с этими ребятами. Как будто никогда не катал его этот самый дядька на этом самом грузовике. Как будто ничего своего не было и не могло уже быть у него, покидаемого.

— Погано будет ехать, — незнакомым голосом сказал Тимохин. — Скользко.

Коростелев усадил маму с Леней в кабину и укутал шалью: он их любил больше всех, он заботился, чтобы им было хорошо... А сам он влез на грузовик и стоял там большой, как памятник.

— Ты под брезент, Митя! Под брезент! — кричала тетя Паша. — А то тебя снегом засекет!

Он ее не слушался, а сказал:

— Сергей, отойди в сторонку. Как бы мы на тебя не наехали.

Грузовик зафырчал. Тимохин полез в кабину. Грузовик фырчал громче и громче, стараясь сдвинуться с места... Вот сдвинулся: подался назад, потом вперед и опять назад. Сейчас уедет, ворота закроют, фонарь потушат, и все будет кончено.

Сережа стоял в сторонке под снегом. Он изо всех сил помнил про свое обещание и только изредка всхлипывал длинными, безотрадными, почти беззвучными всхлипами. И одна-единственная слеза просочилась на его ресницы и заблистала в свете фонаря — слеза трудная, уже не младенческая, а мальчишеская, горькая, едкая и гордая слеза...

И, не в силах больше тут быть, он повернулся и зашагал к дому, сгорбившись от горя.

— Стой! — отчаянно крикнул Коростелев и забарабанил Тимохину. — Сергей! А ну! Живо! Собирайся! Поедешь!

И он спрыгнул на землю.

— Живо! Что там? Барахлишко. Игрушки. Единым духом. Ну-ка!

— Митя, что ты! Митя, подумай! Митя, ты с ума сошел! — заговорили тетя Паша и мама, выглянувшая из кабины. Он отвечал возбужденно и сердито:

— Да ну вас. Это что же, понимаете. Это вивисекция какая-то получается. Вы как хотите, я не могу. И все.

— Господи ты боже мой! Он же там погибнет! — кричала тетя Паша.

— Идите вы, — сказал Коростелев. — Я за него отвечаю, ясно? Ни черта он не погибнет. Глупости ваши. Давай, давай, Сережка!

И побежал в дом.

Сережа сперва оцепенел на месте: он не поверил, он испугался... Сердце застучало так, что стук отдавался в голове... Потом Сережа бросился в дом, обежал, задыхаясь, комнаты, на бегу схватил обезьяну — и вдруг отчаялся, решив, что Коростелев, наверно, передумал, мама и тетя Паша его отговорили, — и кинулся опять туда к ним. Но Коростелев уже бежал навстречу, говоря: «Давай, давай!» Вместе они стали собирать Сережины вещи. Тетя Паша и Лукьяныч помогали. Лукьяныч складывал Сережину кровать и говорил:

— Митя, это ты правильно! Это ты молодец!

А Сережа лихорадочно хватал что попало из своего имущества и бросал в ящик, который дала тетя Паша. Скорей! Скорей! А то вдруг уедут? Ведь никогда нельзя знать точно, что они сейчас сделают... Сердце билось уже где-то в горле, мешая дышать и слышать.

— Скорей! Скорей! — кричал он, пока тетя Паша его укутывала. И, вырываясь, искал глазами Коростелева. Но грузовик оказался на месте, а Коростелев еще даже не сел и велел Сереже со всеми проститься.

И вот он взял Сережу и запихал в кабину, к маме и Лене, под мамину шаль. Грузовик покатил, и можно наконец успокоиться.

В кабине тесно: раз, два, три — четыре человека, ого! Очень пахнет тулупом. Тимохин курит. Сережа кашляет. Он сидит, втиснутый между Тимохиным и мамой, шапка съехала ему на один глаз, шарф давит шею, и не видно ничего, кроме окошечка, за которым мчится снег, освещенный фарами. Здорово неудобно, но нам на это наплевать: мы едем. Едем все вместе, на нашей машине, наш Тимохин нас везет, а снаружи, над нами, едет Коростелев, он нас любит, он за нас отвечает, его секет снег, а нас он посадил в кабину, он нас всех привезет в Холмогоры. Господи ты боже мой, мы едем в Холмогоры, какое счастье! Что там — неизвестно, но, наверно, прекрасно, раз мы туда едем! Грозно гудит тимохинская сирена, и сверкающий снег мчится в окошечке прямо на Сережу.

1955

ВАЛЯ

Рассказ

ОТЪЕЗД

1

До войны Валя с Люськой жили в новом доме. Он был построен в тот год, как Люська родилась.

Серый дом с большими окнами. Каждое окно, как пирог, разрезано на много одинаковых квадратных частей.

Серые длинные балконы, — дом с этими балконами напоминал комод с выдвинутыми ящиками.

Рядом находилась фабрика-кухня, тоже новая. Второй этаж ее был во всю длину здания, а первый только на полдлины, вместо другой половины — круглые каменные столбы и каменный навес над головой. Дети, играя на улице, забегали под навес и кричали: «Ага!» или: «Ура!» или: «Ух!» — им нравилось, как гулко и чуждо раздаются между каменными столбами их голоса.

Тротуар перед домом был исчерчен мелом для игры в классы.

Улица вливалась в проспект. По проспекту ходил трамвай. Длинные вагоны красными полосками, звеня, пересекали перекресток. На проспекте было людно, а на улице, где жили Валя и Люська, спокойно: никто не мешал прыгать на одной ноге по асфальту, исчерченному меловыми клетками.

2

Вход в их квартиру был со двора.

Двор небольшой, тоже залитый асфальтом. Шаги в нем звучали резко, как щелчки.

С четырех сторон двора теснились окна. Вечером они светили, бывало, разным светом: оранжевым, белым, зеленым.

В войну перестали светить: затемнение. Все купили в магазине специальные шторы из черной бумаги. Но проще было совсем не зажигать свет — стояли белые ночи. Женщины сумерничали у темных открытых окон. Мерцали лица. Клочок смуглого неба над двором остывал от дневного жара.

Прежде по воскресеньям на подоконниках играли патефоны. Перебивая друг дружку, играли фокстроты и песни. В войну патефоны замолчали. Во дворе, под аркой подворотни, воцарился черный рупор радио.

Трубным голосом, слышным во всех квартирах, он читал сводки, говорил речи, пел, выкрикивал лозунги. Он выл ужасным воем, когда нужно было прятаться в подвал. И если иногда, после непрерывного говоренья, пения и воя, он ненадолго притихал — его неугомонное сердце стучало громко и тяжело.

Вот так он молчал и стучал, когда Валя и Люська вместе с матерью спеша выходили со двора в один очень жаркий день.

Дворничиха с противогазом через плечо стояла у ворот. Она спросила:

— Откуда же отправка им?

— С Витебского, — на ходу ответила мать. Красные трамваи, звеня, подходили к остановке. С них были сняты дощечки, указывавшие, куда они идут (чтобы этими указаниями не могли воспользоваться шпионы). Подошел девятнадцатый номер. Мать не знала, идет он к Витебскому или нет, и спрашивала у людей, а они тоже не знали. «Доедете», — сказал наконец с площадки какой-то дядька, но было поздно — трамвай тронулся, и мать побоялась вскочить с Люськой на руках. «Ой беда, ой опоздаем», — твердила она. Но подошла девятка, и они сели уже без сомнений.

Витрины магазинов были заслонены фанерными щитами. На одном щите наклеена газета. На другом написаны стихи черной краской. Валя прочла название стихотворения: «Ленинградцам».

В небе висела серебряная колбаса.

Чей-то памятник был обложен мешками с песком.

По мостовой шли мужчины в штатском, с противогазами, и с ними военный командир.

Стояла очередь перед лотком с газированной водой.

Бежала собачка на ремешке, за ней бежала, держась за ремешок, девочка с авоськой, в авоське капустный кочан как мяч в сетке.

Все это плыло в пекле дня — щиты, стихи, колбаса, собачка, мешки, пробирки с красным сиропом, военные и штатские.

Витебский вокзал был Вале знаком, прошлым летом она уезжала отсюда в лагерь, в Детское, и сюда же приехала из Детского: загорелые пионеры шли тогда по платформе с барабаном и с букетами, а родители их встречали. Теперь Валя бежала по знакомой платформе, держа Люську за руку, за другую руку держала Люську мать. Со всех сторон их толкали. Было жарко, как еще никогда в жизни. Всю длинную платформу пробежали они и сбежали по ступенькам вниз, на огненную землю, перевитую сверкающими рельсами. Они пролезали под вагонами и цистернами, на секунду их обнимала тень, казавшаяся прохладной. Знойно пахло железом, черные смолистые лужи были налиты на земле и черные расставлены горы угля.

Из-под одной цистерны вынырнули и увидели громадную толпу людей. Тут не было никаких платформ, ни ларьков, ничего — толпа людей и над толпой теплушки, вереница теплушек. Увядшие ветки, свернув неживые листья, свешивались с их крыш. На одной крыше стоял кто-то и кричал знакомые слова про фашистов, агрессоров. Слова то отчетливо были слышны, то относило их в другую сторону дуновением горячего ветра. Мать металась, твердя:

— Где же он! Ну где же он!

И вдруг они услышали отцовский голос:

— Нюра! Нюра!

Отец подходил к ним, одетый в военную форму. В военном он был худее и меньше ростом. Он сказал:

— Я боялся, ты опоздаешь.

Мать ответила:

— Я заезжала за детьми.

— Она сняла с головы косынку и стала обмахивать лицо.

Отдышавшись, заплакала, а отец ее утешал.

Совсем они не опоздали, еще даже паровоз не был прицеплен. Черный большой паровоз, могуче двигая рычагами, гулял в отдалении. Он приблизился, к нему обернулись, разговоры стихли. Но он опять великодушно отошел, бросая ярко-белые крутые облака в синее небо. Люська смотрела на него с отцовских рук и кричала: «Туту!» Рядом пели хором: «Пусть ярость благородная вскипает, как волна». Подошла продавщица мороженого, она продавала эскимо на палочках.

— Дайте нам, — сказал отец.

Продавщица не слышала, она продавала другим и отсчитывала сдачу, доставая мелочь из кармана своей белой куртки. Вале очень хотелось мороженого, у нее просто горло горело. Она забеспокоилась, что продавщица всё продаст и им не хватит. Но настал их черед, и она им дала четыре эскимо. Мать, заплаканная, тоже стала есть.

— Так мы и не снялись все вместе на карточку, — сказала она.

— Детей увози, если будет такая возможность, — сказал отец, глядя, как Люська лижет эскимо.

Рядом пели: «Идет война народная, священная война».

Вдруг качнулись теплушки и лязгнули: это, подойдя под шумок, прицепился паровоз. Мать зарыдала. Кругом стали целоваться. Заиграла гармонь — так громко, словно закричала. Отец поцеловал Люську и спустил наземь. Поцеловал Валю: на нее пахнуло знакомым табачным дымом, а ее губы были липкие, онемевшие от эскимо. Онемевшими губами она сказала:

— До свиданья, папочка.

Что-то докрикивал, торопясь, человек на вагонной крыше. Ополченцы лезли в теплушки.

Теплушки двинулись, покатились на высоких колесах, в распахнутых дверях — лица, гимнастерки, пилотки. Толпа хлынула вслед, но за поездом долго ли угонишься! Быстрее — и замелькали теплушки, уже и лиц не различить, мелькает темная, в перехватах полоска сквозь дрожащую радугу слез.

Рукой Валя стерла с глаз радугу.

Последний вагон мелькнул, за ним открылась пустота рельсов и шпал.

Они пошли домой.

3

Приходит тетя Дуся и говорит:

— Прежде всего, Нюра, ты сшей рюкзаки.

До этого мать хваталась то за одно, то за другое. Постирав, начинала гладить. Не догладив, садилась починять белье. Бросив починку, стала из своих платьев шить платья для Вали и Люськи.

— Будет в чем ходить, — говорила она соседкам. — Будем не хуже людей. А то они из всего повырастали.

На фабрику она больше не ходила. Тетя Дуся пришла и увидела раскиданное по комнате белье и лоскуты.

— Когда сошьешь рюкзаки, — сказала тетя Дуся, — сразу будет ясность: что брать, что нет.

Мать послушалась, бросила недошитое платье и стала кроить рюкзаки. Тетя Дуся давала советы, зажав в зубах дымящую папиросу и прищурив глаз.

— Главное, теплое все возьми, — говорила она. — Польта, валенки, все что есть. Там морозы до тридцати градусов и выше.

— А вы неужели останетесь? — спросила мать.

— Я одинокая, — сказала тетя Дуся, — кому-то оставаться надо, не может так тебе все и прекратиться. Мы будем выпускать диагональ, а возможно — шинельное сукно.

— Я этих тревог до смерти боюсь, — сказала мать. — Как завоет, я прямо ненормальная делаюсь.

— А я чего не выношу — это очередей, — сказала тетя Дуся. — До того они мне противны, я лучше есть не буду, чем в очереди стоять. Но я устроилась, я свои карточки Клаве отдала, ее девчонка, Манька, свой паек будет брать и на меня получит.

Тетя Дуся ушла. Мать села за машину и сшила из коричневой материи два рюкзака с лямками. Один большой — для себя, другой очень маленький — для Люськи; Люське тоже с этого дня полагалась своя доля тяжести.

У Вали был старый рюкзак, с которым она ездила в лагерь.

Мать гордилась — как аккуратно сшила и прочно.

— А для другого багажа руки свободны останутся, — рассуждала она. — Удобная вещь рюкзак.

— Удобная вещь рюкзак, — повторила Валя, разговаривая с подружками.

Ей не подумалось, как от него будет болеть шея, от этого мешка. В лагерь и из лагеря рюкзаки ехали на грузовике, а пионеры шли вольно, без ноши, и срывали ромашки, растущие у дороги.

4

Тяжесть почувствовалась, едва сделали несколько шагов. Но Валя не сказала.

Не сказала и мать, хотя она самое тяжелое взвалила на себя — в одной руке корзина, в другой кошелка и бидон, горой рюкзак на спине, — и шла согнувшись, с оттянутыми вниз руками.

Одна Люська бежала и припрыгивала, веселенькая, у нее в рюкзаке были носки да платочки, да мыльница, да гребешок, да полотенце — утираться в дороге, да кружка — пить в дороге, а больше ничего.

Дворничиха стояла у ворот. Они попрощались:

— До свиданья, тетя Оля.

— Счастливо. Давай бог. Вернуться вам поскорей.

Было рано. Нежаркое солнце светило на одну сторону улицы. На асфальте были лужи от поливки.

Люська шла в новом платье с оборочкой, Валя — в новом платье с пояском и бантиком. Накануне мать сводила их в парикмахерскую. Им нравилось, что они отправляются в путешествие такие нарядные.

Перед тем как уйти, мать и Валя убрали комнату. Смахнули со стола крошки, посуду помыли и спрятали в шкафчик. Оттоманку покрыли газетами, чтоб не пылилась. Абажур еще накануне был укутан в старую простыню. Укутывая его, мать заплакала: ей вспомнилось, как она покупала этот абажур, как радовалась, что он такой веселый, красно-желтый, как апельсин, и думала — вот еще скатерть купить новую, и совсем хорошо станет в комнате, — а вместо того смотри ты, что стряслось над людьми.

5

И вот они сидят у Московского вокзала.

У Московского вокзала, вдоль по Лиговке, до самой площади сидят на мешках и чемоданах женщины и дети. Ждут отправки.

Где-то близко голосом надежды кричат паровозы.

Тетя Дуся собрала вместе всех своих, пересчитала и сердится:

— Барахольщицы, вам сказано было — шестнадцать кило и чемоданов не брать, а вы натаскали?!

— Сама говорила, — кричат женщины, — польта брать и валенки, а теперь куда деть, на Лиговке кинуть?!

— И так сколько дома бросили, — кричат другие, — не знаем — пропадет или цело будет!

— На всех про всех три вагона, — сердится тетя Дуся, — багаж запихаете, а сами останетесь, что ли?

— Небось впихнемся и сами! — кричат в ответ. — Ты вагоны давай получай скорей!

Все жарче печет солнце.

Ожидающие выпивают всю газированную воду и съедают все мороженое, что продается на площади и ближних улицах. Очереди у водопроводных кранов стоят по дворам Лиговки, Старо-Невского и улицы Восстания. Валя стоит с чайником и бидоном, Люська с кружкой.

Набрав воды и напившись, они мочат носовые платки с завязанными на углах узелками и натягивают на голову. Получаются такие приятные прохладные шапочки. Только они сразу высыхают.

Мать сидит на корзине. Возле ее рук и колен — их имущество. Рядом сидит на своем чемодане толстая бабушка с большим желтым лицом и очень черными глазами. Она одета в синее горошком платье, белый шелковый шарф на плечах. Обмахиваясь сложенной газетой, она разговаривает с матерью.

— У вас красивые девочки.

Мать, конечно, рада.

— В отца пошли, — говорит она. — Он тоже такой блондин, тонкая кость.

— Прекрасные девочки, — хвалит бабушка и дает Люське и Вале по шоколадной конфете.

— И ты скажи спасибо, — учит Люську мать. — Видишь, Валя сказала спасибо. Всегда надо говорить спасибо. Угостите бабушку водичкой. Пейте, бабушка.

В очереди много девочек Валиного возраста. Валя с ними познакомилась. Стайкой бродят они вдоль высоких домов, на них смотрят тысячи окон, перекрещенных косыми крестами из белых бумажных полосок.

Заходят девочки в большой магазин и разглядывают: что там есть.

Там есть разные шляпы, и материи, и меха, и мебель, что хочешь. Только забиты фанерой витрины и горит электричество.

Только зачем нам эта мебель? Мы и свою-то бросили, не знаем, пропадет или цела будет.

Хорошие материи, да нам бы их все равно девать некуда. И так мешки набиты доверху.

А вон ту шляпу я бы взяла, если б мне купили. Ту красоту из прозрачной соломы с цветами я бы взяла. Я бы ее на голову надела. Какие цветы. Как живые.

Гуськом выходят девочки из магазина. Идут дальше.

Есть балованные и бойкие, нарочно разговаривают погромче и смеются, чтобы прохожие обратили внимание.

Но прохожие проходят, не обращая внимания. Взглянет рассеянно и пройдет.

Может, ему в военкомат, призываться.

Или с окопов приехал, спешит домой поесть, помыться, дел миллион. Что ему девочки, идущие стайкой по улице.

6

Среди этих девочек была одна. Такая всегда бывает одна. Еще она молчит. Еще она издалека посматривает на тебя — какая ты, будет ли вам вдвоем хорошо и весело; а ты уже понимаешь: это из всех подруг будет самая твоя дорогая подруга!

— Тебя как звать?

— Валя. А тебя?

— Светлана. Пошли за мороженым?

— Пошли!

— Я попрошу денег у моей мамы.

Но матери кричат:

— Хватит бегать! Что вам не сидится? Если посадка — где вас искать?

С дорогой подругой посидеть рядышком на мешках — удовольствие.

— А ты что читала?

— Я читала такую книгу! Понимаешь: он ее любил. И она его любила...

— Какие у тебя косы.

— А мне больше нравится без кос. Как у тебя.

— А ты смотрела кино «Большой вальс»?

Женщина рассказывает, как немцы бомбят Москву.

Другая рассказывает, как бомбили Псков. Но чаще всего упоминается какая-то Мга. Все время: Мга, Мга.

— Ой, — говорит мать, — хотя б тревоги не было, пока мы тут сидим. Куда с вещами в убежище?

— Будем надеяться, что не будет тревоги, — отвечает толстая бабушка. И, сорвав с плеч шарф, машет им и кричит:

— Саша! Саша!

Лысый дяденька, глядя себе под ноги, пробирается к ней. Лысина у него как яйцо, как острый конец яйца. Глаза такие же черные, как у бабушки. Рукава рубашки засучены. Портфель в руке.

— Вы еще здесь, — говорит он. — Ты что-нибудь пила?

— Я пила, — отвечает бабушка. — Не беспокойся.

— Ела что-нибудь?

— Ела, ела. Не беспокойся.

— Принести тебе чего-нибудь? Мороженого. Хочешь, поищу мороженого?

— Ничего не надо, побудь со мной. Что нового?

Они разговаривают потихоньку. Он стоит нагнувшись, а она его держит за руку, за худую, жилистую, поросшую темными волосами руку, стянутую ремешком часов.

— Ты еще забежишь, Сашенька?

— Постараюсь.

— Вдруг нас отправят еще не скоро. Вдруг только вечером. — Никак она его не может отпустить. — Ты забеги на всякий случай.

— Я постараюсь.

Высоко поднимая ноги, дяденька выбирается из очереди.

— Сын? — спрашивает мать.

— Какой сын, вы бы знали! — говорит бабушка. По ее большим щекам текут слезы. — При всех своих занятиях нашел время ко мне наведаться. И еще придет, дорогое мое дитя!

Валя и Светлана переглядываются. Подумать, что такого лысого дяденьку называют: дитя.

Люська засыпает на коленях у матери. Бабушка делает из газеты будку, чтобы прикрыть Люську от солнца.

И Валя со Светланой прилегли на мешках, пряча головы в коротенькой тени, которую отбрасывает бабушка. От каменной стены пышет как от печки.

Тень передвинулась — Валя очнулась, села, черные круги перед глазами.

Раскатами нарастает грохот: низко над крышами проносятся два самолета. Люська дернулась во сне.

— Спи, доченька, — говорит мать, качая ее на коленях, — это наши.

Самолеты жгуче сверкают, пролетая. Кажется, что они еще раскаленней, чем этот камень. Они раскаленные, как солнце. И грохот от них раскаленный, яростный.

Лиговка и Невский катят свою карусель. Спешат люди и машины. Милиционер размахивает палочкой. К тем, кто сидит и лежит у вокзала, это все не относится, они уже не здесь вроде бы. Они начали свое путешествие.

Вот этот трамвай, двадцать пятый, сейчас пойдет-пойдет — по улицам, по мосту — к нам на Выборгскую. Минут двадцать всего, и пройдет трамвай мимо нашей улицы. И там на нашей улице — наш дом и наша комната, мы ее убрали и веник с совком поставили в уголку.

На нашей улице тихо.

Перед нашим домом на асфальте мелом начерчены клетки, это мы чертили. Кто-нибудь сейчас там играет, прыгает.

Всего двадцать минут, если сесть на трамвай, на вот этот двадцать пятый номер.

Люди садятся.

Мы не сядем. Мы начали свое путешествие, до свиданья. Далеко наш дом. Далеко наша тихая улица. На краю света.

7

Большая девочка пришла с матерью и братом. Мать и брат сели и стали пить и есть, а девочка ничего не хотела. Даже сесть она не хотела. Стоя, с злым лицом озиралась она и говорила своей матери злые, насмешливые слова:

— Ах, жарко тебе! Ах, не нравится тебе! А кто это затеял, мы с Виктором? Мы с Виктором хоть сейчас вернемся, пожалуйста. Ах, ты не хочешь! Ну что ж, пожалуйста. Но тогда не говори, что тебе жарко, потому что ты сама, сама виновата!

Брат молчал. Он был калека, на костылях, одна нога отрезана выше колена. Он молчал, опустив голову. А их мать стала жаловаться соседям, старичку со старушкой:

— Как я ее воспитывала, во всем себе отказывала, а она вон что себе позволяет.

Девочка сказала с отчаяньем:

— Что ты со мной делаешь! Куда ты меня везешь! Ты меня ненавидишь! Ты меня убиваешь! Ты мне такое делаешь, как будто ты не мать, а враг!

Тут и брат ее сказал:

— Ну, хватит!

А их мать спросила у старичка и старушки:

— Видели?

Старичок и старушка поднялись и стали чистить друг на друге одежду.

— Присмотрите, будьте добры, за нашими вещами, — попросили они. — Мы сходим пообедать к родственнице. У нас тут близко, на Второй Советской, живет родственница.

— Ишь как вы устроились, — сказали им. — А если без вас уйдет эшелон?

— Ну что ж, значит судьба, — сказала старушка. — Мы там, знаете ли, примем душ.

— И полежим на диване, — добавил старичок.

Все смотрели, как они идут мелкими шажками, старичок опираясь на палочку, а старушка держа его под руку, — и говорили:

— И не все им равно, в тылу помирать или в Ленинграде? Еще едут куда-то, господи.

А другие заступались, говоря:

— Жить всем хочется.

Молодая женщина прижала к себе краснощекого маленького мальчика, целовала его красные щеки и спрашивала:

— Василек, Василечек, когда мы теперь вернемся с тобой?

Закричал на вокзале паровоз. Еще один поезд уходит, увозит еще сколько-то народу. Все встают, беспокоятся, тетя Дуся появляется, растрепанная, с дымящей папиросой во рту, и говорит:

— Теперь уже скоро, женщины. Обещают, что скоро.

Паровоз кричит: я тут! Я работаю! Я сделаю все, что могу!

8

Люди с химкомбината уехали.

Артисты оперы и балета уехали.

Старичок со старушкой пообедали у родственницы на Второй Советской, приняли душ, полежали на диване и вернулись на Лиговку.

Большая девочка перестала ссориться с матерью; замолчала. Сидит на мешке, крепко обняв колени загорелыми руками, глаза угрюмо горят из-под бровей, лицо темно от пыли и гнева.

Женщины волнуются, что так медленно идет отправка.

— Что в сводке? Вы дневные известия слушали?

— Говорят, из Гатчины шли жители, гнали коров.

— Нам не через Гатчину. Нам через Мгу.

— Через Мгу. Мгу. Мга.

Светлана рассказывает Вале:

— Я постучалась, спрашиваю: можно? Он говорит: войдите. Я вхожу. Он говорит: чем могу быть полезен? Я говорю: попробуйте меня, пожалуйста, в роли Снегурочки. Он говорит: мы моложе восьмого класса не принимаем. Я говорю: извините, пожалуйста, а разве способности ровно ничего не значат? Он говорит: вот о способностях мы и будем разговаривать, когда вы перейдете в восьмой класс. Ты понимаешь, я чуть не заплакала. Говорю: ну, тогда извините, — и пошла поскорей. Еще два года ждать, ты понимаешь?!

У Светланы плечи узенькие, руки и ноги как палочки. На ногах сандалии. Голубые бантики в косах.

— Ты мне будешь писать? — спрашивает Валя.

— Как же я буду тебе писать, когда я не буду знать, где ты. И ты не будешь знать, где я.

— Ты мне напиши на ленинградский адрес. И я тебе напишу на ленинградский адрес. Война кончится, приедем и найдем друг друга.

— Ужас, до чего надоела мне эта война, — говорит Светлана.

9

День бесконечен. Не счесть: сколько раз ходили за водой, и приваливались отдохнуть, и сколько видели лиц, и слышали разговоров, и сами разговаривали.

Но начинает наконец смягчаться сверканье неба. Уже можно взглянуть вверх не зажмуриваясь. Сиреневым становится небо и легким.

Черноглазая бабушка в горе: почему не пришел ее сын.

— Он обещал наведаться.

Она провожает трамваи печальным и жадным взглядом, вытягивая шею и приподнимаясь с чемодана. Все ей кажется, что на этом трамвае к ней едет сын.

— Может, придет еще, — успокаивают женщины.

— А если его перевели на казарменное положение? — спрашивает бабушка. — А если он уехал на окопы? Как мне узнать? Не съездить ли мне домой?

Но уже без пяти десять на вокзальных часах. А после десяти нельзя ходить по городу. Не удастся бабушке съездить домой. И сын ее не придет сегодня.

Медленно заволакивает ночь пролеты Лиговки и Невского.

Она уже не белая: белые ночи кончились. Сиреневая она сперва, потом простая, темная.

Без фонарей, и ни щелочки света нигде. Синие лампочки. Да бездонно высоко проступают звезды.

Лиговка это, или что это?

Где это мы сидим под звездами, путешественники?

Валя закрывает глаза, и ей снится пустыня Сахара.

— Валечка, — говорит над ухом голос матери, — поешь, детка.

Валя думает: «Мне потому снится пустыня Сахара, что я недавно читала про нее».

— Не ела целый день, — говорит голос матери. — Валечка, а Валечка, съешь яичко.

Громко разбивается яичная скорлупа. Должно быть, на всю Сахару слышно. До звезд.

Еще кто-то ест, шуршит бумагой, гремит бидоном. Кто-то спрашивает то здесь, то там:

— Градусник? Градусник? У вас нет градусника?

Простите, у вас градусника не найдется?

Черноглазая бабушка рассказывает о своем сыне:

— Когда еще маленький был, все — мамочка, мамочка. К отцу не особенно, все мамочка. И сейчас говорит — уезжай, говорит, мамочка, я не могу перенести, чтобы ты подвергалась опасности.

Сквозь мешок, набитый одежей (кажется или нет? Нет, не кажется), сквозь мешок (ну вот, опять) — слабые далекие толчки. Как будто землетрясение где-то. А, ну да. Это бомбежка, какое там землетрясение. Бомбовозы прилетают и бросают бомбы. Далеко: звука никакого, беззвучно вздрагивает земля. Далеко...

Притихла очередь.

Погромыхивая железом, на толстых шинах прокатил черный грузовик.

Идет какой-то военный.

Военный, которому разрешается ночью ходить по городу, переходит сюда с той стороны, где гостиница.

Черноглазая бабушка подняла голову. Ей, наверно, подумалось, не сын ли идет. А это военный.

Он идет вдоль очереди, высматривая. Сделает шаг и остановится, смотрит.

Чего ему надо?

Как вдруг поднимается над грудами багажа темная фигурка.

Поднялась, протянула руки... Ни слова не сказано. Как она очутилась возле военного? Валя моргнула — уже фигурка возле военного. Еще раз моргнула Валя — уже они уходят. Ладно идут они в ногу.

Сапоги военного стучат, а фигурка с ним рядом шагает словно по воздуху. И где-то в глубине ночи негромко засмеялась она.

В военную, без щелочки света ночь засмеялась она под высокими звездами так беззаботно, будто шла на одну только радость. Будто не летели бомбовозы и не целились пушки, чтобы убить ее радость.

10

Кончилась ночь. Валя встала и огляделась.

Было раннее утро, как тогда, когда они вышли из дому. Опять нежно светило солнце и прохладна была тень от домов.

Прошла машина и полила мостовую широкими свежими струями.

Воробьи чирикают и прыгают по мостовой, не боясь водяных струй. Маленькие быстрые коричневые воробьи вспархивают на тротуар, клюют крошки возле мешков и людских ног.

Матери расчесывают волосы дочкам. Женщина кормит ребенка грудью, прикрывшись косынкой.

И Люська проснулась. Она просыпается так: сначала начинают вздрагивать ресницы, потом приоткрываются глаза, они медленные, томные, они еще видят сон, наконец совсем открываются, яркие, чистые-чистые.

Люська проснулась, и видно, что она все забыла: где она и что с ней. Сидит и смотрит то налево, то направо, то вверх на небо.

Их новые платьица, которые мать шила и гладила с таким стараньем, стали мятыми и грязными, все оборки и бантики, как тряпочки. Какая досада! Еще вчера они были такие приличные!

11

О, новость, вот это новость, это событие! Знаете, кто ночью ушел с военным? Та большая девочка, что все ссорилась со своей матерью. Теперь понятно, почему она выходила из себя и ломала руки: ее увозили, а она хотела остаться там, где ее любимый. И оттого говорила дерзости.

— Как же она все-таки согласилась эвакуироваться?

— Она, может быть, его потеряла. Не знала, где он.

— Его, может быть, не было в Ленинграде.

— А мать ее заставила ехать.

Это девочки рассуждают, сверстницы Вали и Светланы. Собравшись стайкой, рассуждают, обсуждают, сочиняют.

— Они уехали, а он пришел к ним на квартиру.

— А ему сказали, что они уехали.

— И он пошел на вокзал. Вдруг, думает, она еще тут!

— Пришел, а она тут!

— И похитил!

— Какое же похищение, когда она сама к нему выбежала.

— Конечно, похищение, потому что потихоньку.

— А мать спала. С вечера, говорит, не могла заснуть, а тут как раз заснула.

— И брат спал?

— А кто его знает.

— Не спал он. Я видела.

— Говорит — спал.

— Вон та тетенька видела, как они уходили. Она ребеночка кормила. Видела и ничего не сказала.

— Кто ж бы сказал. Ты бы сказала?

— Ни за что!

— Никто бы не сказал, — говорит Светлана. — Это надо не знаю кем быть, чтобы сказать.

Мать беглянки плачет. Женщины ее утешают:

— Может, вернется! Одумается и прибежит!

— Да, как же, прибежит она, — плачет мать.

— Заявить можно, — говорит одна женщина. — Его за такие поступки, будьте покойны, не похвалят.

— Куда я заявлю, — плачет мать беглянки, — когда я даже фамилии не знаю, только знаю, что Костя!

Другие женщины говорят — как же она без паспорта, паспорт остался у матери. А девочки говорят:

— Она красивая.

— Что ты, красивая! Совершенно она не красивая!

— Просто самая обыкновенная.

Спорят, но ясно и спорящим, и молчащим, что эта беглянка, эта грубиянка — существо особенное: ведь во всей огромной очереди только за ней, какая бы она ни была наружностью, пришел ее любимый, и она выбежала к нему, протянув руки.

— У нее глаза голубые-голубые.

— Что ты, голубые! Карие у нее глаза.

— Ничего подобного. Не то серые, не то зеленые, не разберешь какие.

— Ты видел или нет? — пристает мать беглянки к своему сыну-калеке. — Ты спал или нет?

Калека молчит-молчит, потом обрывает:

— Да перестань! Тошно!

И ужасно становится похож на свою сестру.

— Пусть хоть у кого-нибудь в семье будет настоящая жизнь, — говорит он.

— Хорошо как жизнь, а как смерть? — плачет мать.

— Тоже ничего, — говорит калека. — Настоящая смерть на войне — тоже неплохо.

Он трудно поднимается, собирает свои костыли, идет. Он, когда был маленький, баловался на улице и попал под трамвай. Лопатки у него торчат под рубашкой, и нестриженые волосы лежат косичками на худой шее.

Женщины говорят:

— Без паспорта, без карточек, в чем была, — с ума сойти!

А девочки говорят:

— Как она ломала руки. Какая она была несчастная.

— Какая она сегодня счастливая!

— Ты рада? — спрашивает Светлана.

— Да! — отвечает Валя.

— Хорошо, правда?

— Хорошо!

Они быстро, по секрету от всех, пожимают друг другу руки.

В военную темную ночь, и такая история. Что за праздник нечаянный у девочек возле Московского вокзала!

12

И все как ветром сдунуто враз. Ничего этого нет.

— Светла-нааа! До свида-ньяааа!

Не видно Светланы, только слабенький голосишко звенит в ответ: «До свида-ньяааа!»

Все дальше, слабей звенит голосишко: «...ньяааа!»

Вздев мешки на спину, потоком идет народ.

Как щепочку, уносит Валю в душном потоке. Идем, идем. Не остановиться, не оглянуться. Справа мешок, слева мешок; каменные, ударяют больно. Собственный рюкзак давит Вале на позвонки, гнет шею. Идем, идем. Без конца идем, не видно куда. «Сейчас задохнусь», — думает Валя, но с готовностью идет и без страха: так надо. Так в нашем путешествии полагается. Только крепче держаться за Люськину руку. С другой стороны держит Люську мать, — мы все тут, потеряться не можем...

...В вагоне. Темно от вещей и людей. Валя, Люська, еще чьи-то маленькие дети, двое, на верхней полке. Там же чьи-то узлы. Внизу толчея голов. Мать говорит:

— Сели, слава богу.

До верха полон вагон, но люди входят, входят, вносят, вносят, — непонятно, как это все вмещается. Те, кто раньше вошел, говорят:

— Что они делают, дышать же нечем!

Черноглазая бабушка говорит свое:

— Так он и не пришел. Боже мой, так я его больше и не повидала!

На нижней полке напротив лежит на материнской жакетке краснощекий маленький мальчик Василек. Он заболел. Это его мать, оказывается, искала ночью градусник. У него тридцать девять и три.

— Тридцать девять и три! Тридцать девять и три! — несется по вагону. — Корь! Дифтерит! Скарлатина! Ветрянка!

Из толчеи является белый халат с красным крестом. Спрашивает громко:

— У кого тридцать девять и три?

Вслед за белым халатом — тетя Дуся.

— Ты, Нинка, всегда, — говорит она. — Вечно у тебя что-нибудь. И главное — в последнюю минуту.

Молодая мать Василька оправдывается:

— Как будто я нарочно, тетя Дуся, что я могла сделать?

— Могла раньше сказать, — сердится тетя Дуся, — могла не сажать больного ребенка со здоровыми. Надо ответственность иметь и перед ребенком, и перед коллективом. Которые твои манатки? Давай помогу.

Женщина в белом халате уносит Василька. Его мать идет за ними и говорит, смеясь и плача:

— Вот мы, Василечек, и вернулись в Ленинград.

Резкий свисток, заскрежетало под вагоном железо. Сдвинулись, тихо поплыли за мутным стеклом вокзальные здания.

Валя смотрит с верхней полки.

Тетя Дуся стоит на перроне, машет рукой. Проплыла, скрылась.

Размахивая портфелем, бежит по перрону дяденька с лысиной, как яйцо. Смотрит на поезд и бежит, вскидывая ноги в серых брюках.

— Ваш сын! Бабушка, ваш сын!

— Где? Где? Где? — кричит бабушка.

— Вон! Вон! — кричит Валя.

Но бабушке не видно и не пробиться к окну.

Скрылся дяденька.

...Поезд идет, как в туннеле, между другими двумя поездами, стоящими на путях. Длинный темный туннель, но вдруг голубизна, небо нараспашку, внизу — невиданная улица с домами и заборами и зеленые растрепанные деревья, а мы над улицей и над деревьями едем в голубой простор по высокой насыпи. Все бойчей идет наш поезд. И колеса запевают свои песни.

А Светлана осталась в Ленинграде. Или тоже уехала? Там на вокзале столько было поездов... Светлана, где ты, ты уехала или нет? Мы с тобой даже не поговорили так, чтоб почувствовать — вот так наговорились, все теперь друг про друга знаем. Мы ведь должны были стать подругами на всю жизнь!

Мать вьет гнездо на той стороне полки, где сидят Валя и Люська.

Что-то она им стелет, чтоб было мягче, и снимает с Люськи сандалии, чтоб легче было ножкам, и, намочив водой из бидона тряпочку, обтирает эти запыленные ножки. Из кошелки достает хлеб, огурцы, ножик, соль. Не кладет куда попало, сначала расстилает у Вали на коленях чистое полотенце. Красными и черными крестиками на полотенце вышиты петушки и коники, кто, бывало, увидит — обязательно скажет:

— Что за полотенце у вас такое красивое.

А мать ответит:

— Это еще моя мама вышивала себе в приданое.

Сейчас никто не любуется старинным полотенцем. Не до полотенец им. Не до уюта. А мать все равно вьет гнездо.

— Как бы мне вам платья переменить, — говорит она.

Вила гнездо под крышей, в комнате, оклеенной новыми обоями. Вила, как могла, на тротуаре под небом, на Лиговке. Теперь вьет на вагонной полке.

Устроив и покормив своих детей, садится внизу рядом с черноглазой бабушкой, бабушка ее пустила на свой чемодан — и задремывает, усталая от трудов и волнений посадки, руками придерживая склоненную голову. И Валя, сидя поджавши ноги на полке, сверху видит небольшую эту темно-русую голову с тонким белым пробором.

13

Она учила своих девочек всему хорошему, что знала сама.

Не ее вина, что знала она не много. Она не успела научиться. Ей и на фабрику нужно было, и дома все делать — готовить, шить, убирать, стирать. Спала меньше всех: все еще спят, а она уже встала и варит суп или гладит отцу рубашку.

Если вкусное что-нибудь, она им троим раздаст, а сама скажет — я уже ела.

Если отец выпьет когда, она его уложит, укроет, уговорит не петь, а соседям скажет — Митя отдыхает, устал на работе.

И всегда взваливала на себя самое тяжелое, и всегда торопилась.

Ее радость была — все делать для тех, кого она любила.

Валя ничего этого не успела даже понять.

Ничего я не успела понять. Не успела как следует полюбить тебя. Ты меня приучила, мне казалось — так и надо, чтобы ты раньше всех вставала и все для нас делала.

Глупая я, глупая, думала о Светлане, — ты была около меня, а я о тебе не думала, думала о Светлане!

Я бы потом поняла, когда выросла! когда поумнела! Я бы ноги тебе мыла, мамочка!

14

К станции Мга идет поезд.

Больше, впрочем, стоит, чем идет. Пойдет-пойдет, иной раз даже шибко, — и станет, и стоит три часа, четыре часа...

Нева то видна из поезда, а то скрывается.

Мужчины и женщины копают окопы. Летит с лопат ярко-черная земля и ярко-рыжая. В поезде люди говорят:

— Уже возле самого Ленинграда копают.

На болоте сложены какие-то плиты. Люди говорят — торф.

Говорили, Мга совсем близко, рукой подать. А ее все нет. Все она впереди, Мга.

Но мы к ней приближаемся. В тесноте и муке, с затекшими ногами, засыпая от духоты дурным, мутным сном и просыпаясь со стонами, — приближаемся к тебе, Мга, последний наш выход из города, к которому подходят убийцы.

Я запомню все эти болота и постройки.

Не станет этих построек, а я их буду помнить.

Приближается ночь, мы приближаемся к Мге. На нашем пути она неминуема, Мга.

ВОЗВРАЩЕНИЕ

1

В старую конфетную коробку Ксения Ивановна положила лекарства и сказала:

— Если порез или царапина — помажете йодом. Если заболит горло — вот стрептоцид, по таблетке три раза в день. И на всякий случай даю валерьяновые капли.

Ксения Ивановна от всего пила валерьяновые капли и других любила поить.

— На остановках не выходите, а то загуляетесь и поезд уйдет, что тогда будете делать? А если все-таки выйдете и поезд уйдет, обратитесь в железнодорожную милицию. Уж как-нибудь вас доставят.

— Мы не будем выходить, — сказала Люська. — Мы будем все время в поезде сидеть.

— И потом — ты, Валя, уже большая, я должна тебя предостеречь, — сказала Ксения Ивановна, понизив голос. — Избегай дорожных знакомств с молодыми людьми. Ни в коем случае не допускай этих знакомств! У молодых людей в поезде только одно на уме — как бы познакомиться и поухаживать. Сначала он с тобой заговорит, потом принесет тебе кипятку, а потом подсядет и начнет ухаживать. А тебе это неприлично. Ты еще маленькая. И вообще неприлично, даже взрослым. Ты так сделай. Если он принесет кипятку, ты скажи: благодарю вас, мы не нуждаемся в ваших услугах, нам даст чаю проводник. Я один раз ехала, еще до войны, и какой-то в шляпе ехал. Нас было три девушки, и он ухаживал за всеми. Но я сказала: прекратите, я знаю эти штуки, не на такую напали! А известны случаи, — продолжала Ксения Ивановна, зловеще помаргивая, — когда он прикинется, будто ухаживает, а потом возьмет и стащит твой чемодан, только ты его и видела!

— И у вас стащил? — спросила Люська.

— Нет, лично у меня нет, — ответила Ксения Ивановна, — но с дочерью одной учительницы был такой случай. У меня не так просто что-то стащить. Я когда еду, то глаз не спускаю с моего чемодана. А когда сплю, то чемодан у меня в изголовье, и я ложусь так, чтобы все время чувствовать его головой.

— И мы ляжем, — сказала Люська. — И мы так ляжем, чтоб чувствовать головой.

Другие воспитательницы тоже хотели бы дать Вале разные полезные советы. Но они не могли себе ясно представить, какая сейчас жизнь в Ленинграде и что можно посоветовать тем, кто туда едет. Они задумывались, сбивались и, начав советовать, не доводили дело до конца. А Ксения Ивановна была уверена, что ее советы пригодятся при любых обстоятельствах.

2

— Валя, Люся! — будила она торопливо-тревожно. — Вставайте, ехать пора!

Валя вскочила. Ударило светом в глаза. Ксения Ивановна стояла одетая, с мокрой лисой на плечах, держала лампу... Валя стала одеваться, хватая не те одежки, дрожа от ночного холода. Многие девочки тоже поднялись из-под серых одеял, одевались молча. Люська села в постели и сидя досыпала, пар шел от ее открытых губ.

— Вставай! — сказала Валя.

— Я хочу спать, — сказала Люська, качаясь.

— Одевайтесь, одевайтесь! — повторяла Ксения Ивановна, уходя в волнении. От валенок ее отпечатались на полу темные следы, похожие на восьмерки. Среди ночи она ходила в колхозную конюшню проверить, запрягают ли лошадей.

Сани у крыльца. Старшие девочки и воспитательницы вышли провожать. Крыльцо освещено фонарем. Дядя Федя, двигаясь неловко на своем протезе, укладывает багаж. Он закапывает Люську в солому. Тетя Настя ему помогает.

Потом Люську укутывают черным пахучим тулупом, и все подходят ее поцеловать. Ее тут баловали, такую славненькую.

Тем, кто остается, грустно.

— Валечка, пиши! Хорошо тебе устроиться!

— Закрывайте рты хорошенько, а то простудитесь! — Это Ксения Ивановна говорит.

— Ты смотри не особенно себе позволяй! — Это говорит тетя Настя дяде Феде.

Тронулись сани.

Тихо тронулись сани, медленно отступает детдом — длинное темное строение, кучка людей на крыльце, фонарь над крыльцом на бревенчатой голой стене.

Это все отступает медленно в ночь и исчезает, когда унесли фонарь. Ночь — даже полосы от полозьев не разглядеть на снегу, даже полосы полозьев не соединяют нас с тем, что исчезло.

Мороз неподвижный, чистый. Спят в неподвижном морозе далеко друг от друга раскиданные села. И в детдоме, наверно, опять все легли, проводив. А мы едем, обмотанные шарфами, стынут глаза.

Мы прожили в детдоме три года, три месяца и три дня.

Там мы получили известие, что папа убит под Шлиссельбургом. Люська плохо помнила папу и не плакала.

Нас учили.

Мы выросли.

Дом, где мы жили в Ленинграде, разрушен. Это и странно и не странно, как подумаешь. Дом был, когда были мама и папа. Его не стало, когда не стало их.

Но мы едем в Ленинград, это устроила тетя Дуся. Еще давно, в голоде, под бомбами, она написала: «Фабрика вас не оставит, ждите». Мы ждали, и дождались, и едем.

Пофыркивают лошади. Хорошее животное лошадь. Мороз, мрак, а оно везет себе, пофыркивая.

Начинает светать. Перед нами внизу — будто молоко разлито до горизонта — огромная замерзшая река. Мы спустились к реке. На ее белой глади цепочкой чернеет дорога, по которой нам ехать.

Мы, должно быть, очень маленькими кажемся в этом белом студеном утре, встающем из ночи. Ползет через неоглядную зимнюю равнину черненькая какая-то козявка. А на самом деле это целых две лошади, и сани, и две девочки, и солдат в шинели, и женщина, которая правит лошадьми, широкая суровая женщина в платках, с белыми от инея бровями и ресницами.

3

Иззябшие, они захлебываются теплом и махорочным дымом вагона. Махорочный дым и музыка! Патефон играет вальс. Морячок, не обращая на патефон внимания, играет свое на гитаре с голубым бантом. Гитару он взял у девушки в белом пуховом берете. Он играет и поет: «Я уходил вчера в поход в далекие края». Припев «моя любимая» он поет, обращаясь к девушке, а она начинает делать разные движения — смотреть на часы, заправлять волосы под берет и отворачиваться к окну.

Люди на всех полках, до потолка. На нижних — по три, четыре человека. В этой тесноте они пьют чай, играют в домино, ходят по вагону. В окнах раннее розовое солнце.

Едем.

Устроив Люську и Валю, дядя Федя их кормит. Кипятку он захватил на станции. Люди смотрят с интересом, что едят Валя и Люська, смотрят на их платья из жесткой материи защитного цвета и говорят одобрительно:

— Детдомовские? Сухой паек хороший дали в дорогу. И платья пошили новые.

— И пальтишки, — говорит дядя Федя. — Пальтишки тоже новые, не как-нибудь.

— Дочки? — спрашивают у него.

— Почти, — отвечает дядя Федя и подмигивает Люське, он ее полюбил. — Еду по своему делу и дал согласие сопровождать.

Конечно, людям интересно, по какому он едет делу.

Дядя Федя начинает издалека — рассказывает, как его часть брала Ропшу, как он был ранен и лежал в Ленинграде.

— И теперь, — говорит он, — я желаю жить только в этом высококультурном городе, и моя супруга, она в данное время в детдоме поваром, со мной солидарна.

Люди говорят:

— Вот как.

— Мой знакомый майор, — говорит дядя Федя, — демобилизовался в Ленинграде — неплохую получил комнату на набережной реки Карповки. Помещение, правда, чердачное, но оборудован санузел и проведено электричество.

— То майор, — говорит другой солдат, — а мы что за генералы, чтобы получать квартиры в Ленинграде?

Но дядя Федя говорит — чины не первое дело, есть вещи более говорящие уму и сердцу, — когда, например, человек сражался за Ленинград и потерял ногу, что, не верно?

Другой солдат говорит, что оно-то верно. Слово за слово выясняется, что они с дядей Федей земляки, оба из-под Вологды. Дядя Федя достает из кармана шинели бутылку с мутной жидкостью, похожей на керосин, и говорит:

— Позволим себе по этой уважительной причине. Деревенский, свеженький.

Они чокаются с земляком жестяными кружками.

Едем.

Против Вали — офицер и девушка. Они держатся за руки, их пальцы сплетены и неспокойны. Время от времени один поворачивает голову и взглядывает на другого, и сейчас же, дрогнув, поворачивается другой, и они глядят прикованно друг другу в глаза, и офицер что-то шепчет, нежно шевеля губами, и девушка обливается румянцем.

Она говорит:

— Мне жаль.

— Чего жаль? — спрашивает он, нагибаясь к ней.

— Домика.

— Нашего домика?

— Да... Крыльцо. Дорожку. Окошечко.

— Почему жаль?

— Потому что я это больше не увижу.

— Очень жаль?

— Очень.

Взгляд в глаза. Девушка обливается румянцем. Потом она спрашивает:

— А тебе?

— Я взял наш домик с собой. Он у меня тут. — Офицер похлопывает свободной рукой по своей сумке.

Девушка улыбается, счастливая.

— Ты все взял?

— Все.

— Дорожку не забыл?

— Как же бы я ее забыл.

— Ты не забыл, что окошечко было красное?

— А сосны черные.

— И месяц над соснами.

— Молоденький, тоненький... Вот он. И сосны вот они. Всё тут. Вот какая ноша. Тяжело от тебя уйти с этой ношей.

— Ты вернешься, — говорит она, закрывая глаза, и сжимает его пальцы. — Ты вернешься, ты вернешься!

— Ты меня встретишь, — говорит он. — Я открою сумку и все достану. Домик, месяц. Дорожку...

Но она плачет. Почему она плачет так горько? Он, должно быть, в отпуску был и снова едет воевать. А с войны, бывает, не возвращаются... Музыка! Патефон играет румбу. Морячок играет на гитаре с голубым бантом «Солнечную поляночку».

4

Мне нравится, чтобы играла музыка. Чтобы у людей были спокойные, довольные лица.

Как хорошо, когда разговаривают вежливо и приветливо.

Особенно мне нравится, когда красиво говорят о любви. Ну что она плачет, такая любовь у нее, а она плачет.

Гражданочка, что вы сделали, испортили вашими слезами прекрасный разговор! Гражданочка, гражданочка... Я знала другую, та смеялась. Без паспорта, без карточек, в чем была — шла и смеялась...

Вообще, устала я от слез.

Конечно, без слез как же, когда война...

Но хоть по возможности — пусть побольше, пожалуйста, будет красивого и играет музыка.

Дядя Федя разувается, чтобы показать земляку свой протез. Зачем это, я не понимаю, показывать? Люська. А Люська. Иди сюда. Давай я тебе лучше, хочешь, почитаю. Чего тебе там смотреть. Почемучку давай почитаю тебе.

5

Читали Почемучку.

Книгу «Радуга» читала Валя, уже не вслух, — для себя. О войне.

Дядя Федя и его земляк рассказывали о войне. Все слушали. Еще один солдат ехал на верхней полке, спал, загородив проход ногами в синих шерстяных носках. Он проснулся, свесился с полки и охрипшим со сна голосом тоже рассказал о войне.

Война, война, боль, кровь!

Потом женщины рассказывали, как плохие жены изменяют мужьям.

Одна женщина рассказала о вещих снах и видениях.

Дяди-Федин земляк сказал — видения бывают только у психических, но что действительно бывает, это предчувствия.

Морячок сказал — предчувствия тоже предрассудок. Оставив гитару, он прочитал маленькую научную лекцию. Солдаты одобрили, что он такой образованный, не зря его учили, расходовали народные средства. Закончив лекцию, он рванул струны и запел любовное с новой силой, и девушка в пуховом берете уже улыбалась, не отворачивалась, она стала его уважать за лекцию. И правда же, это много значит, когда человек, который оказывает тебе внимание, может прочитать лекцию.

Тем временем померк декабрьский день, первый день пути. Долго стояла в окне желтая полоса заката — растаяла, и под потолком в махорочном тумане зажелтели лампочки. Все, устав, угомонились, и певцы, и говоруны, и тот, что с утра крутил пластинки. Притих вагон, только в глубине его один голос монотонно и неустанно рассказывал что-то... Люська заснула, прижавшись к Вале. И Валя вдруг поплыла куда-то — упала к соседке на плечо, очнулась... Солдат в шерстяных носках стоял рядом и поталкивал задремавшего дядю Федю.

— Товарищ, товарищ, — говорил он тихонько, — проснись, послушай: мне через остановку сходить, занимай для детей мою полку, слышишь...

Дядя Федя разобрался, вскочил и, не тратя слов, поднял Люську наверх. Люська, не просыпаясь, пробормотала: «Иди, вот я Вале скажу», — и сладостно растянулась, привалясь светлой встрепанной головой к солдатову сундучку.

— И вы полезайте, девушка, — сказал солдат Вале и сел на ее место возле дяди Феди. — Закурим, товарищ.

Тучи горького дыма поднялись снизу.

— Устраиваться, значит, едете, — сказал солдат.

— Я очарованный странник, — сказал дядя Федя. — Очаровал меня Ленинград.

— Нет, — сказал солдат, — я к себе в Курскую область, когда окончится. У нас там вишни хорошо цветут.

— Нахозяйничал Гитлер в вашей Курской области.

— Поправим.

— Теперь уж недолго, — сказал дяди-Федин земляк, — все пойдут кто куда. Вопрос месяцев, а скоро будет вопрос дней.

— Я что в армии освоил, — сказал дядя Федя, — я машину прилично освоил. Буду стараться получить права.

— Торговая сеть, — сказал земляк, — имеет свои преимущества.

— Эх, земляк, — вздохнул дядя Федя, — какой я продавец, чего я наторгую? Я лесоруб, я плотник, я птиц любитель, — очарованный странник, тебе говорят...

6

Второй дорожный день. Почти полпути проехали.

Высадился солдат в шерстяных носках. Высадилась девушка, та, что плакала. Один, темней тучи, едет девушкин офицер, ни на кого не глядит.

Большая станция. Стоят поезда, обвешанные ледяными сосульками. Многие пассажиры вышли подышать воздухом. Вышел и дядя Федя, он с утра опять себе позволил, и у него болит голова.

— А мы не выходим, — объясняет Люська соседям. — Нам Ксения Ивановна не разрешила. А то загуляемся и поезд уйдет, что тогда будем делать? А если у нас заболит горло, мы будем принимать стрептоцид — по таблетке — три раза в день.

Она говорит все рассеянней и медленней, лицо становится задумчивым. Задумчиво глядя куда-то, она принимается стоя качать ногой, так она поступает всегда в затруднительных положениях.

Валя оглянулась — какое затруднение у Люськи.

Стоит молодой парень, или большой мальчик, в ватнике, ушанке, через плечо переброшен полупустой рюкзак.

Лицо чистое, можно сказать — красивое. Темный пушок над губой...

Парень видит, что они на него обратили внимание, и спрашивает вежливо:

— Тут все места заняты?

— Кажется, все, — отвечает Валя, дичась и чувствуя себя виноватой, что приходится отказать человеку. Но и человек-то что думает, разве по вещам, везде наваленным, не видно, что здесь ни одного свободного места.

Парень говорит:

— Ну, придут — я уступлю. — И садится на кончик скамьи.

— Подсел, — говорит Люська.

— Что?.. — спрашивает Валя.

— Он подсел! — повторяет Люська торжественно. — Он в шляпе!

Качая ногой, она спрашивает:

— Это у вас правда шляпа?

Парень в недоумении:

— Что она спросила? Ты что спросила?

— Это шляпа! — в восторге, что предсказания сбываются, говорит Люська. — Сейчас он начнет ухаживать.

— Это шапка, — говорит сбитый с толку парень. — Конечно, шапка, а что же еще. Ты хочешь, чтобы я за тобой ухаживал? — Он улыбается невеселой какой-то улыбкой. — Смешная девочка. Ты очень смешная девочка. Как же за тобой ухаживать? Ну хочешь, я тебе принесу кипятку, ты попьешь чаю.

— Благодарю вас, — говорит Люська, качая ногой. — Мы не нуждаемся в ваших услугах, нам даст чаю проводник.

— Что делается, — говорит парень. — Откуда ты такая взялась?

Он шутит, но глаза строгие. Улыбнулись чуть-чуть и опять помрачнели.

— И как же зовут тебя?

— Люся, Людмила, — благовоспитанно отвечает Люська тонким голоском. — А вас?

— Володя. Будем знакомы?

Люська вкладывает в его руку свои пальчики.

— Сестра ваша? — спрашивает он у Вали. — В Ленинград едете?

Она не привыкла разговаривать с незнакомыми парнями, да и знакомых было много ли — несколько сельских ребят! — и отвечает «да», робея, краснея и негодуя на свою дикость. Чтобы он не подумал, что она совсем дура нелюдимая, она спрашивает:

— И вы?

— Я тоже. Вы в Ленинграде где живете?

— Мы жили на Выборгской, — говорит она. Что дом их разбит, договаривает в мыслях, вслух стесняется — чересчур уж получится бойкий разговор.

— Мы на Дегтярной. Знаете Дегтярную?

Она не знает Дегтярной, вообще мало что знает дальше своего района, по правде говоря. Ей снятся улицы, она считает — это ленинградские, но, может быть, она их придумывает во сне...

Это все она ему рассказывает мысленно, а вслух произносит одно только слово:

— Нет.

Возвращаются пассажиры, выходившие дышать воздухом. Возвращается дядя Федя. В одной руке у него бутылка топленого молока с коричневыми пенками. В другой — большая, румяная, великолепная картофельная шаньга. Он несет эти свои приобретения бережно и с достоинством, — и, конечно, он недоволен, что его место занято.

— Ну-ка, парень, — говорит он.

Тот встает безропотно. Дядя Федя, успокоившись, разламывает шаньгу пополам и дает Люське и Вале, приговаривая:

— Покушайте гостинца.

— Я потом, — говорит Валя.

Потому что парень смотрит на шаньгу. Она бы отдала ему половину своей доли. Даже всю свою долю. Но как дать? Сказать «нате»? Обидится. Спросить: «Хотите?» — скажет: «Спасибо, не хочу».

Он отвернулся. Сидит на мешке чьем-то и смотрит в другую сторону. Отвернулся, чтобы не мешать Вале есть. Будто так уж ей нужна эта шаньга.

Поезд идет. Идет контроль.

Старичок контролер в очках, а перед ним проводница, она выкликает:

— Приготовьте ваши билеты!

Все достают билеты. Дядя Федя лезет в нагрудный карман. И тот парень лезет в нагрудный карман. У всех внимательно рассматривает контролер билеты, а у некоторых еще спрашивает документы, и громко щелкают его щипцы, и когда они щелкнули — уже тот человек спокоен, он едет правильно и может ехать дальше, куда ему нужно.

Так проверил контролер дядю Федю и его земляка, женщину, которая рассказывала про сны, и морячка, и девушку в пуховом берете, и остальных всех, и вот он повернулся к парню в ушанке и ватнике, сидящему на чьем-то мешке. Парень подал бумаги.

— Билет, — сказал контролер.

Парень встал и молчал.

— Нет билета? — спросил контролер, глядя сердито через очки.

— Мне нужно в Ленинград, — сказал парень.

— А пропуск где? — спросил контролер.

— Мне очень нужно в Ленинград, — сказал парень.

— Мешок твой? — крикливо спросила проводница. — Где ж твои вещи? Это все вещи твои?

Парень молчал. Все молчали, покамест контролер читал его бумаги.

— Так, — сказал контролер, дочитав. — Пошли.

Опустив глаза, парень двинулся вслед за проводницей.

Контролер за ними. Все заговорили громко.

— Как можно, — говорили одни, — ехать зайцем, на что это похоже!

— А вам никогда не приходилось? — спрашивали другие. — Не знаете, почему человек иной раз едет зайцем?

— Просто жулик, — говорили третьи. — Думал украсть чего, — не вышло.

— Валь! — сказала Люська. — Он думал украсть чемодан?

— Хватит тебе повторять глупости, — сказала Валя.

— Он жулик? Валь!

— Нет.

— Просто он молодой человек, — примирительно сказала Люська, желая утешить и подлизаться.

Валя взялась за «Радугу». Ей грустно стало. Еще почти двое суток в этом вагоне... Какие несправедливые есть люди. Не может быть у жулика такое лицо.

7

...Вот запало в голову чужое окошечко и месяц над черной сосной.

Тонкий месяц светит. Краснеется окошечко. Зовет дорожка, бегущая к домику.

Что будет у меня, что? Какая предстоит мне любовь?

Какие подвиги, какие переломы судьбы?

Это со всеми так или только со мной, что все время уходят от меня те, кто мне нужен, или я от них ухожу?

И этот тоже — на минутку подсел, и нет его, увели.

Будет ли встреча прочная, вечная?

8

Сколько печных труб, оказывается, понастроили люди. Вот они торчат, трубы, во множестве торчат из-под снега. При каждой трубе была раньше печь, варилось кушанье, люди грелись. Сейчас голо и дико торчат бездомные трубы. Все кругом рухнуло, лежит под снегом, печи, стены, а трубы торчат.

Подъезжаем.

Все одеты в пальто и давно стоят на ногах, накаляя вагон своим жаром. Дядя Федя в шинели, спустив наушники и завязав тесемки под небритым подбородком, встал как скала позади Вали с Люськой. Толчок под ногами, и остановился поезд, люди начинают выливаться из вагона.

Свежий воздух в лицо, столб, часы...

Ленинград?

Толпа льется по перрону...

— Держись! — вскинув на спину багаж, велит Люське дядя Федя. Люська ухватилась за его шинель рукой в рукавичке... Железная калитка в конце перрона, и у калитки — да, она! — тетя Дуся, постаревшая, потемневшая, но она, она! — пряди стриженых волос вдоль щек, папироса во рту, прижмуренный глаз...

9

У тети Дуси умылись над раковиной в большой темной кухне и пообедали. Кроме супа и каши была сладкая наливка, и не только дядя Федя, все, даже Люська, позволили себе и выпили за то, чтоб больше с нами этого не было, сколько б мы ни прожили, хоть по сто лет, — будем здоровы!

Накрывала на стол и грела обед молодая красавица. Ее звали Маней. Она работала на фабрике. Мать у нее умерла в блокаду.

Тетя Дуся рассказывала, как Маня тушила пожары и поймала ракетчика.

— Схватила мерзавца за шиворот.

Маня весело засмеялась. Совсем нетрудно было вообразить, как эта Маня с подбритыми бровками и золотистыми локонами хватает мерзавца за шиворот. Такой был вид у нее боевой, что ничего о ней вообразить не трудно. Среди пляшущего пламени она бегала по крышам, ну что ж. Она все могла. Как ловко сидел на ней черный свитер, загляденье.

— Что думаешь делать? — спросила тетя Дуся у Вали, когда закончился обед и закончились воспоминания и дядя Федя, распрощавшись, ушел к своим знакомым.

Валя поделилась давнишним планом.

— Я бы хотела, — сказала она, запинаясь, ей самой этот план казался фантастическим, хотя мало ли фантастического на свете... — Хотела, если можно, съездить на Мгу, поискать мамину могилку. Папину, конечно, не найти...

— Это удивительно, — сказала тетя Дуся, — до чего вы ни о чем не имеете понятия. Ты ехала: ты видела? Можно там найти могилу? Мга! На Мге все перекопано, мин еще до черта... Она будет искать могилку!

— Но я помню, где она! — сказала Валя. — Вот так находится ров, к которому мы бежали. А так...

— А зачем у тебя на могилы настрой?! — спросила тетя Дуся гневно. — Молодая! Жить должна! Становись на участок, где мама работала, — это будет красота, это я понимаю!.. А пока бери-ка Люську да идите в баню, самое первое дело с дороги баня.

Когда Валя собрала белье, тетя Дуся к ней подошла и поцеловала.

— Ты все-таки молодец, — сказала она. — Я боялась, ты слабонервная, как мама была, — нет, ты молодец. Где баня, помнишь? А то Манька проводит.

— Не надо провожать, — сказала Валя. — Я помню.

Они хорошо помылись с Люськой, потом Валя сказала:

— Пойдем посмотрим, где был наш дом. Отсюда близко.

Горели фонари. Мелкий снег, блестя, крутился вокруг фонарей. Валя озиралась, — напоминания обступали ее, выходя из летящего снега. Вывески, подъезды, звон трамваев, освещенный вход в кино, завитая кукла в окне парикмахерской, все было напоминаниями. Но почему-то думала Валя не о том, как она ходила тут маленькой, — ей снова вспомнилось ее поездное знакомство, молодой человек Володя, которого увел контролер.

«Он все равно доберется до Ленинграда, — подумала она, — и я смогу его встретить. Даже сейчас могу его встретить, почему нет, как будто это так уж невозможно».

И на всякий случай стала смотреть на прохожих.

Люди шли по улице, входили в магазины, выходили из магазинов. Ловко вскидывая над снежным тротуаром короткое толстое туловище, на руках прошел безногий, его отечное, темное, хмельное лицо вдруг вынырнуло перед Люськой. Люська отпрянула.

— Валь, — сказала она, — я не хочу смотреть, где был наш дом. Идем к тете Дусе.

— Уже скоро! — сказала Валя. — Вон наш угол! Вон тот, где булочная! Видишь? Где высокое крыльцо, мы там покупали хлеб.

Они дошли до булочной и свернули за угол.

Все дома были на месте. Только одного не было, вместо него — дощатый забор. Слева стояла фабрика-кухня, к ее каменным столбам примело свежего снежку. Справа подымался высокий темный дом, только несколько окон в нем было освещено. А посредине — провал, будто зуб выпал. Провал и дощатый забор.

— Надо же! — сказала Валя. Они постояли, глядя на забор.

— Вот тут были ворота, — сказала Валя.

— А может, — сказала Люська, — это не наш дом. Почем ты знаешь?

— Ну как же мне не знать! — сказала Валя. — Вот тут всегда стояла дворничиха. Ее звали тетя Оля. Пройдешь подворотню, и направо второе наше было окно.

— Ну, пойдем, — сказала Люська.

Обратно лучше было идти: ветер дул в спину. Сквозь снег загорались на перекрестках то зеленые огни, то красные.

10

— С легким паром! — сказала тетя Дуся. — Вешайте пальтишки к батарее. Сейчас чай пить будем.

Маня в кухне развешивала на веревке чулки и лифчики и пела: «Вышел в степь донецкую парень молодой». И пела она, и развешивала белье, и мыла таз как-то приятно, ловко, с удовольствием. «И я завтра все перестираю», — подумала Валя.

На керосинке сопел чайник. Тетя Дуся наколола щипчиками сахар, нарезала хлеб, достала из шкафчика банку консервов и сказала Мане:

— Свинобобовые открой-ка.

— Тетя Дусечка, — сказала Маня, — это не свинобобовые, это паштет.

— Как же паштет, — возразила тетя Дуся, — когда свинобобовые?

— Ну как же свинобобовые, когда паштет! — воскликнула Маня, держа банку в разбухших от стирки маленьких ручках с колечком на розовом пальце.

И они еще поспорили, прежде чем открыть банку. Там оказался паштет. Сели за стол. Люська ела все, что давали, и тянула из блюдечка чай, раскраснелась, а Валя съела немножко, она боялась, что мало останется тете Дусе и Мане, которые столько голодали. Она смотрела на Маню и думала: «Какая красивая». Ей хотелось иметь такой же свитер и такую же прическу. Быть тоже бедовой, проворной. «Она разговаривает с тетей Дусей как равная, — думала Валя, — это потому, что она тушила пожары и спасала умирающих».

Постучали в дверь, пришла женщина.

— Нюрины девчата прибыли, — сказала ей тетя Дуся. — Ты помнишь Нюру?

— Это какая Нюра? — спросила женщина.

— Ну как же, — сказала тетя Дуся, — небольшая такая, во втором цехе работала.

— Рябоватенькая? — спросила женщина.

— Нет, рябоватенькая — то Соня была, — сказала тетя Дуся, и Маня подтвердила:

— То тетя Соня была.

— А чего ж это я Нюру не помню? — спросила женщина.

Вошла другая женщина, болезненная, угрюмая. Тетя Дуся и ее спросила:

— Нюру помнишь? Это ее дети.

— Нюрины дети? — переспросила женщина.

Она стояла, прислонясь к двери, и смотрела на Валю и Люську.

— Не похожи на Нюру, — сказала тетя Дуся. — В отца, я его знала, белокуренький такой был.

— На Нюру не похожи, — эхом повторила женщина.

Она отвернулась, и в профиль Валя ее узнала. До чего она изменилась, она была совсем молоденькой, когда сидела на Лиговке у Московского вокзала со своим мальчиком Васильком. Волосы у нее стали редкие и серые, и черты другие, будто не ее лицо, непонятно, как Валя ее узнала.

Узнав, она об этом не сказала и не спросила про Василька. Она понимала, что спрашивать не надо. Что можно, скажут без твоих вопросов. Ты молчи, жди, когда тебе скажут.

Посторонние ушли. Тетя Дуся и Маня стали готовиться к ночлегу. Тетя Дуся уложила Люську с собой на кровати, а Маня постелила себе и Вале на полу. Подушки она прислонила к батарее парового отопления. Через окна с улицы светил свет в комнату.

— Ложись к середке ближе, — сказала Маня. — Место есть.

— Мне хорошо, — ответила Валя.

Они лежали деликатно, стараясь не прикасаться друг к другу.

— Будут тебе предлагать в трампарк, в стройтехникум и так далее, — сказала Маня, — ты не соглашайся. Не советую тебе. У нас коллектив мировой, а там еще неизвестно. Это первое. Второе — вашу маму у нас помнят. Так что ты не кто-нибудь, а своя, потомственная.

Тетя Дуся сказала с кровати:

— Слушай Маньку, она дело говорит.

Валя спросила шепотом:

— А у тебя тоже разбомбили дом?

— Нет, — ответила Маня. — Моя мама когда умерла, тетя Дуся забрала меня, так у ней и живу. Скоро уже три года. А комната у меня есть. Неплохая.

Она повертелась, укладываясь поудобней, и засвистела носиком. Всхрапнула тетя Дуся. Валя лежала, дышала тихо. От батареи было тепло. Отсвечивало темной гладью зеркало на комоде.

«Я приехала? — спросила Валя у кого-то. — Здравствуйте! Нет, я еду, еду, буду ехать всю жизнь...»

Маня сказала сонно:

— Четырнадцать квадратных метров. В случае одна надумаю жить — есть где.

— Я те дам одна, — сказала тетя Дуся. — Спи.

По улице прошумел грузовик. Все дома на улице были на месте, только вместо одного — дощатый забор.

— Надо же! — сказал дядя Федя.

— Поправим, — сказал солдат в шерстяных носках.

— Нам даст чаю проводник, — сказала Люська.

— Приготовьте билеты! — сказала проводница.

Музыка заиграла. Кто-то запел: «Вышел в степь донецкую парень молодой». Парень был в ушанке и ватнике. Черными глазами он смотрел на Валю.

1959

ВОЛОДЯ

Рассказ

1

Когда в поезде контролер сказал Володе «пошли!», Володя пошел спокойно. Он не чувствовал за собой вины, бояться ему было нечего. Что у него нет пропуска в Ленинград, так откуда же он возьмет пропуск, раз отец не прислал ему вызова. А без пропуска билет все равно бы не продали, если бы даже у Володи были деньги на билет.

Это формальности. Кто мог помешать ему вернуться в город, где он родился и жил до самой войны? Решил вернуться и вернется. Днем-двумя позже, это неважно.

Держа в руке свой легкий, полупустой рюкзак, он терпеливо пробирался среди мешков, чемоданов, корзин, которыми был загорожен вагонный проход. Проводница шла перед ним, выкликая:

— Граждане, приготовьте ваши билеты!

Контролер шел сзади, и за Володиной спиной сухо щелкали его щипцы.

«На ближайшей станции меня высадят, — размышлял Володя, шагая через чемоданы и мешки. — Допустим, отправят в милицию. Нет, вряд ли, я же не жулик. Ну, допустим, отправят все-таки. В милиции что мне сделают?

Самое большее — составят протокол, а держать не будут, охота им меня кормить. Да нет, и протокол не захотят составлять, тратить время на ерунду. Выговор сделают, погрозят, а я попрошу, чтобы помогли уехать следующим поездом, потому что чего же мне там на станции болтаться зря. А если обойдется без милиции, сам уеду. Может, больше шансов проскочить незамеченным, если ехать — с пересадками, короткими перегонами? Пожалуй, только есть ли подходящие поезда, надо выяснить... Я дурак, сам виноват, что сцапали. Снаружи надо ехать, на подножке. Так никогда ничего не добьешься, если бояться ветра. А интересно, — подумал он и глотнул слюну, — где мне придется поесть?»

Ему представилась большая, румяная, как топленое молоко, картофельная шаньга, которую купил девочкам солдат.

— Давай-давай! — сказал контролер и подтолкнул Володю.

Они преодолели тамбур, где женщины и дети толпились перед открытой дверью уборной, и вышли на междувагонный мостик — два металлических щита, переброшенных через грохочущую пустоту. Ледяной ветер рванул воротник Володиной куртки, поставил дыбом, прижал к щеке, — Володя глубоко вдохнул этот режущий ветровой воздух с примесью паровозной гари. В щели между щитами мчались рельсы.

Дальше опять был переполненный вагон, воздух серый и густой от махорки, от дыханий, и так же двигалась впереди проводница, уже другая, а за проводницей Володя, а за Володей контролер с щипцами. Так же медленно приходилось продвигаться, застревая в грудах наваленного багажа. И еще переход, еще вагон, до крыши набитый мешками, корзинами, взрослыми, детьми, плачущими, спящими...

А поезд шел ровным ходом, в окнах серое темнеющее небо и провода, и телеграфный столб проплывал одиноко и неторопливо.

«Что же, — подумал Володя, — так меня и будут водить по поезду?»

Но в следующем вагоне контролер его оставил, сдав на руки двум тамошним проводницам. Володины документы он унес с собой.

2

Одна проводница была постарше и потолще, коротконогая, плечистая, с большим белым лицом под маленьким черным беретом. Лицо выражало хмурую важность.

Другая — худенькая и еще молодая, хотя ее желтоватый лоб уже был разлинован длинными продольными морщинами. Худые руки торчали из рукавов кителя. Глаза были очень блестящие, а тонкие красные губы все усмехались, будто проводница вспоминала о чем-то смешном.

— Ишь, зайчик! — сказала она громко и резко, глядя на Володю, когда контролер ушел. — Смотри, Варя, какой зайчик! С черными усами!

И закатилась долгим нервным смехом. В смехе обнажились ее длинные желтые зубы и розовые десны. Володе сделалось неприятно от этого смеха, десен, зубов, от взгляда женщины. Он отвернулся и стал смотреть в окно.

Там были провода, столбы да лес. Темнело, лес мрачнел. Паровозный дым застилал окно и сразу развеивался, сорванный ветром.

Лес подступал вплотную и отступал. Открывалась серая бревенчатая деревня, уплывала, как приснившийся сон. Деревенские ребята слепили из снега большую бабу, стояла баба лицом к полотну, салютовала метлой, сквозь сумерки черные угольки ее глаз посмотрели на Володю пристально.

И стояли люди на маленьких станциях, протягивая флажки. Поезд замедлял ход, проходя мимо них, но не останавливался.

«Где-то он остановится все же», — подумал Володя.

Он был один в просторном тамбуре. Пассажиры здесь не толпились — плацкартный, значит, вагон. Вышел лейтенант, бросил в мусорный ящик пустую консервную банку и промасленную бумагу, повеяло запахами жира, лаврового листа, сытости. Володя взглянул в открытую дверь: это был не просто плацкартный вагон, а купированный; коридор, застланный дорожкой, уходил во всю его длину; два офицера курили в коридоре. Да, есть избранники, которые едут в купированном вагоне, и никто не имеет права их высадить, и они едят свиную тушенку, полную банку тушенки съедает он! — и божественно пахнущую банку выбрасывает в мусорный ящик — видимо, даже не обтерев ее как следует хлебом...

«Об этом не думать! — приказал себе Володя. — С неба, что ли, свалится тушенка, если думать о ней?» Уже не раз он имел случай убедиться, что такие бесплодные мысли не ведут ни к чему хорошему: недостойную зависть порождают эти мысли и жалость к себе, человек размагничивается и слабеет, а Володя не хотел быть слабым...

Нерусские названия у станций на этой дороге: Кез, Чепца, Пибаньшур, Туктым. На каком это языке, на удмуртском? Мы через Удмуртию сейчас едем? А может, эти названия остались от племен, обитавших тут в глубокой древности? Как их: чудь, меря, мурома? (Володя любил историю, любил читать исторические книги.) А из тех станций, что зовутся по-русски, у некоторых такие горькие, безотрадные имена: Убыть, Безум. Должно быть, эти имена при царском режиме перешли к станциям от ближних деревень. Сколько горя должен был нахлебаться народ, думал Володя, чтобы назвать так свои поселения. Деревня Безум...

«Где-то меня высадят?»

Желательно все-таки, чтобы это произошло, пока еще не окончательно стемнело, и чтобы это была порядочная станция, где есть электричество и имеют обыкновение хоть раз в сутки топить печку в комнате для ожидающих.

— Балезино? — спросил кто-то за Володиной спиной.

Младшая проводница прокричала в ответ:

— Балезино, Балезино!

Поезд замедлял ход.

Так. Сейчас, значит, придет контролер. Придет контролер с документами и скажет: «Слезай, приехали».

Двери защелкали. В тамбуре зажглась лампочка. Тамбур заполнился пассажирами, ожидающими остановки. Сплошь кители и шинели с офицерскими погонами.

А окно стало совсем темным, когда зажглась лампочка.

«Ну, где ж контролер мой?»

— Разрешите, — важно сказала старшая проводница, с фонарем протискиваясь на площадку.

В темном окне медленно поплыли огоньки. И остановились. Заскрежетало под ногами. Вспыхнув алмазами в морозных развода на стекле, брызнул в глаза свет над станционной вывеской: Балезино.

3

— Молодой человек, — сказал важный голос, и старшая проводница тронула Володю за локоть,— идем-ка сюда.

В тесном купе проводников на столике стоял стакан чая и лежали ржаные сухари.

— Садись поешь.

Он сел. И когда с хрустом разгрыз сухарь и ощутил на языке солоноватый прекрасный вкус, — только тогда по-настоящему понял, до чего же проголодался.

— Ешь, — сказала проводница. — Все ешь, не стесняйся.

Она налила ему еще стакан из большого, весело кипящего самовара.

Поезд шел полным ходом. На десятки километров позади осталась станция Балезино. Контролер не пришел

Володя ел, а проводница стояла рядом, суровая, с маленьким беретом над большим лицом, и серьезно смотрела маленькими белесыми глазами без бровей. Спросила:

— Мать есть?

— Есть.

— Чего делает?

— В сберкассе работает.

— А отец?

Володя глотнул чаю.

— Отца нет.

— А братья, сестры?

— Сестра.

— Большая?

— Нет. Маленькая.

— А ты кем работал? — Она смотрела на его руки

— Слесарем.

Проводница кивнула:

— Ничего!

Вошла младшая проводница с пустыми стаканами на подносе.

— Зайчик! — сказала она, просияв своей желтозубой, розоводесной улыбкой. — Зайчик кушает! — и опять залилась мелким смехом, и стаканы запрыгали и зазвенели на подносе.

— Перебьешь! — строго сказала старшая.

Володя, опустив глаза, допивал чай. Он знал этот женский смех без причины и этот отчаянно блестящий женский взгляд. То же было у его матери.

— Ложись-ка, — сказала ему старшая проводница. — Отдохни маленько.

И указала на верхнюю полку, где был постлан полосатый тюфяк и лежала подушка.

Сняв ватник и валенки, Володя залез наверх. Там было очень тепло, но он с удовольствием натянул на себя толстое колючее одеяло. Пускаясь в путь, он не рассчитывал ни на какие удобства и теперь охотно и благодарно пользовался всем хорошим, что подворачивалось. «Эх, а контролер-то меня забыл! — подумал он. — Пока вспомнит, я посплю!» Он сладко вытянулся в предвкушении отдыха. Внизу проводницы мыли стаканы. Потом достали вязанье и сели рядышком на нижней полке. Лампочка светила тускло. Вагон мотало. Привычные, они вязали кружево, ловко работая крючками. Только младшей мешали приступы смеха, накатывавшего на нее.

— Давай-ка запевай лучше, — сказала старшая. — Ну совершенно ты себя в руках не хочешь держать, Капитолина.

Младшая тихо запела. Старшая вторила.

— «Мыла Марусенька белые ноги», — пела младшая прерывисто, будто задыхалась. А старшая гудела негромко:

— «Мыла, белила, сама говорила».

Мимо купе прошел, кидая двери, офицер, блеснули на его груди сплошные ордена. Младшая проводница встала и заглянула на верхнюю полку.

— Спит? — спросила старшая.

— Спит, — ответила младшая, блаженно сияя зубами и деснами. — Спит заинька хорошенький.

И старшая поднялась, чтобы бросить сурово-заботливый взгляд на мальчика, спящего под этим движущимся странническим кровом. Он лежал, прижавшись щекой к подушке в казенной клейменой наволочке, в его черных ресницах был покой, и ровно поднимались юношеские ключицы. И, словно карауля этого неизвестно чьего мальчика, стояли внизу женщины, вязали кружево и пели.

— «Плыли к Марусеньке серые гуси, — шевеля крючками, пели они чуть слышно под стук колес, — серые гуси, лазоревы уши...»

4

Перед отъездом из Ленинграда, летом сорок первого года, Володя с матерью ходил к отцу.

— Надо попрощаться, — сказала мать, — кто знает, может, не суждено больше увидеться.

Два раза они его не заставали дома, он был в госпитале. Во второй раз их встретила жена отца: женщина, которую мать в своих рассказах называла она — без имени — и которая в Володином детском представлении была существом опасным, хищным, бессовестным, вторгающимся и отнимающим, — это существо вторглось к ним и отняло у них отца, когда Володе было два года, а мать была совсем молодой и неустроенной, так она и осталась неустроенной...

Стесняясь рассматривать, он взглядывал на эту женщину и сейчас же отводил глаза, но ничто не укрылось от его неприязненной зоркости. Она была некрасива! Как странно, что отец покинул маму ради этой раскосой, с острыми скулами, в обыкновенном — обыкновенней не бывает — сером платье, с длинными худыми руками! Ее даже не сравнить с мамой, думал Володя горделиво-горько. И одевается мама в десять раз красивей. Всегда на ней какая-нибудь нарядная косыночка, или кружевной воротничок, или бант, платья пестрые, яркие. Особенно в тот день она была хорошенькая, завитая и приодетая, с глазами, блестящими от волнения и страха.

Да, мама боялась этой женщины. Робела перед ней. Так робела, что путалась в словах, запиналась, Володе стыдно было. А мачеха стояла, глядя узкими глазами то на нее, то на Володю, и говорила тихим голосом. Она сказала, чтобы они пришли вечером, отец будет дома. Конечно, надо попрощаться, сказала она и посмотрела на Володю задумчивым долгим взглядом. У нее большая просьба. Она не говорила Олегу, что у него есть брат, Олег не знает. Она хотела бы, чтобы Олег услышал это от нее самой... в свое время. Если Олег, когда они вечером придут, еще не будет спать... Чтобы он как-нибудь случайно... Она просит и Володю, он уже большой мальчик...

— Нет-нет, Володя не проговорится, будьте покойны! — торопливо и испуганно сказала мать, как будто это желание мачехи, о котором давным-давно было известно и которое почему-то исполняли беспрекословно, не было желанием глупым, низким и глубоко возмутительным.

Они пришли вечером, отец был дома. Он их принял хмуро и вежливо. Утомленно полузакрыв глаза, поддерживал разговор. Ему нелегко было притворяться, что его интересуют их дела. Слезы выступали у него на глазах, когда он сдерживал зевоту, раздиравшую ему челюсти. Он повторялся и путался. Несколько раз выражал удивление, что Володя вырос. Вспоминая после об этом, Володя резко усмехался...

Вдруг ему потребовалось узнать, с какими отметками Володя перешел в седьмой класс, — вот, действительно... Ему и в мирное-то время было наплевать на Володины отметки. Спросив, отец положил Володе на плечо свою большую, с тонкой и красной от непрестанного мытья кожей, докторскую руку. Володя покраснел — прямо-таки запылало лицо от этой ласки, от которой некуда деться и с которой не знаешь, что делать.

Сидели в кабинете: письменный стол, шкаф и полки с книгами. Чистая, уютная квартира в новом доме. «Здесь на диване он спит». К изголовью дивана был придвинут столик, на столике лампа, газеты, будильник. «Он тушит верхний свет и зажигает на столике и, прежде че. заснуть, читает газеты, а утром звонит будильник и будит его».

Мачеха входила очень тихо, приносила чай и угощенье к чаю. Она принесла три чашки: маме, Володе и отцу, сама не села пить с ними. Когда она первый раз вошла с вазочками, отец на нее посмотрел, будто спрашивал: «Это так нужно?» Она на него не взглянула, ставя вазочки на стол, но всем своим видом, спокойным и решительным, как бы ответила: «Да, нужно».

Ее сын Олег, должно быть, уже спал, они поздно пришли, или куда-нибудь она его запрятала.

А мать опять сидела как виноватая, поджав под кресло ноги в белых носочках и стесняясь взять печенья. Володя ей сигнализировал: «Пошли домой!», но она не шла и усердно помогала отцу вести ненужный, обидный разговор.

Под конец он пожаловался, что на жизнь не хватает, приходится выкручиваться. Впрочем, перед прощаньем дал матери денег.

Прощанье было холодное, смущенное. Он желал им разных вещей, а сам думал: «А-ха-ха, сейчас они, слава богу, уйдут, а я спать лягу».

Мать заплакала, выйдя на улицу.

— Он подумал, что я пришла из-за денег.

Володя дернул плечом:

— Не надо было ходить. Не ходили, и не надо было.

Она шла и плакала. Он ожесточился и сказал:

— Если не суждено больше увидеться, лично я не заплачу.

Но она, сморкаясь, возразила кротко:

— Все-таки ведь много было когда-то и хорошего.

Дня через два они уехали, долго ехали и приехали в Н.

5

Их поселили в комнате вместе с двумя латышками, бежавшими из Риги. Латышки не стеснялись при Володе раздеваться и одеваться — он был еще пацан.

Латышки ходили в меховых шубах, в Н. такие шубы называют дошками, и с блестящими кольцами на пальцах. По утрам, перед тем как уйти на работу, они снимали кольца и прятали в мешочки, надетые на шею. Работали латышки на перевалочной базе — перебирали картошку и мыли бочки от солений. Придя домой, они подолгу натирали кремом свои покрасневшие, растрескавшиеся руки. Иногда им там на базе выдавали несколько соленых огурцов или баночку кислой капусты. Они угощали Володю и его мать, как бы мало у них у самих ни было — обязательно угостят.

Володя замечал, что его латышки угощают с удовольствием, а маму — нехотя, просто потому ее угощают, что неудобно не угостить. Он обижался за мать, но молчал — что ж тут скажешь?

Очень вкусны были большие, темно-зеленые, налитые рассолом огурцы с мятыми боками.

Латышки предложили Володиной матери, что устроят и ее на перевалку, они считали — это выгодней, чем служить в сберкассе. Но мать сказала — ну их, эти бочки, в сберкассе работа чистая и привычная и видишь людей. Латышки не спорили, они вообще были молчаливы, изредка перебросятся несколькими словами на своем языке. Когда они бывали дома, это Володе ничуть не мешало готовить уроки и читать. Шум вносила мама, она, приходя, что-то начинала рассказывать ослабевшим от усталости голосом, спрашивать, смеяться.

Никогда она не жаловалась, не сердилась на трудную жизнь. Скажет иногда вскользь, без огорчения, принимаясь за еду: «Фу ты, опять этот суп», или расскажет, так же вскользь, что вкладчик ей нагрубил несправедливо. В те дни ей еще все казалось легким, она была уверена, что самое хорошее у нее впереди. Блестя глазами, говорила об этом латышкам.

— Не может быть, чтобы все уже кончилось. Нет, я чувствую, что еще полюблю и буду любима.

Латышки сжали губы.

— Ваш мальчик вас слышит, — сказала одна.

— Ничего, — беззаботно сказала мать, — что ж тут такого. У меня будет настоящее счастье, не то, что было. То, что было, так быстро пролетело, я и не заметила, как оно пролетело. Подумайте, я кормила, а он сошелся с ней... Нет, не может быть, что это уже все.

— У вас есть сын, — сказала другая латышка. — У вас есть для кого жить.

— Да, конечно, — нерешительно согласилась мать и замолчала.

Так блестели у нее глаза. Такая нежная была у нее шея, тонкая белая шея в много стиранном, застиранном кружевном воротничке. Волосы она причесывала по-модному, в виде гнездышка.

6

Школьники ездили в колхоз убирать сено и полоть. Они жили в красивой местности, такой тихой, будто никакой войны нет на свете, а есть только широкие поля, располагающие к неторопливости и раздумью, и глубокий прохладный лес, полный жизни и тайны, и в самой глубине его — озеро: холодная лиловая вода, обомшелые камни; а кругом — сосны, темными вершинами устремленные в небо. Ребята удили рыбу в озере, варили ее либо пекли в угольях, здорово вкусно было.

Володе там понравилась городская девочка Аленка из другой, не их школы. В Аленку были влюблены многие ребята, но Володе она сказала, когда прощались:

— Приходи к нам. Придешь?

«Придешь?» — спросила, понизив голос. И, опустив ресницы, продиктовала адрес — он записал. Они вернулись в город. Он каждый день собирался пойти к ней, его звало и жгло, и по ночам снилось это «придешь?», сказанное вполголоса, и эти опущенные ресницы, — и было жутко: вот он пришел; что он скажет? что она ответит? После того «придешь?» — какие должны быть слова! Из-под тех опущенных ресниц — какой должен вырваться свет! Чтоб сбылись неизвестные радостные обещания, данные в тот миг. Чтоб не уйти с отвратительным чувством разрушения и пустоты...

Ночные зовы были сильны — он все-таки собрался.

Собрался и обнаружил, что штаны ему ужас до чего коротки и рукава тоже, — он еще вырос! Не замечал, как растет, глядь — ноги торчат из штанов чуть не до колен.

«Нельзя к ней в таком виде».

Других штанов не было.

«И вообще нельзя в таком виде».

— Это действие свежего воздуха, — сказали латышки, — и свежей рыбы.

Они перестали ходить при Володе полуодетыми, раздобыли материи и отгородили свою половину комнаты. И когда Володе надо было ложиться или вставать, они уходили к себе за занавеску.

«Я вдвое сильней мамы, — думал Володя, раскалывая дрова в сарае, — втрое сильней, а она меня кормит. Я варю суп и колю дрова, которые привезли латышкам, и хожу чучелом».

До войны отец помогал им. Но с тех пор, как они уехали из Ленинграда, о нем не было ни слуху ни духу. На письма он не отвечал. Может быть, его не было в Ленинграде. Может быть, его не было в живых.

«Хватит детства», — думал Володя, яростно набрасываясь с топором на полено.

Бросил топор и поглядел на свою руку: небольшая, а крепкая, смуглая, с хорошо развитыми мускулами, на указательном пальце и розовой ладони — мозоли, нажитые в колхозе, мужская, подходящая рука...

Октябрьским дождливым утром он отправился искать работу.

У входа в сквер были выставлены щиты с объявлениями — где какая требуется рабочая сила. Засунув руки в куцых рукавах в карманы куцых штанов, Володя читал, что написано на мокрой почерневшей фанере...

7

В горсовете был человек, занимавшийся трудоустройством подростков, он послал Володю на курсы поучиться слесарному делу. Немножко они поучились — их направили на военный завод.

Завод находился далеко от города. Надо было ехать на поезде, а потом на автобусе лесами и перелесками. Автобусом называли грузовик с брезентовой будкой; кто сидел на скамьях вдоль бортов, кто прямо на полу.

Володе выдали ватную стеганую одежду, валенки и армейскую шапку. Через его руки проходили части механизма, не имевшие названия; говорили, например: сегодня мы работали шестнадцатую к узлу 5—7.

Цех, в котором Володя работал, назывался: цех номер два.

Все это звучало таинственно и важно, но сплошь и рядом их отзывали из этого многозначительного номерного мира для самых земных дел. Портился водопровод в поселке, и Ромка говорил:

— Пошли, Володька, посмотрим, что там такое.

И они шли паять трубы и накладывать манжеты.

Когда строили банно-прачечный комбинат, завод выделил бригаду молодых слесарей под Ромкиным руководством — налаживать трубное хозяйство.

Везде в мире разрушали, а здесь строили.

Комбинат был большой, пышный, как Дворец культуры.

На этой стройке Ромка женился. Зина была штукатуром. Они решили пожить на комбинате, пока он строится. Зина оштукатурила комнатку наверху. Ромка поставил железную печку и сделал из досок два топчана, один служил кроватью, другой столом. Ромка сделал и табуретки, он на все руки мастер, а материала было сколько угодно. Они сидели на табуретках и пили чай, у них было жарко и сыро, некрашеный пол затоптан известью. Когда начнется внутренняя отделка, говорили они, мы перейдем в техникум, его уже подвели под крышу, скоро там можно будет жить. А дальше видно будет. Может быть, уедем в Ленинград или к Зине в село Сорочинцы, описанное у Гоголя. Они были счастливы и всех звали приходить к ним в гости.

Но Зина заболела и умерла в больнице. Ее похоронили на маленьком кладбище на опушке леса. Похороны были торжественные, из города привезли венки с лентами. Пока говорили речи, Ромка без шапки стоял над открытой могилой, оцепенев от холода и горя, с неподвижным, посиневшим ребячьим лицом. Ему не везло — у него все родные умерли в Ленинграде, отец пропал на фронте без вести, и к тому же Ромка, как он ни бодрился и ни хорохорился, был болен сердечной болезнью. Его жена, которую он любил, была немного старше его. А ему было восемнадцать лет.

Вернувшись с кладбища, он лег на топчан и от всех отвернулся. Ребята сели и молчали. Один принес чурок и стружек и затопил печку. У стены стоял Зинин зеленый деревенский сундучок. Кто-то сказал потихоньку:

— Наверно, надо матери отправить сундучок.

По соседним гулким, без дверей, заляпанным светлым комнатам загрохали, приближаясь, шаги, вошел Бобров. Кивнул ребятам, погрел руку над гудящей печкой, подошел к Ромке:

— Ром, а Ром.

— Ну что? — спросил Ромка грубым голосом.

— Не надо тут лежать.

— А чего вам?..

— Пойдем где народ, Ром.

Единственной своей рукой он бережно похлопал Ромку по спине, светлый чуб упал из-под шапки.

— А, Ром? Пойдем в общежитие, а? Пошли!

Ромка встал, все с тем же окоченелым, одичалым лицом, и пошел с Бобровым. Ребята, не спрашиваясь, взяли Ромкины вещи и Зинин сундучок и понесли за ними.

8

Володина жизнь, интересы, дружба — все теперь было на заводе.

Об Аленке вспоминал редко. Было в этом воспоминании что-то горькое.

Матери писал иногда. Поехал к ней не скоро, на Первое мая.

Приехав, сначала увидел латышек, они стряпали в кухне. Они ему улыбнулись и спросили, как он живет. Потом вошел в комнату, где была мать. Тревожными, умоляющими глазами она смотрела, как он входит. У нее сидел капитан. Немолодой, лысоватый капитан. На столе — водка, закуска.

— Это мой сын, — сказала мать, пунцово краснея.

Капитан налил ему водки. Мать что-то спрашивала, но вид у нее был отвлеченный, вряд ли она понимала толком что он отвечает. А он-то воображал — она будет вне себя от радости, что он приехал.

Ей было не до него сейчас. Он помешал им сидеть вдвоем и вести свой разговор. Какие-то фразы из этого несостоявшегося разговора, который был бы таким увлекательным, не ввались вдруг Володя, — какие-то фразы прорывались, и мать смеялась, блестя глазами, хотя ничего не было смешного. Володе было совестно за нее, ему не нравился лысоватый капитан с отекшими щеками, но он стеснялся уйти — показать, что все понимает. Наконец он сказал:

— Я в кино схожу.

Мать обрадовалась. Но для виду возразила:

— Достанешь ли ты билет?

А капитан, пуская дым, смотрел искоса, как Володя уходит.

В кино Володя не попал, провел остаток дня у школьного товарища. Вечером вернулся — капитана не было. Мать бродила скучная и печальная. Поговорив немного, легли спать.

Поезд уходил в пять утра. Володя поднялся в четыре, он умел просыпаться когда нужно без всякого будильника... Уже было светло. За занавеской бодро всхрапывали латышки. Мать спала, положив голову на кротко сложенные руки. Волосы ее надо лбом были накручены на бумажки: чтобы волнились. С досадливым и жалостливым чувством Володя посмотрел, уходя, на это лицо, на исхудалые руки...

Только осенью он снова к ней собрался. Ее не оказалось дома, латышки сказали — уехала в дом отдыха.

— Она себя плохо чувствует.

Латышки сжимали губы, говоря это. У них на пальцах осталось по одному кольцу, обручальному, остальные кольца они прожили. И дошки их поизносились. Но настроение у них было отличное.

— Теперь уже скоро домой! — говорили они. — О! Рига! Самый красивый город — Рига! Ты вернешься в Ленинград, приезжай к нам в гости в Ригу, это близко, рядом.

Из такой дали действительно казалось, что Рига совсем возле Ленинграда, почти пригород.

«Вернешься в Ленинград!» Это было в мыслях у Володи, Ромки, у всех ленинградцев. Мало кто говорил: хочу остаться здесь. Помимо любви к своему городу, любви, ставшей в эти годы какой-то даже восторженной, — тут, видимо, вот какая была психология. Они уезжали в лихое, грозное время, когда враг пер по земле и по воздуху и брал город за городом. Эвакуация была знамением беды, неизвестности, развала жизни. Теперь фашистов теснили обратно на запад. Поющий, или играющий, или разговаривающий репродуктор умолкал, и люди умолкали, обернувшись на его молчание. Раздавались тихие позывные — один и тот же обрывок одной и той же мелодии, первые такты песни «Широка страна моя родная». Они повторялись, приглашая, собирая всех к репродуктору, — потом торжественно и повелительно взмывал знакомый голос: «Говорит Москва!» Приказы гремели победами. Снова город за городом, но — не горе, не гнев, не недоумение, а салюты из сотен орудий! Только что освобождена Полтава. Скоро очередь Киева. Возвращение домой означало: лихо позади, точка, гора с плеч, подвели черту — живем дальше, мы на месте, братцы, порядок!

Поэтому все так рвутся в свои места, говорили Володя с Ромкой, лежа вечером на койках в общежитии.

— Слушай, ты помнишь Невский, когда иллюминация?

— Почему когда иллюминация? Он и без иллюминации, и в дождь, и в слякоть — будь здоров. Ему всё к лицу.

— А на мостах вымпела в праздники, помнишь? Красные вымпела на ветру...

— А сфинксы на Неве? Это настоящие сфинксы, не поддельные. Их привезли из Африки.

— Да-да-да. Им тысячи лет.

— Ты ловил рыбу на стрелке Васильевского? Я ловил. А ты купался возле Петропавловки? Я купался.

— Мы же в другом районе. От нас далеко. От нас зато близко Смольный. А ты в какое кино больше всего ходил, в «Великан», наверно?..

У Ромки такой характер, что ему непременно надо к кому-нибудь привязаться. После смерти Зины он привязался к Володе. Разница в возрасте не мешала дружбе. Лицо у Ромки — маленькое, с мелкими чертами — было более детское, чем у Володи, рост меньше Володиного.

Приподнявшись в постели, подперев голову маленьким кулаком, Ромка перечислял:

— Убитые. Раненые. Блокада. Пропавшие без вести. Лагеря смерти. Прибавь — которых в Германию поугоняли. Подытожь.

— Ну.

— Страшное дело сколько народу, а?

— Ну.

— Как считаешь: какие это все будет иметь практические последствия?

— Как какие последствия?

— Для стран. Для людей.

— Гитлер капут, фашизм капут, тебе мало?

— Фашизм капут?

— Безусловно капут.

Ромка думал и говорил:

— Мне мало.

— Ну, знаешь!.. Ты вдумайся, что такое фашизм, тогда говори — мало тебе или, может быть, хватит.

Ромка молчал. Володя говорил:

— Ну, а то, что мы будем строить коммунизм?!

— Коммунизм мы и до войны строили. Я что спросил, как по-твоему: этой войной люди полностью заплатили за то, чтоб войны никогда больше не было?

— Спи давай, бригадир, — говорили с соседней койки. — Завтра в клубе прочитаешь лекцию.

— Или еще не всё люди заплатили? — спрашивал Ромка шепотом. — Еще придется платить? А?..

И Володя, подумав, отвечал:

— Я не знаю.

От отца пришло наконец письмо. Оно было адресовано не матери, которая ему писала и разыскивала его, а Володе на завод. Отец одобрял самостоятельный путь, выбранный Володей (мать ему сообщила); он сам рано стал самостоятельным. Он выражал пожелание, чтобы на этом самостоятельном пути Володя не забывал о необходимости дальнейшей учебы. О себе писал, что работает в том же госпитале. Как здоровье, жива ли его семья — ни слова. Он считал, что никого это не касается и сообщать незачем. Ну что ж, он и прав, пожалуй.

9

У матери родилась девочка.

Капитан перестал появляться раньше, чем это случилось. К нему приехала жена. Она ходила на квартиру к матери и жаловалась квартирной хозяйке и соседям, и плакала, и все ополчились на мать, разрушительницу семьи. Латышки не выдержали беспокойств, нашли себе где-то другое жилье. У квартирной хозяйки муж был на фронте, и она говорила — испорченные женщины пользуются войной, им хорошо, когда мужья разлучены с женами, им выгодна война, этим женщинам, ради их разврата льется кровь человеческая.

Она же и Володе все рассказала, хозяйка. Он поспешил уйти от ее рассказов, но он не мог защитить мать. Почем он знал, какими словами защищают в таких случаях? И как защищать, когда он тоже осудил ее в своем сердце — гораздо суровей осудил, чем эти простые женщины.

Мать толклась по комнате растерянная, потерянная, но силилась показать, что ничего особенного не произошло.

— Видишь, Володичка, — сказала она небрежно даже, — какие у меня новости.

— Как зовут? — спросил Володя.

Ведь делать-то нечего, осуждай, не осуждай — ничего уж не поделаешь, надо это принимать и с этим жить.

— Томочка, Тамара. Хорошенькое имя, правда?

— Хорошенькое.

Он не понимал. Можно любить нежную красивую Аленку. Нельзя любить плешивого капитана с отекшими щеками. Мысль, что мать любила плешивого капитана и родился ребенок, — эта мысль возмущала юное, здоровое, благоговейное понятие Володи о любви, о красоте любви. (То, с чем приходится иной раз сталкиваться в общежитии, — не в счет, мало ли что.) Опущенные ресницы, поцелуи, ночные мечтания — это для молодости, для прекрасной свежести тела и души. В более зрелых годах пусть будет между людьми уважение, приязнь, товарищество... пожалуйста! Но не любовь.

Понадобилось сходить в аптеку, ему было стыдно выйти из дому. Эта улица, где все друг о друге всё знают! Мрачный шел он, сверкая черными глазами.

Вернулся — в кухне была хозяйка, она сказала как могла громче:

— Вот ты на оборону работаешь, а она о тебе думала? Она об ухажерах думала.

— Будет вам, — сказал Володя.

Мать стояла на коленях возле кровати и плакала.

— Я перед всеми виновата! — плакала она. — Перед тобой виновата, перед ней виновата!

Она о девочке своей говорила. Девочка лежала на кровати, развернутая, и вытягивала вверх крохотные кривые дрожащие ножки.

— Володичка, — в голос зарыдала мать, — ты на папу сердишься, — Володичка, если бы ты знал, как я перед ним виновата!

И, схватив его руки и прижимаясь к ним мокрым лицом, рассказала, как она живет. Рано утром она относит Томочку в ясли. Это далеко, другой конец города. На работу приходит усталая, голова у нее кружится, она плохо соображает и делает ошибки. Ее уволят, уже уволили бы, не будь она кормящая мать. И что ужасно, вместо того чтобы признать свои ошибки и просить извинения, она, когда ей делают замечания, раздражается и грубит, — правда, как это на нее не похоже? Но она очень нервная стала. Грубит людям, которые жалеют ее и держат на работе, хотя давно бы надо уволить. А здесь, дома, ее ненавидят. Когда она приходит к колонке за водой, женщины расступаются и пропускают ее, и пока она набирает воду, они стоят и смотрят молча; а уходя, она слышит, что они о ней говорят. Она не смеет покрасить губы — начинают говорить, что она еще у кого-то собралась отбить мужа. Ох, уехать бы! Вернуться в Ленинград, где никто ничего не знает! Там люди так настрадались, никто и не спросит, даже рады, наверно, будут, что вот маленький ребеночек, новая жизнь там, где столько людей умерло... И мать вскрикивала, как в бреду:

— Я не хочу жить! Я не хочу жить!

— Пока что надо здесь на другую квартиру, — сказал Володя, со страхом чувствуя руками, как колотятся у нее на висках горячие жилки.

— Думаешь, это просто? Думаешь, я не пробовала? Никто не пускает с ребенком. Или хотят очень дорого... И все равно эта женщина и туда придет. Она ходит всех настраивает, как будто она тоже не могла бы быть одинокой, она тоже могла бы!

— А если попробовать написать отцу?

— Нет. Я не могу.

— Ничего особенного: чтобы прислал тебе вызов.

— Он не пришлет, — сказала мать с отчаяньем. — Он рад, что мы тут, что нас нет в Ленинграде.

Томочкины ножки развлекли ее в конце концов. Она стала губами ловить их и целовать и, целуя, вся еще в слезах, смеялась тихо, чтоб хозяйка не услышала и не осудила за смех. А Володя думал — как же она дальше, что с ними делать...

10

Он написал отцу, что матери плохо живется в Н., она болеет, устала, и чтобы отец прислал ей вызов и денег на дорогу. Деньги она отдаст, вернувшись в Ленинград и продав что-нибудь из мебели.

Отец отозвался довольно быстро. Письмо было раздраженное. Ленинград — не санаторий, жизнь тут не приспособлена для поправки здоровья. В Н. первоклассные поликлиники и врачи, можно лечиться от чего угодно. Что касается усталости, то все устали, верно?

Вообще самое лучшее — чтобы Володя не вмешивался в отношения отца и матери, сложившиеся так, а не иначе в силу причин, Володе неизвестных.

Володя ответил: хорошо, он не будет вмешиваться ни в чьи отношения, но просит отца прислать вызов лично ему, Володе, а он, приехав, уж сам займется делами матери.

Так как на это письмо ответа не было, он написал то же самое еще раз и послал заказным.

Тем временем уехал Ромка. У него в Ленинграде нашелся двоюродный дядька, он вызвал Ромку — бывают же такие двоюродные дядьки, — и Ромка отбыл, разрываемый надвое восторженной преданностью Ленинграду и привязанностью к заводу, где было у него и счастье, и горе, где он оставил родную могилу на опушке леса за аэродромом... Володя все ждал ответа от отца, а мать перестала ждать, уж ничего она больше не ждала хорошего.

К ней привязались разные недомогания, она старела, глаза потухли. Утром ей трудно было подняться с постели, она задыхалась от приступов удушья. По-прежнему носила Томочку в ясли и потом брела на работу, еле волоча ноги. А Томочка стала славная, веселая, с ямочками на розовом налитом тельце, ее прикармливали в яслях и давали витамины.

Володя решил ехать без вызова. Его бы не отпустили, никто и слышать не хотел, чтоб отпустить его в такой момент. Но толкнувшись напрасно туда-сюда, он догадался поговорить с Бобровым, и дело уладилось. Возможно, оно уладилось бы и раньше, в других инстанциях. Бобров был не самой важной инстанцией, но он был тот человек, которому на вопрос: «Почему хочешь уволиться?» — Володя смог ответить: «Нужно мать перетянуть в Ленинград, она попала в переплет».

— В какой? — спросил Бобров. И у Володи хватило духу рассказать, в какой переплет она попала, а другим рассказывать почему-то не хватало духу, слова застревали в горле.

— Дома стены лечат, так говорят?.. — сказал Бобров. — Ладно, через денька два зайди, скажу чего делать.

Он был человек, которому мало того что все рассказать можно, — он пойдет к начальству, к любому начальнику пойдет и скажет: «Надо, товарищи, отпустить парня. Надо, надо. Где можно войти в положение — надо входить. По-человечески, по-хозяйски, как угодно рассуждая — надо».

Каждому необходимо в трудную минуту иметь такого человека, как Бобров.

Володя так в него уверовал, что тут же написал Ромке: «Скоро буду. Как насчет работы? Постараюсь выехать дня через два, три». Но прошло полторы недели, прежде чем Бобров уговорил начальство, и еще столько же, пока наложили все резолюции и оформили увольнение.

— Ну, ни пуха ни пера тебе, — сказал Бобров, прощаясь, — не поминай лихом уральцев, напиши, как добрался и устроился, и Роме там привет...

— Вот, — сказал Володя, явившись к матери. — Еду.

Она вздрогнула и просияла — его отъезд в Ленинград был светлым событием, внушающим надежды, теперь она и для себя будет ждать перемен.

— Ты же мне сразу напишешь?

— А как ты думаешь?

— Я так буду ждать твоих писем! — сказала она, глядя на него с доверием и обожанием, как девочка на взрослого.

В тот вечер они допоздна шептались — строили планы. Мать починила Володины вещи и уложила в рюкзак.

11

Он сел в поезд без билета, и сначала все шло благополучно, но потом контролер отобрал у него документы, а его самого сдал проводницам в офицерском вагоне, и двое суток Володя ехал, все время ожидая, что на следующей станции его высадят.

Только когда проехали Волховстрой и контролер явился и, не сказав ни слова, отдал документы, — Володя понял, что боялся зря, что его довезли до Ленинграда.

12

Старый дом на Дегтярной еще постарел за эти годы, стоял обветшалый, насупленный и ничем не приветил Володю, не заметил его приближения. Почти все окна были забиты фанерой, уцелевшие стекла перекрещены косыми крестами из бумажных полосок, пожелтевших до коричневого цвета, словно опаленных на огне. Это те клеили, что потом уехали или умерли.

На лестнице было черным-черно — ни зги. Но Володя помнил, что внизу пять ступенек и в каждом марше одиннадцать, и, не прикасаясь к перилам, поднялся на четвертый этаж.

Позвонил. Звонок не действует.

Постучал. И еще. Никто не отзывается.

Достав ключи, отворил на ощупь. В полном мраке вошел в пустую холодную квартиру.

Выключатель щелкнул — свет не зажегся. Или перегорела лампочка, или выкрутили ее, или не было тока.. Шагнув, нащупал дверь и осветил ее зажигалкой.

Откуда висячий замок на двери их комнаты? Маленький висячий замок на кольцах. Они с матерью его не вешали, просто заперли дверь на ключ. У них никогда даже не было никакого висячего замка. И колец в двери не было.

Плясал огонек зажигалки.

Не та дверь? Ошибся?

Ну как же. Дверь та, передняя та. В этой квартире он жил, сколько помнит себя.

Перочинным ножиком он расковырял дерево и вытащил одно из колец, дверь открылась. В их отсутствие кто-то входил, взломав дверной замок, а уходя, приладил висячий. Это не был грабитель, тот бросил бы все настежь, ему что; стал бы он, уходя, ввинчивать кольца и вешать замок.

Но комната пуста, как сарай. Все-таки те, что входили, вынесли все. Только мамину кровать оставили. На кровати спали — постель не убрана. В подушке вмятина. Одеяло скомкано кое-как.

Кто-то здесь живет?..

Но заброшенность, царившая в комнате, но гулкий звук шагов, мертвенная пустота стен, иней в оконной нише — говорили: что ты. Кто может тут жить.

Окно забито фанерой. В фрамуге сохранились стекла с бумажными крестами: грязные, еле пропускают свет.

В чуть брезжущем свете Володя разглядел, что и одеяло, и подушка с вмятиной покрыты слоем мохнатой пыли.

Старая пыль, такую тронь веником — сворачивается в серый войлок.

Кто-то здесь жил без нас, давно.

Этот кто-то взломал дверь. Принес одеяло (это не наше, мы свои взяли) и стал жить. Пытался держать комнату в порядке: забил окно фанерой и осколки стекла смел в уголок, вон они лежат пыльной кучкой с мусором вместе.

А потом он, может быть, умер на этой кровати.

А те, что его хоронили, может быть, подумали: хозяин комнаты умер, для чего пропадать вещам? Возьмем их и будем ими пользоваться, пока мы живы.

Постель умершего они, должно быть, побрезгали взять.

Одно непонятно: зачем, все унеся, они вкрутили кольца и повесили замок.

Володя не был барахольщик, это меньше всего. Да на миру, как известно, и смерть красна: по дороге насмотрелся на разрушения —

что уж горевать о мебелишке. И не ахти какая та мебелишка была. Но все же в голове закружилось, как представил себе — приедет мать с Томкой, и ровным счетом ничего нет, кроме кровати.

Что-то зашебаршило сзади. Оглянулся — старуха в комнате. Незнакомая.

— Я извиняюсь. Я слышу — ходят. Вы кто будете?

— Здешний. Приехал. Вы здесь живете?

— Рядом моя комнатка... Вы Якубовский Володя?

— Якубовский. Не знаете, кто жил в нашей комнате?

— Не знаю, сынок. При мне никто не жил. Я ничего у тебя не трогала. Я и заходить боялась. Свою комнатку очистила и живу. Я тут второй месяц. Сын ордер выхлопотал. Сын у меня инвалид Отечественной войны. Сам женился, у жены живет, а мне ордер выхлопотал. Я красносельская, всю войну по городу с квартиры на квартиру. В Красном Селе у меня домик был, теперь нету. Там такой был бой, когда обратно его брали, Красное, — всю ночь, говорят, наши танки беспрерывно шли, где там уцелеть домику. Сын говорит — не плачь, обожди, справимся, поставим новый. — Старуха не плакала, рассказывала с удовольствием. — В булочную ходила, пришла, слышу — ходят, приехал хозяин, думаю. Тебе записка оставлена. Третьего дня приходили, оставили записку.

«Ромка», — подумал Володя.

Записка действительно была от Ромки, и Володе сразу стало веселей, когда он ее прочел.

«Володька! — писал Ромка. — Печально, что ты задерживаешься. Необходимо твое личное присутствие, чтобы договориться окончательно. У тебя мерзость запустения, эту проблему придется решать в срочном порядке. В общем, ты немедленно (подчеркнуто) приходи ко мне. Я эту неделю во второй смене, так что днем меня застанешь в любой час, а не застанешь, то ключ на шкафу в передней, входи и располагайся. У меня в кармане оказался замок с кольцами, я тебе его повесил, а то комната настежь, как бесхозная. Ключик оставляю бабушке. Пусть с этого замочка начнется твое устройство. Привет! Р.».

— И вот вам ключик, — сказала старуха.

Ромка жил на Пушкарской. У него тоже была фанера вместо стекол, но у него горела лампочка, был вымыт пол, топилась времянка, на времянке грелся чайник, и репродуктор задиристо пел: «Торреадор, смелее...» У Ромки была мебель, у Ромки были дрова — лежали, уложенные аккуратно, между диваном и этажеркой.

— У тебя, я вижу, полное хозяйство!

— А что мне, пропадать, что ли? Сейчас будем чай пить. Имеешь дело с рабочим Кировского завода. Помимо того, что нас снабжают, прямо сказать, ничего себе, — везде же, имей в виду, прорва людей, которые ни черта не умеют. Как они существуют, ты не знаешь? Пробку сменить не может, балда!.. Вчера одному тут научному сотруднику на третьем этаже ванную ремонтировал, ну и он со мной поделился от своего литера а или бе.

Ромка заварил чай, достал колбасу, разрезал пайку хлеба, все моментально.

— Сегодня же повидаешься с мастером, будем ковать, пока горячо. Перед сменой повидаешься, пусть посмотрит на тебя, задаст какие ему надо вопросы. Я с ним говорил.

Неплохой старик. С Калининым знаком. Калинин работал на нашем заводе, ты не знал?

И стал рассказывать, что было с заводом в блокаду.

— Куда же ты?

— Мне по делу по одному.

— Слушай, живи у меня пока.

— Может быть.

— У тебя, прямо сказать, не жилье. Живи у меня. А потом достанем ящики, я понаделаю мебели, какой тебе надо.

Они условились, что встретятся у проходных ворот завода в девятнадцать ноль-ноль.

Госпиталь находился на Кирочной, рядом с музеем Суворова.

Был час посещений. В вестибюле толпились женщины с авоськами. У гардеробщицы Володя спросил, как ему повидать доктора Якубовского.

— Доктора Якубовского нет. Болен.

— Сильно болен?

— Это мы не знаем. А вы ему кто? — Гардеробщица всматривалась с любопытством.

— Родственник, — сказал Володя.

— Ну вот, сразу видать, — сказала гардеробщица. — Похож с лица, как сын родной.

Уже хмурились ранние зимние сумерки. Шел мелкий снег, подувал ветер.

Странно пустынны были улицы: мало людей, мало машин.

Дощатыми заборами обнесены разрушенные дома. Иные выглядывали из-за заборов обожженными глазницами.

На Фонтанке вдоль решетки набережной снег свален высоким барьером.

Голый, темнел запертый Летний сад. Володя вспомнил: в Летнем есть старые липы, у которых дупла запломбированы, как зубы. Он еще маленький останавливался, бывало, перед этими пломбами, заинтересованный, тронутый заботой человека о стареющих деревьях. Сейчас, идя мимо, он с улицы улыбнулся нахохленным голым липам там за решеткой. Человек пломбирует дыру на дереве. Человек везет в поезде человека, у которого нет билета. Человек говорит человеку: «Живи у меня».

Ветер дул сильней, снег кружился быстрей и гуще.

Когда Володя подходил к дому на Мойке, где жил отец, ему навстречу вышла мачеха. Они почти столкнулись у крыльца. На ней была низенькая меховая шапочка. До этого он видел ее один раз, и без шапочки. Но он сразу узнал узкое скуластое лицо с косо прорезанными узкими глазами, мелькнувшее перед ним сквозь снежную сетку.

Она пошла дальше, не узнав его. Он обрадовался, что она ушла, не будет ходить с чашками взад и вперед и слушать их разговор с отцом.

13

— Здравствуй, — сказал Володя.

Отец сам ему отворил. Он был в домашней куртке и мягких туфлях. Он похудел.

— Володя! — сказал он. — Заходи. Ну здравствуй.

Поздоровались за руку.

— Давно приехал? Молодец, что зашел.

Последние три слова можно бы и не говорить, верно?

Ведь это как-никак сын пришел. Не само ли собой разумеется, что сын правильно сделал, придя к отцу?

Володя повесил на вешалку свой мокрый ватник. Они прошли в кабинет и сели.

— Вырос-то! Взрослый мужчина!.. Как мать?

— Мать жива. Ты получил мои письма?

— Да. Я, как видишь, болею. Сейчас, правда, поправляюсь... Ну как ты и что, расскажи о себе.

И в эту встречу между ними была мучительная неловкость, они не могли через нее перешагнуть. Отец сидел полузакрыв глаза, и Володя не верил, что отцу интересна его жизнь, и слова застревали в горле, как тогда, когда Володя пытался рассказывать о себе посторонним людям. И все еще жило чувство обиды, что отец покинул мать, — хотя они, по всей вероятности, никак не могли ужиться вместе, Володя об этом уже догадался.

— А ты как?

— Я? Ну что ж я... Я пережил здесь блокаду. Ты, конечно, знаешь, слышал, что это такое. Жил в госпитале, сюда почти не заходил, —

до сих пор, как видишь... — Отец развел руками, показывая на растрескавшийся темный потолок и рваные обои. Достали стекло для окон — сложнейший разрешили вопрос... Да. Это полезно, что ты поработал на производстве. Я в твои годы тоже работал на производстве: лучшие мои воспоминания,.. Да. Я не успел послать вызов, я просто не предполагал, видишь ли, что это так экстренно. Я преподаю, видишь ли, — совмещая с госпиталем, так что для личных дел не так много времени, — потом хворал вот, — но я намеревался это сделать, поправившись, и уже предпринял шаги — узнал, как это делается, вызов... Но ты добрался без формальностей, тем лучше. У тебя все в порядке? Никаких хвостов, надеюсь?

— Каких хвостов?

— Неприятностей не нажил? С завода отпустили или удрал?

— Отпустили.

— Все чисто?

— Все чисто.

— Комната цела?.. Тебе, конечно, деньги нужны, — сейчас у меня... Но через пару дней... Какие планы на дальнейшее? В техникум? Или вернешься в школу?

— В школу — не думаю, — ответил Володя. — Во всяком случае, буду работать. — Облегчением, отрадой было сознавать, что он не зависит от отца, захочет — и денег не возьмет, обойдется, Ромка выручит до первой получки... Нет, деньги надо взять, послать матери. — Тут один парень, он обещает устроить на Кировский завод.

— Зачем же парень, — сказал отец, — я, если хочешь, могу помочь тебе устроиться, во всяком случае, могу попытаться.

— Спасибо. Сейчас не мне надо помогать.

— Да, с матерью плохо, ты писал, — вздохнул отец. — А что, собственно?.. Чем она больна?

Опустив голову, морщась, он выслушал сжатый Володин рассказ. Очень видно было, что он предпочел бы ничего этого не знать.

О капитане он сказал:

— Ах, прохвост.

Возможно, это все не очень бы на него подействовало. Но его проняло известие об ограблении комнаты. Оно ему, так сказать, окончательно прояснило картину. Глаза его — в буквальном смысле слова — открылись. Он простонал с брезгливым ужасом:

— Фу ты, боже мой!

— Можно закурить? — спросил Володя, досказав.

— Да, пожалуйста, — встрепенулся отец, придвинул пепельницу и, взяв у Володи махорки и бумагу, закурил тоже.

Они сидели друг против друга в креслах, одинаково закинув нога на ногу, отец и сын. Сын был похож на отца лицом, ростом, даже манерой курить. Сын видел сходство, ему и приятно было, и почему-то оно его раздражало. Замечал ли сходство отец?

— Да. Положение... Но что же я могу, по-твоему?

Володя с готовностью стал перечислять, он давно все обдумал:

— Ты должен — раз: дать ей возможность приехать сюда, где у нее жилплощадь, — ты понимаешь, ей выехать не на что. Ты должен — два: помочь ей так здесь устроиться, чтобы она могла существовать. Понимаешь, это не только вопрос зарплаты, главным образом надо ребенка в круглосуточные ясли, в этом ее спасение, она больна по-настоящему, в этом форменное сейчас ее спасение.

— Ужасно! — сказал отец. — Так запутать свою жизнь! Ужасно!

Он встал и начал ходить, топчась в тесной комнате. Володя сказал:

— Ей помогли запутать, всю жизнь помогали.

— Нет, прошу тебя! — сказал отец. — Володя, я не хочу, чтобы ты меня судил слишком строго, послушай, Володя, это всегда был несчастный, безответственный характер!

— Допустим, — сказал Володя. — Скорей всего так. Вот именно несчастный. Что из этого следует? Что ее надо бросить без помощи?

— Слушай. Я не по бархатной дорожке шел. Я работал на фабрике и рабфак кончал, а поступил в институт — пароходы грузил, иной раз всю ночь в порту, придешь потом в анатомичку — пальцы задубели, не держат инструмент... Для вас работал, чтоб вы не голодали, сам бы я на стипендию, будь уверен... Мне, кроме хлеба, ничего не надо было, лишь бы учиться и стать врачом... А она?! Ни с чем не считалась, ничем не интересовалась, книжку в руки не брала, — я не хочу говорить, не считаю возможным...

— Ей сейчас так плохо, как только может быть, — сказал Володя. — Мы тут с тобой обсуждаем, а она?.. Просто вообразить не могу. Ее надо поднять, понимаешь? Поставить на ноги, а то что же это... Я один не справлюсь, понимаешь? Мы вдвоем должны.

— Но почему я должен?! — закричал отец. — По какому закону я обязан расхлебывать кашу, которую она заварила, мы четырнадцать лет врозь, смешно!

14

В соседней комнате мальчик Олег Якубовский, белокурый, слабенький, узколицый и узкоглазый, сидел у стола и готовил уроки.

Он готовил их с небрежностью способного мальчугана, знающего, что достаточно ему сделать ничтожное усилие — и задача будет решена, и руки развязаны для более увлекательных занятий, и обеспечена та отметка, которая составит счастье его родителей.

Олегу ничего не стоило осчастливить родителей этим способом, он счастливил их с снисходительной щедростью.

Впрочем, и для его собственного самочувствия хорошая отметка была не то что необходима, но, во всяком случае, желательна. Он не был излишне самолюбив, но не имел охоты подвергаться порицанию из-за пустяков. Приготовление уроков и получение хороших отметок было именно пустяковым делом, не стоящим разговоров.

Кроме того, в том, чтобы он решил задачу, было заинтересовано немало людей. Ребята, для которых задача трудна или которые поленились ее решать, смогут завтра списать решение у него, Олега, и тоже получат пятерку.

Ради этих ребят он приходил в школу немного раньше, чем требовалось. Ему нетрудно было подняться для товарищей на полчаса раньше. Он вообще не любил спать. Время, проведенное в постели, казалось ему пропащим. Ничего еще не было сделано в жизни. Олег стыдил себя и поторапливал, говоря, что пора начинать.

Что начинать? Он не знал. Его интересовали науки: биология, физика, география. Особенно все касающееся космоса, межпланетных сообщений, овладения пространством поэтически волновало его до спазм в горле. Его не пускали в публичку по молодости лет, но он через знакомых доставал научные журналы, чтоб быть в курсе проблем и открытий.

Так же занимала его литература, и сама по себе, и все связанные с ней споры, все события этой сложной сферы. Он писал стихи, рассказы, пьесы и полагал, что при любых обстоятельствах, какую бы ни избрал профессию, он будет одновременно и писателем.

Возможно также, думал он, что одним из основных его занятий будут шахматы, — у него уже первая категория, не так плохо.

Если соединить это все и еще многое, до чего он пока не додумался, и всему этому посвятить жизнь, — может быть, этого и хватит Олегу Якубовскому.

От многообразия интересов, от взволнованности и некоторой растерянности перед рассыпанными на его пути сокровищами он постоянно был нервно приподнят и глаза его возбужденно блестели, серые узкие, чуть раскосые глаза.

С тех пор как он себя помнил, ему предоставлялось все, что могло способствовать его развитию, физическому и умственному. Никогда к нему не приставали: «Скушай еще ложечку», но, чтобы укрепить его здоровье, от рождения хрупкое, его приохотили к гимнастике, к играм на воздухе, лыжам. Это делала мать. Она это делала и в эвакуации. Любящая без чувствительности, внимательная без назойливости, она старалась не упустить ничего, что должно было дать ему силу, знания, людское расположение. Воспитывала в нем вкус к здоровым развлечениям, научила его читать хорошие книги, водила на концерты и выставки картин, чтобы наполнить его жизнь теми духовными наслаждениями, которые составляли высшую радость собственного ее существования.

При этом он пользовался полной свободой. Всегда у него был свой уголок, неприкосновенный для других; а когда, за год до войны, они получили эту трехкомнатную квартиру, — ему, тогда еще маленькому мальчишке, дали отдельную комнату; и вот недавно он с удовольствием водворился в ней снова. Очень скромно обставлена комнатка, но как заботливо! Пусть сыну не захочется уходить из дому и шататься по улицам, напротив, где бы он ни был, пусть его тянет домой — такая мысль лежала в основе убранства комнаты и в основе всей жизни семьи. Занятия Олега уважались так же, как занятия его отца. Если Олег, случалось, нес ребячью чепуху, ему возражали терпеливо и серьезно. Он мог приводить к себе товарищей, и если приходили девочки, это не было предметом идиотского и оскорбительного поддразнивания, как в некоторых других, менее интеллектуальных домах.

Так поставила дело мать, и отец охотно ей подчинялся, и в семье царил дух благопристойности и взаимопомощи.

Мать была интеллигентней отца, хоть и называлась скромно — домашняя хозяйка. Отец, например, неважно знал музыку. Отец мог взорваться по ничтожному поводу, мог по-женски раскапризничаться. У него иногда срывались вульгарные, плоские выражения, вроде: «перебрал рюмочку», или «пусть он это своей бабушке расскажет», или «что я — рыжий, что ли?». Мать же была безупречна. Ее безупречность наполняла Олега нежной гордостью, но чувство к отцу не страдало от этого сопоставления. Олег был достаточно умен и широк, чтобы не придавать значения мелочам. Так ли важно, что отец неважно знает музыку? Он делает большое дело, все его уважают, и те знакомые с известными и уважаемыми именами, которые дают Олегу научные журналы и отвечают на его трудные вопросы, — это знакомые отца, отец их лечит и ввел их в дом. Отец был краеугольным камнем семьи, фундаментом, на котором мать возводила свою педагогическую постройку.

А что ее педагогика призвана благотворно влиять не только на Олега, но и на отца, — это Олег тоже видел прекрасно, это мельком его забавляло и еще больше сближало с отцом, ставя их как бы на одну доску: двое мужчин, добровольно и добродушно признавших моральное превосходство женщины и вверившихся ей (разумеется, до той черты, где начинается область мужского призвания и мужской независимости), это было в глазах Олега и красиво, и правильно, и поднимало всех троих на новую какую-то высоту.

...Олег сидел и решал задачу. Лампа в оливковом бумажном абажуре смугло светила на его узкое лицо с узкими глазами и острыми скулами.

Он решил задачу. Ему захотелось пить. Он вышел в столовую и налил себе воды из чайника на буфете и услышал — у отца разговаривают. Голос отца и чей-то незнакомый, голос молодого мужчины. Олег не вслушивался.

Но голоса поднялись, и несколько слов зацепили его внимание, и он услышал «ты», сказанное молодым голосом.

«Ты»?.. Во всем мире он не знал, кроме себя, ни одного молодого существа, которое с такой непринужденностью, с таким сознанием своего права могло бы сказать «ты» его отцу. «Ты должен», — сказал этот молодой.

— ...Я не хочу, — сказал отец, и было слышно, что он удручен, — не хочу, чтобы ты меня судил слишком строго, послушай...

Кто же это судит отца, и отец, удрученный, стоит перед судом и оправдывается?

— Володя, это всегда был несчастный, безответственный характер!

— Допустим, — сказал молодой непреклонно. — Скорей всего так. Вот именно несчастный. Что же из этого следует? Что ее надо бросить без помощи?

Олег подошел ближе к отцовской двери.

— Слушай! — сказал отец. — Я не по бархатной дорожке шел...

Сейчас будет про пароходы, как он их грузил. Маленькая папина слабость эти пароходы.

— ...Для вас работал, чтоб вы не голодали!.. А она?! Ни с чем не считалась...

— ...Ей так плохо, как только может быть, — сказал молодой. — ...Ее надо поднять, понимаешь? Поставить на ноги, а то что же это... Я один не справлюсь, понимаешь? Мы вдвоем должны.

— Но почему я должен?! — крикнул отец. — По какому закону я обязан расхлебывать кашу, которую она заварила, мы четырнадцать лет врозь, смешно!

— Вот — потому что тебе смешно, а ей не смешно, вот потому ты и обязан! — сказал молодой резко.

Олег стоял у отцовской двери. Он не подслушивал, просто считал необходимым дослушать этот разговор. И, стоя у закрытой двери деловито и нахохленно, с руками, засунутыми в карманы, он дослушал до конца.

— ...Когда позвонить тебе? — спросил молодой.

— У нас сегодня что? — спросил отец покорно. — Позвони в пятницу.

— Пока, — сказал молодой.

— Будь здоров, Володя.

Олег ушел в свою комнату. Было бы в высшей степени глупо и бестактно подвернуться им сейчас под ноги... Хлопнула выходная дверь.

Он вернулся в столовую. И отец туда входил из передней.

— Кто это был? — спросил Олег. — Папа, кто это? — повторил он, вслед за отцом войдя в кабинет.

— По делу, — отрывисто ответил отец. Он стоял спиной к Олегу, закуривая.

— Почему он говорит тебе «ты»?

— Тебе показалось.

— Ну что ты, папа, что за ерунда... Это мой брат?

Отец оглянулся. Рука с папиросой дрожала у губ.

— Я не позволю задавать вопросы! — закричал он гневно и бестолково. — Кто, что, почему!.. До всего дело... Ни малейшего уважения... Воспитали! Иди, я занят!

И Олег вспыхнул. Взрослые люди, мыслящие люди, и вдруг ложь и истерика!

Хорошо. Он будет действовать так, как находит нужным.

Кто запретит ему? И разве можно иначе?

...Наклонясь над гулким пролетом лестницы, позвал:

— Володя!

15

Он выскочил на улицу. Охватило ветром, снегом. Запахнул пальто на груди, озираясь.

Вдоль набережной несся мелкий снег, и в обе стороны уходили под фонарями темные фигуры, — который из этих людей был брат? Олег крикнул в косо несущийся белый! дым:

— Володя!

Изо всех сил крикнул.

На крик оглянулись двое. Один остановился. Олег побежал к нему, тот стоял и ждал.

— Володя?

— Да? — откликнулся Володя сдержанно.

— Здравствуй!

Володя молчал.

— Я Олег Якубовский.

Они пристально всматривались друг другу в лицо. Володя протянул руку:

— Владимир Якубовский.

— Послушай, нам надо поговорить, — сказал Олег, задыхаясь от волнения, но озабоченно-деловым тоном.

— Ты уверен, что надо?

— Да. Уверен.

— О чем?

— Я хочу тебе сказать. Очень важное.

Володина настороженность причиняла Олегу боль.

— Важное?.. Ладно, проводи меня до остановки. Мне на Кировский завод.

— Ты работаешь на Кировском заводе?

— Собираюсь.

— Послушай, тебе сколько лет?

Слова срывались с Олеговых губ без задержки, бурно.

— Шестнадцать. А тебе четырнадцать, верно?

— Ты знаешь, — значит, ты знал обо мне? Что я существую — ты знал?

— Знал.

— Давно?

— Всегда знал.

— Что ты говоришь. А я о тебе никогда... ничего... Любопытно, зачем они это делают? Как ты считаешь?

— Что делают?

— Ну вот это: что я не знал о тебе совершенно. Зачем они скрывают? А? Из педагогических соображений?

— Не знаю, — ответил Володя, поведя плечами. Он никогда не понимал, для чего нужно отцу и мачехе скрывать, наводить туман... Олегу, видимо, это так же не нужно и обидно, как ему, Володе.

— Оберегают наши юные души? Или боятся нашего осуждения?

— Может, и то и другое, — сказал Володя.

— Боятся, чтобы я не осудил отца. Бедняги. Тоже ведь нелегко — вечно бояться осуждения, верно?

— А еще бы. Так вот поэтому не надо скрывать.

— Конечно! Насколько лучше — откровенно! Сообща можно все обсудить и решить, и ни у кого ни перед кем не будет страха.

Они шли рядом по кромке Марсова поля, утонувшего в сугробах. Снег был в спину, не мешал.

— Постой, не беги так. Я хочу тебе сказать. Из-за того, что у них там между собой что-то получилось или, наоборот, не получилось, разве значит, что мы не должны быть братьями? Не только по фамилии, ты понимаешь? — а вообще.

— Нет, конечно, — снисходительно согласился Володя. — Я разве говорю, что значит?

— Ты не говоришь, но ты уходишь от меня.

— Ты не думай, пожалуйста, что я к тебе что-то такое питаю. Какие-нибудь нехорошие чувства. И не думаю питать, чего ради? Просто меня парень ждет.

— Что за парень?

— Один парень, мы с ним работали на военном заводе.

— Танковый завод?

— Завод, где директором товарищ Голованов, — все, и больше ничего.

— Ах, понимаю... Послушай, это ты про свою маму говорил, что ей очень плохо?.. Извини, я слышал. Она сильно больна, да?

— Об этом не будем, — сказал Володя.

— Хорошо. Извини. Послушай, а где ты живешь? У тебя есть где жить?

— Есть, — ответил Володя с некоторым высокомерием: Олег, кажется, взялся его опекать. — Хочешь, приходи в гости.

Олег понял, что задел Володю, и огорчился.

— Хорошо, — сказал он, присмирев. — Спасибо. Я зайду, если разрешишь.

Дошли до остановки.

— Я с тобой, можно? — спросил Олег.

Его тревожило, что они сказали друг другу слишком мало, ничтожно мало даже для первой беглой встречи.

— Провожу до завода, не возражаешь?

— Валяй, провожай, — ответил Володя. Его неудовольствие уже прошло. Было приятно, что Олег просит у него разрешения кротким голосом, как и подобает младшему брату.

«Какие бы у нас были отношения, — подумал Володя, — если бы мы росли вместе?»

В трамвае пахло промокшей одежей, мехом. Зажатые в углу площадки, стояли они, наскоро рассказывая о себе друг другу. Ты сколько окончил? А ты где был эти годы — и как там, ничего? А спортом занимаешься?

— Немножко, — отвечал Володя, наблюдая нервную жизнь худенького треугольного лица с узкими глазами, вспыхивающими от возбуждения. Возбуждение было каким-то всеобъемлющим. Чувствовалось, что от всего на свете этот организм вибрирует, на все отзывается, воспламеняясь до глубин.

«Лицом на нее похож».

«Как он похож на папу», — думал Олег.

«Это она его таким вырастила?» — думал Володя.

«А что я знаю о ней?» — думал он.

«Что я знаю об отце?» Два человека встретились и, сердясь, говорили о житейском, угнетающем душу. И это были отец и сын, встретившиеся после разлуки. «И всегда так, наверно, будет: с чего бы это изменилось? Я груз для него, досадная забота, не больше». А Олег ни при чем. Вот он весь как на ладони — он ни при чем...

Трамвай прошел под воздушным мостом и остановился у длинной стены. Темные высокие арки ворот встали в метели.

У ворот, выбивая чечетку, дожидался Ромка.

— Познакомься, — сказал Володя Олегу. — Рома, мой товарищ. А это Олег. — Он поколебался и договорил: — Мой брат.

Ромка не придал этой рекомендации должного значения. Бывают двоюродные дяди, бывают двоюродные братья...

— Здоров, — сказал он ворчливо. — Пошли, Володька, ты где пропал? Документы с тобой?

Они ушли в дверь возле ворот. Олег смотрел вслед Володе. Брат! Без вины отторгнутый от семьи и дома, отдельно, как посторонний, шагающий своей дорогой старший брат! Со всей своей пылкостью Олег хотел войти в его дела, подставить ему свое плечо...

Он был один у заводской стены, щербатой, как стена крепости, выдержавшей осаду.

Это и на самом деле была крепость, здесь совсем недавно был фронт, пылали пожары, но крепость выдержала осаду, враги отхлынули, оставив несчетно своих мертвецов на подступах к заводу, — а завод жив и возносит в метель свои тонкие трубы, и теплое живое гуденье исходит от него.

Косо летел мелкий снег, как белый дым. Летящим снегом был доверху и через верх наполнен проспект: словно в небесах раскрылись закрома, где держат это белое, сыпучее, летучее, — и оно высыпается вольно и неиссякаемо. Олег поднял воротник и пошел улыбаясь, жмурясь, шепча.

Любимый город проступал сквозь метель темными линиями своих крыш и вихрящимися пятнами фонарей. Все взвивалось, неслось! — и овладевало Олегом, и он с восторгом давал ему собой овладеть.

На бесконечном, взвихренном, мчащемся проспекте, спеша домой поскорей, в тот вечер встречали прохожие странного мальчика. Под разверзшимися небесными закромами он один шел не торопясь, будто вышел прогуляться в отличную погоду. Прохожие думали: «Чудак!», но догадывались, что он счастлив, — счастлив, раз может такое проделывать. Он сочинял стихи на ходу, желая увековечить любимый город, не считая, что любимый город достаточно увековечен в стихах.

Триумфальная арка, и мальчик рядом, он совсем теряется в ее величии, его будто и нет на площади, есть одна триумфальная арка... Но почем знать — а вдруг он действительно увековечит любимый город в своих стихах! Вдруг ему это удастся, как еще никому не удавалось! Почем знать, кому что удастся из этих мальчишек и девчонок, из кого что получится. Почем знать, почем знать...

1959

СОДЕРЖАНИЕ

Литературно-художественное издание

Сделано в СССР. Любимая проза

Панова Вера Федоровна

СЕНТИМЕНТАЛЬНЫЙ РОМАН

Выпускающий редактор *В.И. Кичин*
Художник *Ю.М. Юров*
Корректор *Н.К. Киселева*
Верстка *И.В. Хренов*
Оформление и подготовка обложки *М.Г. Хабибуллов*

ООО «Издательство «Вече»

Адрес фактического местонахождения:
127566, г. Москва, Алтуфьевское шоссе, дом 48, корпус 1.
Тел.: (499) 940-48-70 (факс: доп. 2213), (499) 940-48-71.

Почтовый адрес:
129337, г. Москва, а/я 63.

Юридический адрес:
129110, г. Москва, ул. Гиляровского, дом 47, строение 5.

E-mail: veche@veche.ru
http://www.veche.ru

Подписано в печать 28.04.2015. Формат 84×108 $^1/_{32}$.
Гарнитура «Times New Roman». Печать офсетная. Бумага офсетная.
Печ. л. 12. Тираж 2000 экз. Заказ № 2712.

Отпечатано в ОАО «Рыбинский Дом печати»
152901, г. Рыбинск, ул. Чкалова, 8.
e-mail: printing@r-d-p.ru   www.r-d-p.ru